D0590135

DÉJÀ PARUS
DANS LA COLLECTION MILLE COMÉDIES

Sophie Kinsella, *Confessions d'une accro du shopping*, 2002 (rééd. 2004)

Robyn Sisman, *Cul et chemise*, 2002

Jennifer Weiner, *Alors, heureuse ?*, 2002

Brian Gallagher, *Une exquise vengeance*, 2002

Sophie Kinsella, *Becky à Manhattan*, 2003

Paul Burston, *Sexe, amour et amitié*, 2003

Ben Elton, *Devine qui vient mourir ce soir ?*, 2003

Will Ferguson, *Bonheur, marque déposée*, 2003

Sophie Kinsella, *L'accro du shopping dit oui*, 2004

Damien Owens, *Cruautés conjugales*, 2004

Jennifer Weiner, *Chaussure à son pied*, 2004

Victoria Clayton, *Beaucoup de bruit pour un cadavre*, 2004

Marian Keyes, *Chez les anges*, 2004

Brian Gallagher, *Neuf mois de sursis*, 2004

Sophie Kinsella, *Les Petits Secrets d'Emma*, 2005

Francesca Clementis, *Un tout petit mensonge*, 2005

Dan Allan, *Cyber coup de foudre*, 2005

Jennifer Weiner, *Envies de fraises*, 2005

Sophie Kinsella, *L'accro du shopping a une sœur*, 2006

Jennifer Weiner, *Crime et couches-culottes*, 2006

Madeleine Wickham *alias* Sophie Kinsella, *Un week-end entre amis*, 2007

Emma Forrest, *Cerises givrées*, 2007

Sophie Kinsella, *Samantha, bonne à rien faire*, 2007

Jill Smolinski, *Le Prochain Truc sur ma liste*, 2007

Madeleine Wickham *alias* Sophie Kinsella, *Une maison de rêve*, 2007

RÉPONDS, SI TU M'ENTENDS

MARIAN KEYES

RÉPONDS,
SI TU M'ENTENDS

Traduit de l'anglais (Irlande)
par Laure Manceau

belfond
12, avenue d'Italie
75013 Paris

Titre original :
ANYBODY OUT THERE ?
publié par Michael Joseph, an imprint of Penguin
Books, Londres

Tous les personnages de ce roman sont
fictifs, et toute ressemblance avec des
personnes réelles, vivantes ou mortes,
serait pure coïncidence.

Si vous souhaitez recevoir notre catalogue
et être tenu au courant de nos publications,
vous pouvez consulter notre site internet,
www.belfond.fr
ou envoyer vos nom et adresse
aux Éditions Belfond,
12, avenue d'Italie, 75013 Paris.
Et, pour le Canada,
à Interforum Canada Inc.,
1055, bd René-Lévesque-Est,
Bureau 1100,
Montréal, Québec, H2L 4S5.

À Tony

Prologue

L'adresse de l'expéditeur ne figurait pas sur l'enveloppe. Bizarre. J'ai ressenti un léger malaise. Qui s'est accentué lorsque j'ai remarqué mes nom et adresse...

Une femme sensée n'aurait pas parcouru ce courrier. Une femme sensée l'aurait jeté à la poubelle sans autre forme de procès. Mais, à part un bref laps de temps entre vingt-neuf et trente ans, quand m'étais-je déjà montrée raisonnable ?

Alors voilà, j'ai décacheté l'enveloppe.

C'était une carte, une aquarelle représentant des fleurs défraîchies dans un vase. Assez fine pour que je distingue au toucher quelque chose à l'intérieur. De l'argent ? Un chèque ?

Je faisais dans le sarcasme – même si personne n'était là pour m'entendre et si, de toute façon, je prononçais ces mots en mon for intérieur.

Oui, il y avait bien quelque chose à l'intérieur : une photo... Pourquoi m'envoyait-on cette photo ? J'en avais déjà tout un tas. Puis je me suis aperçue que je me trompais. Ce n'était pas lui. Et là, soudain, j'ai tout compris.

I

1

Maman a ouvert la porte du salon toute grande en lançant :
« Bonjour, Anna, c'est l'heure de tes cachets. »

Elle essayait d'avancer d'un pas décidé, comme les infirmières qu'elle avait vues dans les séries télé, mais la pièce était tellement encombrée de meubles qu'elle avait du mal à se frayer un chemin vers moi.

Deux mois que j'étais arrivée en Irlande. J'étais incapable de monter l'escalier, avec ma rotule luxée, alors mes parents m'avaient installé un lit au rez-de-chaussée, dans le Beau Salon.

Ne vous y méprenez pas, c'était un immense honneur : en temps normal, nous n'avions le droit d'entrer dans cette pièce que lors des fêtes de Noël. Le reste de l'année, toutes les activités familiales – séances télé, grignotage de chocolat, chamailleries – avaient lieu dans le garage où nous étions à l'étroit, reconverti et pompeusement baptisé « Salle Télé ».

Mais lorsqu'on a mis mon lit dans le Beau Salon, il n'y avait plus d'endroit où entreposer le mobilier – canapés à gros coussins et autres fauteuils à pompons de passementerie. Désormais, la pièce ressemblait à un magasin de meubles bon marché où des centaines de canapés s'entassent les uns contre les autres, de sorte qu'il fallait presque les escalader comme des rochers en bord de mer.

« Bon, à nous. » Maman a sorti mon ordonnance, sur laquelle figuraient les heures exactes auxquelles je devais prendre mes médicaments – antibiotiques, anti-inflammatoires, antidépresseurs, somnifères, vitamines, antalgiques qui procuraient une très agréable sensation de flottement, et un membre de la famille Valium qu'elle avait remisé dans un coin secret.

Boîtes et flacons s'empilaient sur une petite table basse en bois finement ciselé – plusieurs chiens en porcelaine d'une laideur infâme leur avaient cédé la place et se retrouvaient par terre à me lancer des regards lourds de reproche –, et maman s'est mise à les trier pour me donner les bonnes pilules.

Mon lit avait été ingénieusement placé près de la fenêtre pour que je puisse regarder les gens qui passaient. Sauf que c'était impossible : se trouvait là un voilage aussi inamovible qu'un rideau de fer. Au sens non pas physique, comprenez-le bien, mais social : dans la banlieue dublinoise, écarter effrontément ses rideaux pour avoir une vue imprenable sur « les gens qui passent » est un faux pas équivalant presque à peindre sa porte d'entrée en écossais. De toute façon, il n'y avait pas de passants. Quoique... En fait, depuis quelque temps, à travers le voile, j'avais remarqué une vieille dame qui s'arrêtait presque chaque jour pour faire uriner son chien devant chez nous. Parfois, j'avais l'impression que le chien, un adorable terrier blanc tacheté de noir, n'en avait pas envie, mais que sa maîtresse avait l'air d'insister.

« Voilà, ma petite demoiselle. » Maman ne m'avait jamais appelée « ma petite demoiselle » avant tous ces événements. « Allez, avale-moi ça. » Elle m'a glissé une poignée de gélules dans la bouche et m'a passé un verre d'eau. Elle était adorable, vraiment, même si je la soupçonnais de seulement jouer un rôle.

« Ah, doux Jésus ! » s'est exclamé quelqu'un. Ma sœur Helen rentrait d'une nuit de travail. Depuis le seuil de la porte, elle regardait la pièce et sa multitude de pompons. « Je me demande comment tu arrives à supporter tout ça. »

Helen est la plus jeune de nous cinq et vit toujours chez nos parents, malgré ses vingt-neuf ans. Pourquoi irait-elle s'enquiquiner à déménager, nous demande-t-elle souvent, alors qu'elle dispose d'une chambre à l'œil, du câble et d'un chauffeur (papa) compris dans le lot ? Elle concède, bien sûr, que la nourriture est exécrable, mais on peut toujours se débrouiller.

« Bonjour, ma chérie, tu es rentrée, a dit maman. Eh bien, le travail ? »

Après avoir changé plusieurs fois d'orientation professionnelle, Helen – et je n'invente rien ; si seulement – a décidé de devenir détective privé. Mais c'est beaucoup moins dangereux et excitant qu'il ne paraît. Elle s'occupe surtout de fraudes à l'assurance et de « délits domestiques » – où elle doit recueillir des preuves pour confondre les maris volages. Un job qui me déprimerait au plus haut point, mais elle dit que ça ne la dérange pas, parce qu'elle a toujours su que les hommes étaient des salauds.

Elle reste donc de longues heures le derrière dans des buissons humides, armée de son téléobjectif, à essayer de prendre en photo les amants quittant leur nid d'amour. Elle pourrait être bien au chaud et au sec dans sa belle voiture, mais elle a tendance à s'y endormir et à louper le coche.

« Maman, je suis hyperstressée, je peux avoir du Valium ? a-t-elle tenté.

— Non.

— J'ai trop mal à la gorge. Les risques du métier. Je vais me coucher. »

Avec tout le temps qu'elle passe les fesses au frais, Helen chope souvent des angines.

« Je te monte de la glace dans une minute, mon poussin. Au fait, je meurs d'envie de savoir : tu as eu ta cible, aujourd'hui ? »

Maman adore le job d'Helen, presque plus que le mien, et c'est beaucoup dire. (Il paraît que j'ai le Meilleur Boulot du Monde™.) Si jamais Helen s'ennuie à mourir ou qu'elle ait la frousse, il arrive même que maman lui tienne compagnie – comme dans l'Affaire de la Femme Disparue. Helen devait s'introduire chez la femme en question pour trouver des indices (billets d'avion pour Rio, par exemple, rien que du très probable…), et maman l'avait accompagnée car elle adore fouiner chez les autres. Elle dit que ce n'est pas croyable à quel point les maisons des gens sont sales quand ils n'attendent pas de visite. Et du coup, elle déculpabilise le fait de vivre dans un endroit pas vraiment propre comme un sou neuf. Parce que sa vie s'était mise à ressembler – même brièvement – à une série policière, maman s'est emballée et a tenté de faire céder le verrou de la porte d'entrée à coups d'épaule – même si, il faut bien le dire, *Helen avait une clé*. Et maman le savait. La sœur de la disparue la lui avait donnée. Maman n'y a récolté qu'une belle contusion à l'épaule.

« C'est pas du tout comme à la télé », s'était-elle plainte ensuite en se massant le haut du bras.

Et, en début d'année, quelqu'un a essayé d'assassiner Helen. Cela dit, de l'avis général, le plus étonnant n'était pas qu'une chose aussi horrible puisse se produire, mais que ça ne soit pas arrivé avant. Bien entendu, ses jours n'ont pas vraiment été en danger. Un inconnu a fracassé un carreau de la Salle Télé en lançant une pierre pendant un épisode de *East Enders* – sûrement un ado du coin déchargeant son énergie juvénile, mais aussitôt maman a bondi sur le téléphone pour dire à qui voulait l'entendre que quelqu'un tentait d'« intimider » Helen, qu'on voulait qu'« elle se dessaisisse de l'affaire ». Comme cette dernière se résumait à une petite enquête de bureau (un employeur avait demandé à Helen d'installer une caméra cachée pour voir si ses employés fauchaient des cartouches d'encre), cela paraissait assez peu probable. Mais qui étais-je pour gâcher leur plaisir ? Toute la famille trouvait ça follement excitant. Enfin, excepté papa, et encore, juste parce que c'était lui qui avait dû ramasser les bouts de verre et boucher le trou avec un sac en plastique et du chatterton jusqu'à l'arrivée du vitrier, environ six mois plus tard. (Je soupçonne maman et Helen de vivre dans un monde imaginaire où elles attendent que quelqu'un débarque pour transformer leur vie en sitcom à gros succès. Et où, cela va sans dire, elles joueront leur propre rôle.)

« Oui, oui, je l'ai vu, a dit Helen. L'affaire est dans le sac. Bon, je vais me coucher. » Au lieu de quoi, elle s'est allongée sur un des canapés. « Le type aussi m'a vue, derrière mon buisson, pendant que je lui tirais le portrait. »

Maman a porté la main à sa bouche, tel un personnage de série télé exprimant son angoisse.

« Mais inutile de s'inquiéter. On a eu une petite conversation, tous les deux. Il m'a demandé mon numéro de téléphone. Quel crétin ! » a-t-elle ajouté avec mépris.

Voilà tout le problème d'Helen : c'est une très jolie fille. Les hommes, même ceux qu'elle espionne pour le compte de leur épouse, tombent amoureux d'elle. Quoique j'aie trois ans de plus, on se ressemble beaucoup : petites avec de longs cheveux bruns et un visage presque identique. D'ailleurs, maman nous confond souvent, surtout lorsqu'elle ne porte pas ses lunettes. Mais à ma différence, Helen a un incroyable magnétisme. Elle opère sur une fréquence unique, bien à elle, qui subjugue les hommes ; peut-être sur le même principe que le sifflet à ultrasons, audible seulement par les chiens. Lorsqu'un mec nous rencontre toutes les deux en même temps, on voit immédiatement la confusion s'emparer de lui. On le voit se dire : Elles se ressemblent, mais cette Helen est

17

ensorcelante ; elle est comme une drogue, alors que cette Anna est un peu banale... Non que ça joue en leur faveur pour autant. Helen se vante de n'être jamais tombée amoureuse, et je la crois. Pas sentimentale pour deux sous, elle n'éprouve que du mépris envers tout et tout le monde. Même Luke, le petit copain de Rachel – enfin, son fiancé désormais. Luke est tellement sexy, il transpire la testostérone... Moi, je redoute de me retrouver seule avec lui. Je veux dire, c'est quelqu'un de gentil, de vraiment adorable, mais vous voyez le genre... tout en virilité, quoi. Il m'attire et en même temps me rebute, aussi absurde que cela puisse paraître ; et tout le monde – même maman – même *papa*, j'aurais envie de dire – est attiré sexuellement par lui. Mais Helen, non.

D'un coup, maman m'a attrapé le bras – pas celui qui était cassé, heureusement – et a déclaré, fébrile : « Regarde ! C'est Miss Guillerette, Angela Kilfeather. Avec sa petite copine ! Elle doit venir passer le week-end chez ses parents ! »

(Une fois, Helen a travaillé avec un Indien qui appelait les « gays » des « guillerets ». L'expression est devenue tellement populaire que presque toutes les personnes que je connais – y compris mes amis homos – l'emploient. Avec l'accent indien, s'il vous plaît. Du coup, dans ma famille, les lesbiennes sont des « guillerettes », également prononcé avec l'accent indien.)

Angela Kilfeather est la créature la plus exotique jamais sortie de notre rue. Enfin, pas tout à fait, ma famille est bien plus spectaculaire, avec ses mariages brisés, ses tentatives de suicide, ses toxicomanes et Helen ; mais pour maman, Angela Kilfeather est LA référence : aussi loufoques que soient ses filles, au moins ce ne sont pas des lesbiennes qui embrassent leur petite copine à pleine bouche sous des cyprès de banlieue.

Maman a regardé par le trou entre le mur et le voilage. « Ah, je n'y vois rien, passe-moi tes jumelles », a-t-elle lancé à Helen, qui s'est empressée de les sortir de son sac à dos — mais uniquement pour son usage personnel. Une bataille s'est ensuivie, brève mais acharnée. « Dépêche-toi, enfin, a supplié maman. Elle va partir, là ! Allez, laisse-moi voir.

— Si tu promets de me donner un Valium, le don de la vision à distance est à toi. »

Cruel dilemme pour maman, mais elle a pris la bonne décision.

« Tu sais que je ne peux pas faire une chose pareille, a-t-elle répondu calmement. Je suis ta mère et ça serait totalement irresponsable de ma part.

— Comme tu voudras, a rétorqué Helen en reprenant son observation avant de murmurer : Mon Dieu, mais regardez-moi ça ! », puis : « Ma parole ! Mais qu'est-ce qu'elles essaient de faire ? Une amygdalectomie entre guillerettes ? »

À cet instant, maman a bondi hors du canapé pour s'efforcer de lui prendre les jumelles, et elles se sont chamaillées comme des gamines, jusqu'à ce qu'elles heurtent ma main, celle où je n'ai plus d'ongles, et que mon hurlement de douleur les ramène à un peu plus de bienséance.

2

Après m'avoir lavée, maman a ôté les bandages de mon visage, comme tous les jours, puis m'a enveloppée dans une couverture. Je me suis assise dans le jardin, aussi grand qu'un mouchoir de poche, à regarder pousser l'herbe – shootée aux antalgiques, j'étais hyperdétendue – et à aérer mes blessures. Mais le docteur m'avait strictement interdit de m'exposer directement au soleil, et même si on était en avril et en Irlande, je portais un chapeau ridicule à large bord que ma mère avait mis au mariage de ma sœur Claire ; heureusement, ici, personne ne me voyait. (Nota bene à tendance philosophique : quand un arbre tombe dans la forêt et que personne n'est là pour l'entendre, est-ce que sa chute émet quand même un son ? Et quand on met un chapeau ridicule mais que personne n'est là pour le voir, est-ce qu'il demeure ridicule ?)

Le bleu du ciel, la douceur de l'air... Tout était très agréable. Par moments me parvenait la toux d'Helen, dans une des chambres à l'étage, et j'observais, rêveuse, les jolies fleurs se balancer sous la brise. J'avais envie de regagner New York. Depuis quelques jours déjà, j'y songeais. Ce n'était pas vraiment une envie, plutôt une obligation, une nécessité, et j'étais incapable de comprendre pourquoi je n'étais pas encore rentrée. Le problème était que maman et, avec elle, le reste de la famille allaient devenir fous si je le disais. J'entendais d'ici leurs arguments : je devais rester à Dublin, là où se trouvaient mes racines, où j'étais aimée, où ils « s'occuperaient » de moi.

Mais leur façon de « s'occuper de quelqu'un » diffère de celle des autres familles plus normales, car pour eux la solution à tout problème réside dans le chocolat.

Rien que de penser à leurs cris de protestation, j'ai été prise de panique : il fallait absolument que je retourne à New York. Que je reprenne mon travail. Que je revoie mes amis. Et – mais cela, je ne pouvais le dire à personne, sous peine de voir débarquer les hommes en blouse blanche – que je retrouve Aidan.

Les yeux clos, je commençais à sombrer ; mais soudain, comme si la boîte de vitesses de mon cerveau s'était enrayée, un souvenir violent fait de bruit, de douleur et d'obscurité m'a submergée. J'ai rouvert les yeux d'un coup : si les fleurs étaient toujours aussi jolies, l'herbe toujours aussi verte, mon cœur cognait dans ma poitrine et j'avais du mal à respirer.

Ça m'arrivait depuis quelques jours : les antalgiques n'étaient plus aussi efficaces qu'au début. Leur effet durait moins longtemps, et de petits trous déchiquetés apparaissaient dans la couverture moelleuse dont ils me recouvraient – trous par lesquels l'horreur s'infiltrait comme l'eau à travers un barrage fissuré.

Après avoir bataillé pour me lever, j'ai regagné la maison et regardé *Home and Away*, déjeuné (la moitié d'un petit pain au fromage, cinq quartiers de mandarine, deux Malteser, huit gélules) ; puis maman a rhabillé mes blessures avant ma promenade. Elle adorait ce moment de la journée, s'affairer avec les ciseaux chirurgicaux, couper de larges bandes d'ouate et de sparadrap blanc, ainsi que le médecin le lui avait montré. L'infirmière Walsh au service de sa malade. J'ai refermé les yeux. Sentir le bout de ses doigts effleurer mon visage m'apaisait.

« Les petites cicatrices que j'ai sur le front commencent à me démanger. C'est bon signe, non ?

— Voyons voir. » Elle a écarté ma frange pour regarder de plus près. « En effet, elles guérissent très bien, a-t-elle commenté, comme si elle connaissait son affaire. À mon avis, inutile de remettre un pansement. Et peut-être aussi pour celle sur ton menton. » (On m'avait enlevé un bout de chair parfaitement circulaire, pile au milieu du menton. Ça serait pratique quand j'aurais envie de me lancer dans une imitation de Kirk Douglas.) « Mais pas question de se gratter, ma petite dame ! Vraiment, de nos jours, on soigne parfaitement les blessures au visage, a-t-elle ajouté, toujours experte, répétant ce que le médecin nous avait dit. Ces sutures ne devraient pas laisser de traces. Sauf celle-ci qui... », a-t-elle constaté en appliquant doucement du gel antiseptique sur la profonde entaille qui courait le long de ma joue droite, avant de faire une pause car je tressaillais de douleur. Cette plaie avait été refermée non par des sutures mais par de gros points à la Frankenstein, à croire qu'ils avaient été faits avec une maxi-aiguille à repriser. De toutes les marques sur mon visage, elle seule ne disparaîtrait jamais.

« Mais c'est à ça que servent les chirurgiens esthétiques, ai-je répondu, imitant le médecin à mon tour.

— Tout à fait », a concédé maman. Cependant, sa voix paraissait lointaine et étranglée. Aussitôt, j'ai rouvert les yeux. Les épaules voûtées, elle semblait marmonner quelque chose pour elle-même ; peut-être : « Ta pauvre petite frimousse ! »

« Maman, je t'en prie, ne pleure pas !

— Je ne pleure pas.

— Bien.

— Ah, tiens, je crois que j'entends Margaret. » Elle s'est passé un mouchoir sur le visage et est sortie pour aller se moquer de la nouvelle voiture de sa fille cadette.

Maggie venait pour notre promenade quotidienne. La deuxième de notre tribu est la marginale de la famille, notre inavouable secret, notre brebis pas galeuse pour deux sous. Les autres (y compris maman, dans ses moments d'égarement) la traitent de « lèche-cul », mot avec lequel je ne suis pas très à l'aise car il est assez méchant, mais qui, à vrai dire, convient bien. La dissidence de Maggie consiste à mener une vie tranquille et rangée aux côtés d'un homme tranquille et rangé du nom de Garv, littéralement haï par ma famille pendant des années. Ce qu'ils lui reprochaient ? Le fait qu'on puisse toujours compter sur lui, sa gentillesse, et la plupart de ses pulls (trop semblables à ceux de papa, à ce qu'il paraît). Mais ces dernières années, les relations se sont adoucies, surtout depuis la naissance des enfants : JJ, trois ans, et Holly, cinq mois.

Je l'admets, j'ai regardé de travers les pulls de Garv, moi aussi, et je m'en veux car, il y a environ quatre ans, Garv m'a aidée à changer de vie. J'en étais à négocier un virage pas évident (j'y reviendrai) et il a fait preuve d'une infinie bonté. Il m'a même dégoté un boulot dans la boîte de comptabilité pour laquelle il travaillait – d'abord au courrier, puis j'ai été promue à l'accueil. Ensuite, il m'a encouragée à suivre une formation, et j'ai décroché un diplôme en relations publiques. Je sais, ce n'est pas aussi impressionnant qu'un doctorat en astrophysique et ça ressemble plus à un diplôme de Séances Télé ou de Dégustation de Bonbons ; mais sans ce diplôme, je n'aurais jamais obtenu le poste que j'occupe actuellement – le Meilleur Boulot du Monde™. Et je n'aurais jamais rencontré Aidan.

J'ai boitillé jusqu'à la porte. Maggie sortait les enfants de sa nouvelle voiture, une énorme familiale dont maman disait qu'elle avait l'air d'être atteinte d'éléphantiasis.

Papa aussi était là, essayant de contrebalancer le mépris de maman ; il manifestait à quel point cette voiture était belle en tournant autour et en donnant de légers coups de pied dans les pneus.

« Non, vraiment, c'est de la bonne qualité, a-t-il déclaré en appuyant son propos par un nouveau coup.

— Mais regarde-moi ces tout petits yeux de cochon !

— Maman, ces yeux sont des phares, a répliqué Maggie en émergeant du véhicule avec Holly sous le bras.

— Tu n'aurais pas préféré une Porsche ? a demandé maman.

— Trop années 80.

— Une Maserati ?

— Pas assez puissante. »

Maman – que je soupçonnais de s'ennuyer à mourir – fantasmait sur des bolides sexy. Elle regardait l'émission *Top Gear* et s'y connaissait (un peu) en Lamborghini et en Aston Martin.

Maggie a de nouveau plongé dans la voiture, et, après avoir défait une autre série de ceintures, est réapparue avec JJ sous l'autre bras.

À l'instar de Claire (qui la précède) et de Rachel (qui la suit), Maggie est grande et athlétique. En cela, elles ont hérité des gènes de maman. Helen et moi, les courtes sur pattes, avons un physique aux antipodes du leur, et je ne sais pas de qui nous tenons. Papa n'est pas si petit que ça, c'est surtout sa douceur qui donne cette impression.

Maggie a embrassé son rôle de mère avec passion – pas simplement la maternité, l'apparence aussi. Selon elle, l'un des grands avantages d'avoir des enfants consiste à n'avoir pas le temps de se demander à quoi on ressemble, et elle se vante d'avoir complètement laissé tomber le shopping. La semaine précédente, elle m'avait dit qu'au début de chaque automne et de chaque printemps elle allait chez Marks & Spencer s'acheter six jupes identiques, deux paires de chaussures – talons hauts, talons plats – et quelques hauts. « Quarante minutes chrono ! » avait-elle jubilé. À part ses cheveux au carré, d'un très joli châtain doré (artificiel – preuve qu'elle n'a pas tout abandonné), elle fait plus mémère que maman.

« Mais regarde-moi cette vieille jupe à la noix, a murmuré maman. Les gens vont nous prendre pour des sœurs.

— J'ai entendu ! a crié Maggie. Et sache que je m'en fiche.

— Ta voiture ressemble à un rhinocéros, a rétorqué maman.

— Ah ? Je croyais que c'était à un éléphant... Papa, tu peux ouvrir le coffre, s'il te plaît ? »

Puis JJ m'a repérée, ce qui a eu l'air de le remplir d'une joie délirante. Ce n'était peut-être que l'effet de la nouveauté, mais j'avais pour l'heure le statut de tante préférée. Il s'est dégagé des bras de Maggie et propulsé dans l'allée comme un boulet de canon. Il se jetait toujours sur moi, et bien que trois jours auparavant il ait par accident mis un coup de tête dans ma rotule luxée fraîchement sortie de son plâtre et que j'en aie vomi de douleur, je lui pardonnais toujours.

Je l'ai emmené dans la maison prendre son « chapeau de promenade ». Quand maman avait cherché un chapeau à large bord pour me protéger du soleil, elle était tombée sur tout un stock d'horribles couvre-chefs qu'elle avait portés à des mariages au fil des ans. Je n'aurais pas été plus horrifiée si j'avais découvert un charnier. Il y en avait des tonnes, tous plus bigarrés les uns que les autres, et, sans raison, JJ s'était entiché d'un vieux canotier tout raplapla orné d'une grappe de cerises. Il nous serinait que c'était un « chapeau de cow-boy », mais, très franchement, rien n'en était plus éloigné. Déjà, à trois ans à peine, il faisait preuve d'une excentricité charmante – qui devait venir d'un gène récessif, car il ne la tenait certainement pas de ses parents.

Une fois tout le monde prêt, notre petite troupe s'est mise en route : moi cramponnée à papa de mon bras valide, Holly dans la poussette et JJ, le capitaine, en tête de cortège.

Maman refusait de se joindre à nous pour notre tour quotidien, au motif que nous étions si nombreux que « ça attirerait les regards ». Il est vrai que nous faisions sensation : entre le chapeau de JJ et mes blessures, pour les enfants du coin, c'était comme si le cirque avait débarqué en ville.

Nous nous sommes assis sur un banc pendant une petite demi-heure, à prendre l'air. Depuis le début de ces promenades, nous bénéficiions d'un temps anormalement sec pour l'Irlande, du moins dans la journée. Il ne semblait pleuvoir que le soir, quand Helen devait se cacher dans les buissons avec son téléobjectif.

Notre rêverie a été interrompue par les cris perçants de Holly. D'après Maggie, il fallait lui changer sa couche ; nous sommes donc tous rentrés à la maison, où elle a vainement tenté de refiler cette corvée à maman, puis à papa. Elle ne m'a pas demandé à moi ; avoir un bras cassé, parfois, ça a du bon.

Pendant que sa mère était partie jongler avec les couches et les lingettes, JJ a sorti de mon (énorme) trousse à maquillage un crayon à lèvres couleur rouille et l'a dirigé vers son visage en disant : « Comme toi.

— Quoi, comme moi ?

— Comme toi », a-t-il répété en touchant une de mes coupures, puis en pointant sa figure du bout du crayon. Ah ! Il voulait que je lui dessine des cicatrices.

« D'accord, mais seulement quelques-unes. » Je n'étais pas convaincue que c'était une chose à encourager, alors je n'en ai dessiné qu'une ou deux, en appuyant à peine. « Regarde. » Je lui ai tendu un miroir. Son nouveau look lui a tellement plu qu'ils s'est mis à hurler : « Encore !

— Une dernière, alors. »

Mais il n'arrêtait pas de se regarder dans le miroir et de m'en demander encore et encore, et quand Maggie est revenue et que j'ai vu son regard, j'ai pris peur. « Oh, mon Dieu ! Excuse-moi, Maggie. Je me suis un peu emballée. »

Cependant, je me suis vite rendu compte que ses yeux n'exprimaient pas la colère à laquelle je m'étais attendue – car le visage de JJ ressemblait à un patchwork ; elle avait simplement eu ce fameux regard, celui qu'elles ont toutes lorsqu'elles aperçoivent ma trousse à maquillage. J'avais espéré mieux de sa part.

C'était très étrange. Malgré toute l'horreur des jours qui venaient de s'écouler, tout ce chagrin, pas un ne se terminait sans qu'un membre de ma famille vienne s'asseoir sur mon lit pour demander à jeter un œil à son contenu. Ils étaient littéralement éblouis par mon superboulot et ne cachaient pas leur incrédulité quant au fait que ce soit moi, parmi tant d'autres, qui l'aie décroché.

Maggie s'est avancée vers la trousse la main tendue, comme une somnambule. « Je peux regarder ?

— Vas-y, sers-toi. J'ai aussi des gels douche et des shampooings, là, par terre. Y a des trucs bien – enfin, si maman et Helen ne m'ont pas entièrement dévalisée. Prends tout ce que tu veux. »

Dans un état proche de la transe, Maggie a sorti rouge à lèvres après rouge à lèvres. J'en avais plus d'une quinzaine.

« Mais certains n'ont même pas été ouverts ! Comment ça se fait que maman et Helen ne te les aient pas volés ?

— Elles en ont déjà. Juste avant... tu sais... tout ça, je leur avais envoyé un colis avec les nouveaux produits de l'été. » Deux jours après mon arrivée, maman et Helen s'étaient installées sur mon lit et avaient passé en revue mes tubes de rouge. « Porn Star ? Je l'ai. Orgasme Multiple ? Je l'ai aussi. Vilaine Fille ? Pareil. »

« Elles ne me font jamais passer l'info, s'est plainte Maggie. Pourtant, je ne vis qu'à deux kilomètres.

— Oh. Peut-être qu'à cause de ton nouveau look "ménagère de moins de cinquante ans" elles pensent que le maquillage ne t'intéresse plus. Désolée. Dès que je rentre à New York, je te fais envoyer les dernières nouveautés.

— Vraiment ? Merci. » Puis son expression s'est durcie. « Tu rentres à New York ? Quand ? Réfléchis un peu, voyons. Tu ne peux aller nulle part. Tu as besoin de ta famille, de sécurité. » Mais un tube de rouge à lèvres a attiré son regard. « Oh, je peux l'essayer, celui-ci ? C'est exactement ma couleur.

— Vas-y, sers-toi. Emporte aussi le gel douche au vétiver. Il est très agréable. Ah non, attends, je crois que papa l'a pris. »

Elle s'est mise à fouiller dans les gels douche, exfoliants et crèmes pour le corps, à les décapsuler, les renifler et les tester sur sa peau. Maggie a fini par dire : « Toi, tu as vraiment le meilleur job qui existe au monde. »

Mon boulot

Je travaille à New York, en tant qu'assistante de la vice-présidente des RP de Candy Grrrl, la marque de cosmétiques la plus branchée de la planète. (Vous en avez sûrement entendu parler. Sinon, ça veut dire que quelqu'un, quelque part, fait mal son boulot – et j'espère bien que ce n'est pas moi.) J'ai donc accès à un nombre incroyable de produits gratuits : à vous donner le tournis. Et je pèse mes mots : peu après mes débuts dans la société, ma sœur Rachel, qui avait vécu pendant des années à New York, est passée me voir un soir au bureau après le départ de tout le monde, pour voir si j'exagérais.

Et, lorsque j'ai ouvert le placard où, sur des dizaines d'étagères, s'alignaient, bien rangés, les crèmes pour le visage, les réducteurs de pores, les anticernes, les bougies parfumées, les gels douche, les bases de teint, les enlumineurs... elle a fixé le tout un long moment, avant de bredouiller : « J'ai plein de petits points noirs devant les yeux. Je ne plaisante pas, Anna, je crois que je vais m'évanouir. » À vous donner le tournis, je vous dis. Et encore, c'était avant que je lui propose de se servir.

On ne m'autorise pas seulement à porter les produits Candy Grrrl, on m'y oblige. Nous devons tous endosser le costume de la marque que nous représentons. « *Il faut vivre ce boulot*, m'a dit Ariella le jour où j'ai décroché le contrat. Il faut le vivre, Anna. Tu es une nana Candy Grrrl, vingt-quatre heures sur vingt-quatre, sept jours sur sept ; tu es toujours en service. »

Le plus fabuleux, c'est qu'on ne m'offre pas uniquement des produits Candy Grrrl. L'agence pour laquelle je travaille, McArthur on the Park (fondée et toujours tenue par Ariella McArthur, qui n'a jamais vendu), représente treize autres marques de cosmétiques, toutes plus merveilleuses les unes que les autres, et, environ une fois par mois, un souk est créé dans la salle de réunion, au cours duquel s'effectuent les échanges les plus fructueux et les plus honnêtes. (Mais rien à voir avec la politique officielle de la maison : cela n'arrive pas si Ariella est dans les parages. Alors j'aimerais autant que vous n'en parliez à personne.)

En plus de tous les produits gratuits, il existe d'autres avantages. Exemple : comme McArthur on the Park gère le budget Perry K, je me fais couper et colorer les cheveux gratuitement par Perry K. Pas par Perry K en personne, mais par un de ses dévoués sous-fifres. Perry K, lui, est souvent à bord d'un jet privé, en route vers un studio de Corée du Nord ou de Vanuatu pour couper les cheveux d'une star sur un tournage.

Bref, après sa visite, Rachel a appelé tout le monde pour leur parler du placard magique. J'ai reçu une tonne de coups de fil d'Irlande. Est-ce que Rachel avait replongé dans la drogue, ou est-ce que je lui avais bien donné tous ces cosmétiques gratuits ? Auquel cas, est-ce qu'ils pouvaient en avoir, eux aussi ? Je leur ai immédiatement fait parvenir un colis avec un nombre indécent de produits – je l'admets, je voulais leur en mettre plein la vue, leur prouver à quel point ma carrière était une réussite.

Cela dit, vous êtes censée signer un registre, quand vous envoyez des produits – le moindre recourbe-cils, même les baumes pour les lèvres. Mais si vous déclarez que vous les adressez à un journal comme le *Nebraska Star*, personne n'ira vérifier : je suis une employée de confiance.

Souvent, les gens me demandent : « Mais comment on fait pour dégoter un boulot pareil ? »

Je vais vous expliquer.

3

Comment je me suis dégoté mon boulot

Mon diplôme de relations publiques en poche, j'ai décroché un poste dans le bureau de presse d'une petite compagnie de cosmétiques à Dublin. C'était mal payé et plutôt rasoir – je passais le plus clair de mon temps à remplir des enveloppes d'échantillons, et, vu que nos sacs étaient fouillés à la fin de chaque journée, je n'avais même pas de maquillage gratuit pour me consoler. Mais je me suis fait une petite idée de ce boulot, du plaisir et de la marge de manœuvre que je pourrais avoir dans une autre boîte, et j'avais toujours eu très envie d'aller à New York...

Comme je ne voulais pas partir toute seule, la solution était de convaincre Jacqui, ma meilleure amie, qu'elle aussi mourait d'envie d'y aller. Or c'était loin d'être gagné. Pendant des années, Jacqui avait eu le même problème que moi : zéro plan de carrière. Elle avait consacré la majeure partie de sa vie à travailler dans des hôtels, passant par tous les postes depuis le bar jusqu'à l'accueil, avant de décrocher, sans le faire exprès, un emploi intéressant : concierge de VIP dans l'un des cinq-étoiles de Dublin. Lorsque des personnalités du showbiz descendaient en ville, quel que soit leur souhait – le numéro perso de Bono, un accompagnateur pour aller faire du shopping après l'heure de fermeture des magasins, un sosie pour servir de leurre et se débarrasser des journalistes –, il lui revenait de l'exaucer. Personne, elle encore moins que les autres, ne savait comment ça lui était arrivé : elle n'avait aucun diplôme, et ses seuls atouts étaient sa vivacité, son esprit pratique et son impassibilité face aux célébrités. (Elle affirme que, pour la plupart, ce sont soit des nains, soit des têtes de con, soit les deux.)

Peut-être que son physique n'a pas été étranger à son succès ; elle se décrit d'ailleurs souvent comme une blonde à échasses, et il faut bien dire qu'elle a tout d'une grande perche. Elle est tellement élancée que toutes ses articulations – genoux, hanches, coudes, épaules – ont l'air de ne pas avoir été emboîtées correctement, et lorsqu'elle marche on pourrait presque croire que des fils la relient à un marionnettiste. En cela, elle ne fait pas concurrence aux autres femmes. Mais, grâce à sa bonne humeur, son rire gras et son incroyable endurance quand il s'agit de faire la fête jusqu'au bout de la nuit, les hommes se sentent à l'aise avec elle.

Les célébrités de passage lui offraient souvent des cadeaux hors de prix. L'idéal, d'après elle, étant lorsqu'ils l'emmenaient dans leur virée shopping : s'ils s'achetaient des tonnes de fringues, ils lui en offraient autant par culpabilité. La plupart du temps, des petites choses très ajustées de grands créateurs qui lui allaient à merveille.

En vraie pro, elle n'a jamais – enfin, rarement – couché avec les mecs connus dont elle avait la charge (et encore, seulement s'ils venaient de se séparer de leur femme et avaient besoin de « réconfort »). Cela dit, il lui arrivait de se taper leurs amis. En règle générale, ils étaient affreux ; elle semblait les préférer ainsi. Je crois que jamais une seule de ses conquêtes ne m'avait plu.

Le soir où nous nous sommes retrouvées pour que je lui sorte mon baratin sur New York, elle s'est pointée toute déliée et souriante comme à son habitude, en manteau Versace, truc Dior et machin Chloe, et d'un coup mes espoirs sont tombés à l'eau. Pour quelle raison quiconque laisserait-il filer un boulot pareil ? Avant même que je n'évoque New York, elle m'a avoué en avoir ras la casquette des riches à millions et de leurs caprices stupides. Les célébrités, terminé : elle voulait un changement radical, un retour aux choses simples, un travail en contact avec les pauvres et les malades, dans une colonie de lépreux si possible.

Si surprenantes qu'elles soient, ces nouvelles n'en demeuraient pas moins excellentes, et j'ai sauté sur l'occasion pour sortir mes formulaires de demande de visa à destination des États-Unis ; deux mois plus tard, nous disions au revoir à l'Irlande.

À notre arrivée, nous avons logé chez Rachel et Luke quelques jours, mais cela s'est révélé une mauvaise idée : Jacqui avait de grosses bouffées de chaleur et transpirait à grosses gouttes dès qu'elle voyait Luke, jusqu'à être presque contrainte de prendre des sels de réhydratation.

Luke a un charme fou et, en sa présence, les gens ont tendance à agir un peu bizarrement. Ils pensent que toute cette beauté cache quelque chose, et que Luke ne se résume pas à ça ; mais en fait c'est un type simple, sympa, qui a la vie et la femme qu'il voulait. Il a une bande de potes dans son genre – même si leur physique n'est pas aussi ravageur –, des fans de rock connus sous le nom des *Real Men*. Pour eux, le dernier bon album digne de ce nom remonte à 1975 (*Physical Graffiti*, de Led Zeppelin), et tout ce qui a suivi musicalement ensuite est « purement et simplement à chier ». Pour s'éclater, ils adorent participer aux championnats d'*air guitar* – si, si, ça existe, je vous jure – et bien qu'ils ne soient qu'amateurs, l'un d'entre eux, Shake, promet beaucoup : il est allé jusqu'en finale régionale.

Jacqui et moi nous sommes mises en quête d'un boulot, mais malheureusement pour elle, aucune colonie de lépreux n'embauchait. Au bout d'une semaine, elle s'était trouvé, dans un hôtel cinq étoiles de Manhattan, un poste presque identique à celui de Dublin.

« J'avais vraiment envie de faire quelque chose de différent, a-t-elle annoncé à Rachel, Luke et moi en rentrant de sa première journée de travail. Je ne sais pas comment ça a pu arriver. »

C'était pourtant évident : elle était sans doute bien plus fascinée par ce monde de paillettes qu'elle ne voulait l'admettre. Mais impossible de lui dire cela.

Bref... Avant que Jacqui ne soit saisie de crampes permanentes dues à la perte en minéraux qu'entraînait sa fascination pour Luke, nous nous sommes trouvé un appart. Un studio dans un quartier délabré du Lower East Side. Surface dérisoire, loyer exorbitant, douche dans la kitchenette, mais au moins on était dans Manhattan. De toute façon, on n'envisageait pas d'y passer beaucoup de temps : il s'agissait surtout d'y dormir et d'avoir une adresse, y compris celle d'un minuscule pied-à-terre, dans la Grosse Pomme. Par chance, Jacqui et moi nous entendions très bien, donc la promiscuité ne posait aucun problème – même s'il lui arrivait, en vadrouille dans un bar, de se dégoter un mec juste pour profiter d'une bonne nuit de sommeil dans un appartement décent.

Armée de mon sublime CV à en-tête gravé, je me suis présentée dans plusieurs bureaux de recrutement assez chics. J'ai obtenu deux entretiens, mais on ne m'a pas offert de poste. Alors que je commençais à m'inquiéter, on m'a appelée un mardi matin pour que j'aille séance tenante chez McArthur on the Park. Apparemment, l'employée à remplacer avait dû « se rendre en Arizona » (expression new-yorkaise pour signifier « faire une cure de désintox ») de toute urgence, et ils avaient désespérément besoin d'une intérimaire car ils se préparaient pour un lancement de la plus haute importance.

Je connaissais Ariella McArthur : elle était – comme toutes les autres, j'imagine – une légende des relations publiques : la cinquantaine, cheveux au carré, épaules larges, autoritaire, impatiente. Selon la rumeur, elle ne dormait que quatre heures par nuit (mais j'ai découvert par la suite qu'elle avait elle-même fait courir ce bruit).

J'ai donc enfilé mon tailleur et me suis pointée au rendez-vous, pour découvrir que les bureaux donnaient vraiment sur Central Park (au trente-huitième étage – la vue de celui d'Ariella est splendide, mais comme on n'est invité dans son sanctuaire que pour se faire enguirlander, ce n'est pas évident de savourer le panorama).

Chacun courait en tous sens, hystérique ; personne ne m'adressait véritablement la parole, on me criait d'aller faire des photocopies, d'organiser un déjeuner, de coller un truc à un autre truc. Malgré ce traitement à peine admissible dont je faisais les frais, j'ai été éblouie par les marques que McArthur représentait et leurs supercampagnes de pub, et je me suis surprise à penser : Je donnerais n'importe quoi pour bosser ici.

Et il se trouve que j'ai dû coller les bons trucs ensemble, parce qu'ils m'ont demandé de revenir le lendemain, jour de la présentation de campagne au client – inutile de dire que la tension était à son comble.

À trois heures de l'après-midi, Ariella et les sept personnes au-dessous d'elle ont pris place autour de la table dans la salle du conseil. J'étais présente, moi aussi, mais uniquement pour répondre à une demande urgente : eau, café, coup de mouchoir sur le front. On m'avait donné ordre de ne pas parler. Je pouvais échanger des regards, mais interdiction de l'ouvrir.

Tandis que nous attendions, j'ai entendu Ariella, d'une voix très basse et affolée, dire à Franklin, son second adjoint : « Si je n'obtiens pas ce budget, je tue quelqu'un. »

Pour celles qui ne connaissent pas l'histoire, Candy Grrrl a été fondée par l'artiste maquilleuse Candace Biggly. Comme elle ne pouvait pas acheter les couleurs ou les textures qu'elle voulait, elle s'est mise à mélanger ses propres produits, et s'est montrée si douée que tous les mannequins maquillés par elle se sont emballés. La rumeur s'est propagée selon laquelle les produits de Candace Biggly avaient vraiment quelque chose de spécial ; la sauce avait pris.

Puis il y a eu le nom. J'ai entendu une foule de gens – dont ma mère – dire que « Candy Grrrl » était le surnom donné par Kate Moss à Candace. Désolée de vous décevoir, mais c'est faux. Candace et son mari, George (une raclure), ont payé une agence de pub une fortune pour cette trouvaille (ainsi que pour le logo de la fille en train de grogner) ; néanmoins, l'histoire de Kate fait désormais partie du folklore et je ne vois aucun mal à ça.

Très vite, le nom de Candy Grrrl est apparu dans les pages beauté des magazines. Ensuite, une petite boutique a ouvert ses portes dans le Lower East Side, et des femmes qui de leur vie n'étaient jamais allées au-delà de la 44ᵉ Rue se sont rendues en pèlerinage au centre-ville. Une autre boutique a fait son apparition, cette fois à Los Angeles ; puis une autre à Londres, suivie de deux à Tokyo, et l'inévitable s'est produit : Candy Grrrl a été rachetée par la Devereaux Corporation pour un montant tenu secret à huit chiffres. D'un coup, la marque est devenue grand public et des stands ont fleuri chez Saks, Bloomingdale, Nordstrom, bref, dans tous les grands magasins.

Cependant, Candace et George n'étaient pas satisfaits du service de relations publiques interne à la Devereaux

Corporation, ils avaient donc invité les plus grandes agences de New York à leur proposer des campagnes de communication.

« Ils sont en retard », a constaté Franklin en tapotant nerveusement sur une boîte à pilules en nacre. Un peu plus tôt, je l'avais surpris en train de prendre une moitié de Xanax, je supposais qu'il envisageait d'ingurgiter la seconde.

Sans roulement de tambour ni fanfare, avec même une discrétion étonnante, est apparue Candace. Rien à voir avec LA Candace : cheveux châtain pas coiffés, collant noir sans pieds, et, le plus étrange, pas une trace de maquillage. En revanche, on pouvait dire de George qu'il était séduisant et charismatique – lui-même en était sans nul doute persuadé.

Ariella s'est lancée dans un affable discours de bienvenue, mais George l'a coupée sèchement, pour réclamer « des idées ».

« Si vous aviez le budget Candy Grrrl, qu'est-ce que vous feriez… vous ? » a-t-il demandé en pointant Franklin du doigt.

Franklin a balbutié deux-trois mots sur l'importance d'une campagne avec des stars ; mais avant qu'il ait fini George avait changé de victime. « Et vous ? »

Il a fait un tour de table et n'a récolté que des idées bateaux : d'autres noms de stars, des communiqués de presse, des billets d'avion pour toutes les rédactrices beauté vers un endroit fabuleux – la planète Mars, si possible.

Lorsque mon tour est venu, Ariella a vainement essayé de lui faire comprendre que je n'étais personne, une moins que rien, la bonne à tout faire. George s'est entêté : « Elle travaille pour vous, non ? Comment vous appelez-vous ? Anna ? Bien, exposez-moi vos idées. »

Ariella était dans tous ses états. Elle a atteint un sommet quand j'ai déclaré : « Je suis tombée sur des réveils géniaux, dans une petite boutique de SoHo, ce week-end. »

Nous étions en plein concours pour remporter un budget de plusieurs millions de dollars, et voilà que je parlais de mon week-end shopping. Ariella a porté la main à sa gorge, telle une lady de l'époque victorienne sur le point de défaillir. « En fait, ce sont des réveils tels qu'on les verrait dans un miroir, ai-je continué. Tous les chiffres sont à l'envers et les aiguilles tournent dans le mauvais sens – à l'envers aussi, donc. Alors, pour lire l'heure, il faut regarder le reflet du réveil dans un miroir. J'ai pensé que ce serait l'objet parfait pour promouvoir votre crème de jour Inversion du Temps. Pour le slogan, j'ai songé à quelque chose du genre "Regardez dans le miroir : vous inversez le temps". Et, en fonction des coûts de production, on pourrait envisager d'offrir le réveil pour le lancement du produit.

— Waouh ! » a soufflé George. Il s'est adossé à son fauteuil et a regardé l'assemblée. « Génial ! C'est la chose la plus originale que j'aie entendue ici aujourd'hui. Simple mais... Waouh ! Très Candy Grrrl, ça colle tout à fait avec notre image. »

Il a échangé un regard avec Candace. L'atmosphère, jusque-là très pesante autour de la table, s'est modifiée. Certaines personnes se sont décontractées, d'autres au contraire se sont crispées davantage (ces « autres » se réduisant à Lauryn, ma supérieure directe). Le truc, c'est que je n'avais pas prévu cette idée géniale : je n'y étais pour rien, elle était sortie toute seule. Pour ma défense, je dirai juste que je m'étais arrêtée chez Saks la veille en rentrant de l'agence et m'étais procuré une brochure Candy Grrrl afin d'en savoir un peu plus sur leurs produits.

« On pourrait même envisager de la rebaptiser Crème du *Matin* Inversion du Temps », ai-je proposé. Mais un imperceptible et pourtant vigoureux « non » de la tête émanant d'Ariella m'a coupée dans mon élan. J'en avais dit assez. Je devenais trop sûre de moi.

Puis Lauryn s'est réveillée. « Quelle coïncidence ! Il se trouve que moi aussi je suis tombée sur ces réveils et je...

— Taisez-vous, Lauryn », a tranché Ariella. Fin de la discussion.

Telle a été mon heure de gloire. Ariella a obtenu le budget, et moi le poste.

4

Ce soir-là au menu des Walsh : plats indiens du traiteur du quartier. J'ai bien mangé : un demi-oignon bhaji, une crevette, un petit morceau de poulet, deux pinces de gombo (et elles sont énormes), environ trente-cinq grains de riz, le tout suivi de neuf gélules et de deux Rolo.

J'en étais arrivée à redouter l'heure des repas : papa et maman feignaient la bonne humeur – cela transparaissait dans leur voix – et me proposaient qui une autre cuillerée de riz, qui un autre chocolat, ou une seconde ampoule de vitamine E (excellente, semble-t-il, pour cicatriser parfaitement). Je faisais de mon mieux – je me sentais vide sans avoir jamais faim –, mais quelle que soit la quantité ingurgitée, ça ne leur suffisait pas.

Fatiguée par ce conflit de Madras, je me retirai dans ma chambre. J'avais quelque chose en tête : je devais parler à Aidan.

J'entretenais avec lui de longues conversations fictives, cependant il me fallait davantage : j'avais besoin d'entendre sa voix. Pourquoi ne l'avais-je pas ressenti plus tôt ? À cause de mes blessures et de mon état de choc ? Ou peut-être parce que les doses massives d'antalgiques m'engourdissaient le cerveau ?

J'ai passé la tête par la porte de la Salle Télé, où papa, maman et Helen, bien installés sur le canapé, regardaient le genre de série policière qui adapterait un beau jour leur vie à l'écran. Ils m'ont fait signe d'entrer et ont commencé à bouger pour que j'aie une place, mais je leur ai dit : « Non, ça va, c'est gentil, je vais simplement...

— Ah, bien ! Tu es raisonnable. »

J'aurais pu dire n'importe quoi : « Je vais simplement mettre le feu à la maison », ou « Je vais juste aller faire un tour chez les Kilfeather, histoire de m'envoyer en l'air avec Angela et sa copine », j'aurais obtenu la même réponse de leur part. Ils étaient dans un état second, proche de la transe, et demeureraient ainsi pendant encore une heure environ. J'ai refermé la porte d'un geste décidé, pris le téléphone du couloir et l'ai emporté dans ma chambre.

Les yeux rivés sur ce petit appareil, je sentais mon cœur cogner, et de l'espoir – voire de l'excitation – grandir en moi. Où devais-je tenter de le joindre ? Pas au bureau, parce que quelqu'un pouvait répondre à sa place. Son portable me semblait être la meilleure idée. Je ne savais pas ce qui lui était arrivé : peut-être avait-il été coupé ; mais lorsque j'ai composé le numéro que j'avais déjà appelé mille fois, un « clic » a retenti, suivi de sa voix. Pas en direct, juste sa boîte vocale, mais cela a suffi à me couper le souffle.

« Bonjour, vous êtes bien sur la messagerie d'Aidan. Je ne peux pas vous répondre pour le moment, mais laissez-moi un message et je vous rappelle dès que possible. »

« Aidan, me suis-je entendue dire, hésitante. C'est moi. Tu vas bien ? Est-ce que tu me rappelleras vraiment dès que possible ? Je t'en prie, fais-le. » Quoi d'autre ? « Je t'aime, mon ange, j'espère que tu le sais. »

J'ai raccroché, tremblante, prise de vertige, euphorique ; j'avais entendu sa voix. Mais au bout de quelques secondes je me suis effondrée. Laisser des messages sur son portable ne me satisfaisait pas.

Je pouvais peut-être tenter de lui envoyer un mail. Ça non plus, ça ne serait pas assez. Il fallait que je rentre à New York et que je le retrouve. Selon toute probabilité, il n'y serait pas, mais je devais tenter le coup parce que s'il y avait bien une chose dont j'étais certaine, c'est qu'il n'était pas ici.

Doucement, je suis allée reposer le téléphone dans le couloir. S'ils découvraient ce que je venais de faire, ils ne me laisseraient jamais repartir.

5

Comment j'ai rencontré Aidan

Il y a deux ans, au mois d'août, Candy Grrrl s'apprêtait à lancer une nouvelle ligne de soins pour le visage baptisée Visage Futur (et le contour des yeux s'appelait Regard Futur, le baume à lèvres Lèvres Futur, vous voyez le tableau...). En quête permanente de moyens innovants pour bombarder de cadeaux les rédactrices beauté, j'ai eu un trait de génie en pleine nuit, et décidé d'offrir à chacune d'elles un « futur » pour être raccord avec le thème de cette nouvelle ligne. Le cadeau qui s'imposait à l'esprit était un horoscope personnalisé ; mais le concept avait déjà été utilisé pour le lancement de notre sérum qui défiait le temps, Dix Ans de Moins, et l'opération s'était terminée dans les larmes lorsque l'assistante de la rédactrice beauté de *Britta* avait écopé de prédictions funestes, à savoir qu'elle perdrait son emploi et son chien dans le mois à venir.

J'ai donc opté pour des placements en Bourse que l'on appelle des « contrats à terme », puisque seul le futur pouvait dire si ça rapporterait. Je n'avais guère idée de ce dont il s'agissait, hormis que des gens s'étaient fait des millions de dollars en bossant à Wall Street. Mais impossible d'obtenir un rendez-vous avec un analyste en contrats à terme, même

43

si je m'étais préparée à leur offrir mille dollars pour chaque seconde de leur temps. J'en ai appelé plusieurs, sans succès ; on m'a renvoyée chaque fois dans mes marques. Je commençais à regretter d'avoir eu cette idée, mais j'avais commis l'erreur de m'en vanter auprès de Lauryn, qui s'était montrée emballée. J'ai par conséquent été obligée d'appeler des banques de moins en moins célèbres, jusqu'à ce qu'un agent de change d'une banque du centre-ville accepte de me recevoir. Et encore, seulement parce que j'avais envoyé à Nita, son assistante, des tonnes de produits gratuits, avec la promesse de lui en faire parvenir d'autres si elle m'obtenait le rendez-vous.

J'y suis donc allée, profitant de l'occasion – rare – pour mettre des vêtements sobres. Que je m'explique : chez McArthur, toutes les attachées de presse doivent représenter, au sens strict, leur marque. Par exemple, les filles qui bossent pour EarthSource sont très toile de jute et grosse maille, tandis que l'équipe de Bergdorf Baby est composée de clones de Carolyn Bessette Kennedy, si menues et si sophistiquées, avec des cheveux platine presque blancs, qu'elles semblent issues d'une autre espèce. Le profil de Candy Grrrl étant un peu sauvage et farfelu, un peu dingue, je devais m'habiller en conséquence, mais j'en ai eu ma claque, et très vite. L'extravagance est un truc de jeune fille, et je peux vous dire qu'à trente et un ans redoubler d'efforts pour marier du rose et de l'orange m'horripilait.

J'étais enchantée d'être habillée simplement. Mes cheveux étaient dépouillés de toute barrette stupide ou accessoire ridicule, et je portais un tailleur jupe bleu marine (j'en conviens, constellé d'étoiles argentées, mais c'était la tenue la plus classique que je possédais). J'ai parcouru le dix-huitième étage pour trouver le bureau d'un certain Roger Coaster, croisant des personnes à l'allure élégante et efficace, et je me disais que moi aussi j'aurais aimé aller travailler en tailleur bien coupé lorsque je me suis engagée dans un couloir et que plusieurs faits se sont enchaînés.

Je me suis heurtée si violemment à un homme que mon sac m'a échappé et que toutes sortes de petits objets embarrassants se sont éparpillés sur la moquette (y compris les fausses lunettes que j'avais apportées pour me donner l'air intello et mon porte-monnaie avec l'inscription « GRAINES DE RADIS »).

Nous nous sommes aussitôt accroupis pour supprimer cette pagaille, nous penchant en même temps pour attraper les lunettes, ce qui a provoqué une collision assez sonore de nos deux crânes. Nous avons tous deux lâché un « Pardon ! » ; puis, en tentant de frotter mon front contusionné, l'homme m'a renversé du café bouillant sur le dos de la main. Naturellement, impossible de hurler de douleur puisque nous étions dans un endroit public. Je n'ai rien trouvé de mieux que de secouer ma main énergiquement pour atténuer ma souffrance ; et comme je m'étonnais que le café n'ait pas fait plus de dégâts, nous nous sommes aperçus que mon chemisier blanc ressemblait à une toile de Pollock.

« Vous savez quoi ? m'a-t-il dit. Avec un peu d'entraînement, on pourrait monter un numéro au poil, vous et moi. »

Nous nous sommes redressés et, bien qu'il ait ébouillanté ma main et saccagé mon chemisier, j'ai aimé ce qu'il dégageait.

« Je peux ? » a-t-il demandé en indiquant ma main, mais sans la toucher – les procès pour harcèlement sexuel sont si fréquents à New York qu'un homme refuse souvent de prendre l'ascenseur seul avec une femme, de peur de se retrouver accusé d'avoir essayé de regarder sous sa jupe.

« Je vous en prie. » Je lui ai offert ma main. Excepté les marques de brûlure, je pouvais en être fière. J'avais rarement vu mes mains aussi belles. Cela faisait quelque temps que je les hydratais avec la crème Haut les Mains ! de Candy Grrrl, je venais de me faire coller des faux ongles et de les vernir

45

couleur Papier Bonbon (argenté), et l'on venait de me dé-veluiser, un événement qui me rendait toujours joyeuse et insouciante. J'ai plein de poils aux bras – Dieu sait s'il est dur d'en parler –, et c'est comme s'ils... euh... empiétaient sur le dos de mes mains. À la vérité, si je n'y remédie pas pendant un certain temps, elles ressemblent à des pieds de hobbit. (Existe-t-il quelqu'un d'autre qui souffre de ça ? Suis-je la seule ?)

«Je suis désolé, a-t-il dit.

— Bah, une petite blessure de rien du tout. Ne vous excusez pas, ce n'est la faute de personne. Simple accident. Rien de grave.

— Excusez-moi d'insister, mais vous êtes quand même bien brûlée. Vous croyez que vous pourrez rejouer du violon ?»

À cet instant, j'ai remarqué son front : on avait l'impression qu'un œuf lui poussait sous la peau.

«Hou là, vous avez une sacrée bosse.

— Vraiment ?»

Il a passé une main sous la mèche châtain qui lui tombait sur le front. Son sourcil droit était fendu en deux par une minuscule cicatrice blanche – je l'ai remarquée parce que j'avais la même.

Il a frotté doucement sa bosse.

«Aïe, ai-je gémi pour lui. Un des esprits les plus brillants de notre époque.

— Sur le point de faire une percée dans ses recherches. Perdu pour l'humanité à jamais.»

Il a observé mon badge de visiteuse.

«Oh, vous ne connaissez pas l'endroit, je présume ? Je vous montre les toilettes ?

— Non, ça va.

— Et pour votre chemisier ?

— Je dirai que c'est une nouvelle mode. Je vous assure, ça va aller.

— Promis ? »

J'ai hoché la tête, il m'a demandé si j'étais sûre, j'ai promis à nouveau, je lui ai demandé si lui allait bien, il a répondu oui une nouvelle fois, puis il est parti avec ce qu'il restait de son café, et c'est le cœur un peu lourd que je me suis dirigée vers le bureau de M. Coaster.

J'ai essayé de charger Nita d'expliquer à son patron pourquoi j'étais aspergée de café, mais elle s'en fichait royalement. « Vous m'avez apporté le colis ? La base de teint en...

— ... nougatine », ai-je fini à sa place. Il y avait un mois d'attente pour cette teinte. « Oui, oui. Et plein d'autres choses. »

Elle s'est mise à déchirer la boîte Candy Grrrl pendant que je restais plantée là à la regarder. Au bout d'un moment, elle a fini par lever les yeux. « OK, vous pouvez y aller », m'a-t-elle lancé sur un ton irrité en m'indiquant la porte.

J'ai frappé et suis entrée avec mon chemisier maculé dans le bureau de son patron.

M. Coaster, un homme de petite taille, avait l'air d'un gros dragueur. Dès que je me suis présentée, il m'a adressé un large sourire émail diamant. « Mais dites-moi, ce ne serait pas un accent que j'entends là ?

— Mmm. » J'ai lancé un regard noir à sa photo, où il était accompagné – je présume – de sa femme et de leurs deux enfants.

« Anglaise ? Irlandaise ?

— Irlandaise. » J'ai de nouveau jeté un regard lourd de sens à la photo, avant qu'il ne la bouge légèrement afin que je ne puisse plus la voir.

« Bien, monsieur Coaster, ai-je repris, à propos de ces contrats à terme... »

Il m'a interrompue pour répéter ce que je venais de dire en imitant mon accent.

« Ha ha ha. » J'ai ri poliment, tout en songeant : *Mais quel connard !*

Il m'a fallu un certain temps pour qu'il me prenne au sérieux, mais à peine quelques secondes pour comprendre que ces fameux « contrats à terme » étaient plutôt de l'ordre du concept et que je ne pourrais pas sortir de là avec un joli petit paquet, les rapporter au bureau et les envelopper dans du papier à fleurs avant de les envoyer aux dix rédactrices beauté les plus influentes de la ville. Je devrais trouver une autre idée de génie, mais je n'étais pas tellement déçue, car je pensais au type avec qui j'étais entrée en collision dans le couloir. Il s'était passé un truc – et pas seulement parce que nous avions la même cicatrice au sourcil. Mais je savais qu'une fois sortie de cet immeuble mes chances de le recroiser seraient nulles. À moins que je ne force le destin. Qui ne tente rien n'a rien. Même s'il n'y a jamais de garanties (que ça marche).

D'abord, il fallait que je le retrouve, et cette banque était immense. Mais si je le rencontrais, qu'est-ce que je pourrais bien lui dire ? Pendant ce temps-là, M. Coaster se répandait en explications soporifiques, et j'acquiesçais en souriant, à mille lieues de ce bureau, obsédée par mon indécision.

Puis d'un coup, comme on presse un interrupteur, j'ai arrêté un plan d'action. Sans l'ombre d'un doute, il s'agissait d'y aller franco, et M. Coaster m'aiderait à mener à bien mon projet. Certes, ce n'était pas très professionnel ; c'était même inconvenant. Mais qu'est-ce que j'avais à perdre ?

« Hem… Monsieur Coaster, l'ai-je interrompu poliment. En chemin, j'ai heurté un monsieur, et je lui ai fait renverser son café. J'aimerais m'excuser auprès de lui avant de repartir. Je ne connais pas son nom, mais je peux vous le décrire. » Je parlais très vite. « Il est grand, enfin je crois, mais comme je suis très petite, tout le monde me semble grand – même vous. »

Merde.

Le visage de M. Coaster s'est figé instantanément. Pourtant j'ai insisté, je n'avais pas le choix. Mais comment décrire mon homme-mystère ?

« Il a le teint assez pâle, mais ça lui va bien, il ne fait pas maladif. Les cheveux châtain clair, mais on peut dire sans se tromper qu'il était blond étant bébé. Quant à ses yeux, je suis presque sûre qu'ils sont verts... »

Coaster n'avait pas changé d'expression. Question immobilité, les statues de l'île de Pâques ne lui arrivaient pas à la cheville. « J'ai bien peur de ne pouvoir vous aider. » Et, à la vitesse de l'éclair, je me suis retrouvée dehors.

Nita s'admirait dans un miroir de poche ; à croire qu'elle venait d'essayer tous les produits en même temps, comme une gamine qui aurait pété les plombs devant la trousse à maquillage de sa mère.

« Nita, je peux vous demander un service ?

— Anna, je suis complètement *dingue* de ce gloss...

— Je cherche un homme.

— Bienvenue à New York. » Elle n'a même pas levé les yeux de son miroir. « Je vous conseille le huit-minutes dating. C'est comme le Speed dating, en moins expéditif – on vous laisse huit minutes au lieu de sept. Vraiment génial ! La dernière fois, je suis repartie avec quatre numéros de téléphone.

— Non, je ne cherche pas juste un homme. Il travaille ici. Il est très grand et... et... » Il n'y avait pas d'autre mot, il fallait que je le prononce. « ... et, hem, très séduisant. Il a une petite cicatrice au sourcil droit et, à son accent, je dirais qu'il vïent de Boston. »

D'un coup, j'ai capté son attention. Elle a relevé la tête.

« Le portrait craché de Denis Leary, mais en plus jeune ?

— Tout à fait !

— Aidan Maddox. Service informatique. Au bout du couloir, à gauche, encore à gauche, deux fois à droite, et vous y êtes.

— Merci. Une dernière petite chose : il est marié ?

— Aidan Maddox ? Oh, mon Dieu, non ! Non, il n'est pas marié. » Elle a émis un petit rire qui semblait vouloir dire : *Et ce n'est pas demain la veille.*

Une fois dans son service, je suis restée plantée derrière lui dans l'espoir qu'il se retourne. « Coucou », ai-je dit doucement.

Il a fait volte-face d'un coup, comme s'il avait eu peur.

« Oh, c'est vous ! Alors, comment va votre main ? »

Je la lui ai tendue. « J'ai appelé mon avocat, l'assignation en justice vous parviendra sous peu. Sinon, ça vous dirait d'aller boire un verre un de ces jours ? »

D'après sa tête, ma question avait dû lui faire l'effet d'une gifle.

« Vous êtes en train de m'inviter à boire un verre ?

— Oui, ai-je répondu fermement. En effet. »

Après un court silence, il a remarqué, perplexe : « Mais… et si je vous disais non ?

— Je ne vois pas ce qu'il y aurait de grave. Vous m'avez déjà ébouillantée avec votre café. »

Il m'a observée avec une expression étrangement semblable à du désespoir, et le silence a duré un long moment. Ma confiance en moi s'est dégonflée comme un ballon de baudruche. Soudain, je n'avais qu'une envie : détaler au plus vite.

« Vous avez une carte ? m'a-t-il demandé.

— Bien sûr ! » Je venais officiellement de me prendre un râteau.

J'ai fouillé dans mon sac et lui ai tendu un rectangle de papier rose fluo avec l'inscription « Candy Grrrl » dans une typo improbable – rouge de surcroît –, suivie de la mention « Anna Walsh, superstar des relations publiques ». En haut à droite se trouvait notre fameux logo : une fille qui fait un clin d'œil, les dents barrées d'un « Grrr ».

« Hem, joli. » Une fois de plus, il a eu l'air perplexe.

« Oui, ça donne tout de suite une idée de mon envergure. Euh, bon, eh bien... Sayonara. »

Jamais de ma vie je n'avais dit « Sayonara ».

« Oui, c'est ça... Sayonara », a-t-il répété, toujours déconcerté.

J'ai filé sans demander mon reste.

Comme on dit, un de perdu, dix de retrouvés. Et de toute façon, j'étais plutôt attirée par les Italiens et les Juifs ; les petits bruns, c'était davantage mon truc.

Cette nuit-là, je me suis réveillée à trois heures et quart en pensant à cet Aidan. J'avais vraiment eu l'impression qu'il s'était passé un truc. Cela dit, j'avais fait à New York des rencontres tout aussi intenses qui s'étaient pourtant terminées en eau de boudin. Voilà un truc propre à cette ville : on se rencontre, on se raconte absolument tout, on crée un lien authentique, vraiment, et on ne se revoit plus jamais. Et c'est très agréable. En général.

Mais je ne voulais pas que ma rencontre avec Aidan en reste là, et les jours suivants, j'ai été sur le qui-vive au moindre coup de fil ou mail que je recevais, mais... *nada*.

6

Helen tapait sur le clavier de l'antique Amstrad qui trônait dans l'entrée, sur une vieille desserte à roulettes servant autrefois à garder les plats au chaud (si on voulait s'asseoir pour envoyer un mail, il fallait ouvrir les portes du chariot, poser son postérieur sur un tabouret d'enfant et caser ses genoux dans le chauffe-plat).

« À qui tu envoies un mail ? » lui ai-je demandé depuis ma chambre.

Elle a passé sa tête par la porte, a grimacé comme à son habitude devant l'océan de pompons, et m'a répondu : « À personne, en fait. J'écris un scénario pour la télé. Une histoire de détective. »

J'étais sans voix. Helen, écrivaine ? Elle qui prétendait être illettrée, le revendiquait presque ?

« Je me suis dit : Pourquoi pas ? a-t-elle continué. J'ai beaucoup de matière, tu sais. Et c'est pas mal. Tiens, je t'imprime le début. »

L'imprimante préhistorique s'est mise en branle dans un concert de grincements et, au bout de dix minutes, a fini par cracher une seule et unique page qu'Helen m'a tendue avec fierté. Toujours incapable d'articuler un mot, j'ai entamé ma lecture.

LUCKY STAR
La vie d'Helen Walsh, par elle-même

SCÈNE 1

Une petite agence de détective privé à Dublin. Deux femmes : une jeune et belle (moi) ; une vieille (maman). La jeune femme a les pieds sur le bureau. La vieille femme a les pieds par terre (problème d'arthrite aux genoux). Une journée creuse. L'ennui est palpable. Tic-tac de pendule. On entend une voiture se garer dehors. Un homme entre. Séduisant. De grands pieds. Il jette un œil alentour.

MOI : Qu'est-ce que je peux faire pour vous ?

LUI : Je cherche une femme.

MOI : Ce n'est pas une maison de passe, ici.

LUI : Non, vous ne comprenez pas, je suis à la recherche de ma petite amie. Elle a disparu.

MOI : Vous êtes allé trouver les flics ?

LUI : Oui, mais ils refusent de bouger avant que vingt-quatre heures se soient écoulées. De toute façon, ils pensent juste qu'on s'est disputés.

MOI (*retirant mes pieds du bureau, sourcils froncés, penchée en avant*) : Et... c'est le cas ?

LUI (*mal à l'aise*) : Oui.

MOI : À quel sujet ? Un autre homme ? Un de ses collègues ?

LUI (*toujours mal à l'aise*) : Oui.

MOI : Elle fait des heures supp en ce moment ? Elle rentre tard ? Passe trop de temps avec ce collègue ?

LUI : Oui.

MOI : Hem, tout ça ne me dit rien qui vaille pour vous, mais c'est votre jour de chance. On va essayer de la retrouver. Donnez tous les détails à la vieille femme dans le coin, là.

« Génial, non ? a lancé Helen. Surtout la réplique sur la maison de passe ! Et quand je lui dis que c'est son jour de chance ! J'adore !

— Oui, c'est super.

— Je continuerai demain, on pourra peut-être même jouer une scène ou deux. Mais là, il faut que je file au boulot. » Elle a réapparu à ma porte vers vingt-deux heures, en tenue de travail (vêtements noirs et près du corps censés être imperméables, mais qui ne l'empêchaient pas de rentrer trempée de la tête aux pieds).

« Prendre l'air te ferait le plus grand bien.

— J'ai déjà pris l'air aujourd'hui. » Hors de question que j'aille me cailler les fesses dans une haie détrempée pendant onze heures, à la regarder prendre des photos d'hommes infidèles quittant l'appartement de leur maîtresse.

« Mais j'ai envie que tu viennes avec moi... »

Même si tout nous sépare, Helen et moi, nous sommes très proches – peut-être parce que nous sommes les petites dernières. En tout cas, elle me traite comme une extension d'elle-même, cette moitié qui se lève au milieu de la nuit pour lui apporter un verre d'eau. Je suis sa camarade de jeux, son jouet, son esclave, sa meilleure amie, et inutile de préciser que tout ce qui m'appartient lui appartient automatiquement.

« Mais, Helen, je ne peux pas venir, voyons. Je suis blessée.

— Gnagnagna, pauvre bibiche. »

Elle ne disait pas ça par cruauté ; simplement, dans la famille, on ne fonctionne pas à la sensiblerie. À nos yeux, ça ne fait que renforcer le malaise. Brusquerie, harcèlement, zéro compromis, voilà plutôt le mode opératoire.

Helen s'est tournée vers maman pour se plaindre.

« Maman, elle veut pas venir avec moi. Désolée, mais ça va encore tomber sur toi.

— Je ne peux pas », a répondu maman. D'un air théâtral, elle a fait les gros yeux dans ma direction, comme si j'étais handicapée mentale – et aveugle. « Il vaudrait mieux que je reste à la maison.

— Oh ! là ! là ! a grogné Helen. Je vais passer toute une nuit à me geler dans une haie mouillée et tout le monde s'en fout ! »

Après le départ rageur d'Helen, maman a sorti mon ordonnance pour m'administrer ma dernière dose de pilules de la journée.

« Bonne nuit, ma chérie. Dors bien. » D'un ton angoissé, elle a ajouté : « Je n'aime pas te laisser coincée seule ici alors qu'on est tous à l'étage.

— Ça va, maman, ne t'inquiète pas. Et, vu l'état de mon genou, c'est plus pratique pour moi de rester en bas.

— Si tu savais comme je m'en veux ! a-t-elle lancé, subitement émue.

— Maman, tout va bien. Inutile de culpabiliser. Je t'en prie.

— Je suis ta mère, c'est mon rôle de culpabiliser. Tu ne fais pas de cauchemars, au moins ?

— Non maman, pas de cauchemars. Pas de rêves tout court, d'ailleurs. » Ça devait être les médicaments.

Elle a froncé les sourcils. « Hum, ce n'est pas normal. Tu devrais avoir des cauchemars.

— Je vais essayer, ai-je promis.

— Très bien, ma fille. » Elle m'a embrassé le front et a éteint la lumière. « Tu as toujours été gentille, a-t-elle ajouté tendrement une fois à la porte. Un peu bizarre parfois, mais gentille quand même. »

7

En fait, je ne suis pas si bizarre que ça, enfin, pas plus que la moyenne. Simplement, je ne suis pas comme le reste de ma famille.

Mes trois sœurs aînées – Claire, Maggie et Rachel – ressemblent à maman : grandes, des femmes fantastiques avec une volonté d'acier. J'ai l'impression qu'elles appartiennent à une autre espèce, et je fais toujours gaffe à ne pas entrer en conflit avec elles, sachant que le moindre mot de travers ira se briser contre leurs opinions inébranlables.

Claire, l'aînée, a eu quarante ans récemment. Mais elle est restée cette personne optimiste, voire obstinée, capable de « prendre du bon temps » (doux euphémisme pour « être une fêtarde invétérée »). Par le passé, sa vie a connu un petit incident de parcours, lorsque son mari, ce bon James, l'a quittée le jour où elle donnait naissance à leur enfant. Ce qui signifie qu'elle a vraiment morflé pendant, oh, disons une petite demi-heure, puis elle s'en est remise. Elle a rencontré un autre type, Adam ; elle s'est assurée qu'il était plus jeune qu'elle (autrement dit corvéable à merci). Elle a aussi eu la présence d'esprit de tomber sur un beau mec, brun, bourré de charme, large d'épaules et – d'après Helen (allez savoir pourquoi) – « bien membré ». En plus de Kate, l'« enfant abandonnée », Claire et Adam ont deux autres enfants et vivent à Londres.

En deuxième position : Maggie, la lèche-cul. Née trois ans après Claire, elle se distingue par son refus de faire de l'obstruction délibérée. Mais – et ce « mais » est de taille – elle est tout à fait capable de se défendre, et, quand elle a une idée en tête, peut se montrer plus têtue qu'une mule. Maggie vit à Dublin, à moins de deux kilomètres de chez papa et maman (une lèche-cul, je vous l'avais bien dit).

Vient ensuite Rachel, d'un an la cadette de Maggie. Avant d'être accompagnée partout par Luke, Rachel faisait sensation dans les endroits qu'elle fréquentait – sexy, drôle, un grain de folie... Son incident de parcours à elle a été un sacré choc. Sûrement le pire de la famille – du moins jusqu'au mien. Voici plusieurs années, lorsqu'elle avait emménagé à New York pour la première fois, elle s'est découvert une passion pour la cocaïne. Très vite, les choses ont mal tourné, et après une tentative de suicide elle a atterri dans un centre de désintoxication irlandais du genre onéreux.

Mais alors très onéreux. Maman continue encore à se plaindre que, pour la même somme, elle et papa auraient pu se payer un voyage en Orient-Express pour Venise et une suite au Cipriani pendant un mois, avant d'ajouter avec empressement, mais sans grande conviction : « Le bonheur de vos enfants, ça n'a pas de prix. »

Cela dit, à la décharge de Rachel, c'est à elle que revient la palme de la réussite professionnelle chez les Walsh. Environ un an après sa cure, elle s'est inscrite à l'université, a décroché une maîtrise de psychologie avec une spécialisation en toxicodépendances, et elle travaille désormais dans un centre à New York.

Après toutes ces années passées défoncée à la coke, Rachel tient particulièrement à être « vraie » ; une ambition louable, l'inconvénient étant qu'elle a tendance à être un peu trop sérieuse. Mais si l'on gratte un peu, on retrouve facilement sous cette gravité l'ancienne Rachel, qui ne manque pas d'humour.

Avec trois ans et demi de moins que Rachel, je suis la quatrième de notre lignée. C'est donc Helen qui ferme la marche. J'ai déjà évoqué son anticonformisme. Les gens l'adorent et la craignent à la fois. Une originale pur jus, – intrépide, manquant cruellement de diplomatie, délibérément contradictoire. Par exemple, lorsqu'elle a monté son agence (Lucky Star Investigations), elle aurait pu installer ses bureaux dans un appartement adorable de Dawson Street ; au lieu de quoi, elle a opté pour un immeuble couvert de graffitis, dans un quartier où tous les magasins ont leur rideau de fer baissé en permanence, et où des jeunes à capuche, un peu louches, passent à vive allure à vélo en lançant des flyers tout froissés. C'est un endroit incroyablement morne et déprimant, mais ma sœur l'adore.

Bien que je ne la comprenne pas toujours, Helen est ma jumelle, ma part d'ombre. La version dévergondée et courageuse de moi-même. Et malgré les innombrables fois où elle s'est moquée de moi (rien de personnel, elle fait ça avec n'importe qui), elle s'est toujours montrée loyale.

En fait, entre mes sœurs, c'est à la vie à la mort. Alors elles ont le droit de se casser du sucre sur le dos ; mais si quelqu'un d'autre essaie, elles sont prêtes à tout, meurtre compris.

Bon, OK, elles m'ont aussi souvent balancé que j'étais à côté de mes pompes et crié : « Allô, la Lune, ici la Terre ! » et autres trucs de ce genre, mais en toute honnêteté il y avait de quoi : j'avais du mal à encaisser la réalité. Je sautais sur la moindre occasion d'y échapper – lire, dormir, tomber amoureuse, imaginer une maison dans laquelle j'avais ma propre chambre au lieu de devoir en partager une avec Helen – et j'étais loin de posséder ce que l'on appelle l'esprit pratique.

8

Comment Aidan et moi nous sommes rencontrés
pour la deuxième fois

Un type baraqué a enroulé son bras gros comme un jambon autour de mon cou et m'a agité un petit sachet en plastique plein de poudre blanche sous le nez en me disant :
« Hé, Morticia, ça te dit un peu de coke ? »
Je me suis dégagée de son étreinte et je lui ai répondu poliment : « Non merci.
— Ooooh, alleeeez ! s'est-il exclamé un peu trop fort. On fait la fête, merde ! »
J'ai cherché la porte du regard. C'était lamentable. Avec un loft aussi chic offrant une vue sur l'Hudson, une sono de professionnel, des litres de cocktail et une tonne de gens, on aurait pu s'attendre à une soirée d'enfer.
Sauf que quelque chose clochait. Et à mes yeux, Kent, le type qui organisait la soirée, en était responsable. Car l'appartement de ce banquier improvisé disc-jockey grouillait de clones à son image, qui n'avaient besoin de rien pour booster leur confiance en eux ; c'était déjà assez pathétique au naturel sans qu'ils prennent de la cocaïne.

Tout le monde avait le visage légèrement rougeaud et un air quelque peu désespéré, comme si l'enjeu crucial était de s'amuser coûte que coûte. Il fallait que je mette la main sur Jacqui, la responsable de ma présence en ces lieux – elle travaillait avec le frère de Kent. Mais je ne voyais que des couillons braillards aux pupilles rondes comme des soucoupes et des filles déchaînées qui buvaient de la vodka à la bouteille. J'ai découvert par la suite que Kent avait demandé à ses potes de venir accompagnés de nanas qui ne tiendraient pas six mois avant de finir en cure de désintox, et qui étaient en phase terminale de leur expérience de junkie. Mais, même avant de l'apprendre, je savais que ce type était une raclure.

Oui, il était temps pour moi de partir. Je me demandais d'ailleurs ce qui m'avait décidée à venir. Pourquoi les gens acceptent-ils de se rendre à la fête d'un inconnu ? Pour faire des rencontres, bien sûr ! Et curieusement – les astres avaient dû perdre la boule –, depuis deux ou trois semaines, je ne faisais que ça, des rencontres. Des hommes, partout. Pour la première fois de ma vie.

Jacqui et moi étions allées au huit-minutes Speed dating dont Nita m'avait parlé et j'avais eu trois touches : un architecte séduisant et intéressant ; un boulanger roux du Queens – pas exactement un canon, mais en revanche adorable ; et un jeune barman très mignon qui ponctuait ses phrases par des mots du genre « man » ou « dément ». Ils m'avaient tous demandé un rendez-vous, et j'avais accepté les trois propositions. Beaucoup d'hommes, donc.

Tant bien que mal, je me suis frayé un chemin dans ce loft bondé. Où Jacqui avait-elle bien pu passer ? Mais un autre type m'a barré le chemin, dans le style gros macho et avec encore un drôle de nom. Il a tiré sur ma robe et a lâché, contrarié : « Qu'est-ce que c'est que cet accoutrement ? »

Je portais une robe cache-cœur en jersey noir et des bottes noires, pas vraiment une tenue déraisonnable pour une soirée. Il a continué sur sa lancée. « Hein, c'est quoi ton truc ? La Famille Addams, c'est ça ? »

Étrange. On ne m'avait jusque-là jamais dit que je ressemblais à Morticia, et je m'interrogeais. J'aurais bien voulu qu'il lâche ma robe, aussi. D'accord, elle était extensible, mais pas toute jeune non plus, et j'avais peur qu'elle perde de sa souplesse et ne retrouve jamais sa forme originale. « Alors raconte, la gothique : qu'est-ce que tu fais dans la vie, à part gothique ? »

Je m'apprêtais à lui répondre que j'étais coach vocal pour éléphants ou que j'avais inventé les guillemets lorsque quelqu'un a lancé :

« Comment ça, vous ne connaissez pas Anna Walsh ? »

Je me suis retournée. C'était Lui. Celui qui avait renversé son café sur moi, que j'avais invité à boire un verre et qui m'avait collé un râteau. Il venait d'arriver et avait fait entrer avec lui une bouffée d'air frais bienvenue.

« Oui... Anna Walsh ! La célèbre... » Il m'a jeté un regard interrogateur. « ... magicienne ?

— Apprentie seulement, ai-je rectifié. Enfin, j'ai eu tous mes examens, mais je trouve les vêtements de l'assistante beaucoup plus sympa.

— Cool », a répondu le baraqué de service. Cependant je n'avais d'yeux que pour Aidan Maddox, qui s'était souvenu de mon nom, alors que notre rencontre datait déjà de sept semaines. Il n'était pas exactement tel que dans mon souvenir : son bonnet faisait ressortir les os de son visage, surtout ses pommettes et l'aspect effilé de sa mâchoire. Et puis ses yeux avaient un pétillement que je n'avais pas remarqué la première fois.

« Elle disparaît, a dit Aidan, et puis hop ! comme par magie, elle réapparaît. »

Il avait pris mon numéro mais mis un point d'honneur à ne pas m'appeler, et voilà qu'il me sortait une réplique à l'eau de rose. Je l'ai observé, aussi distante que possible, pour essayer de voir clair dans son jeu.

Son visage était indéchiffrable, mais je ne pouvais le quitter des yeux. Il semblait avoir le même problème. Au bout d'une éternité, la voix de Monsieur Muscles nous a sortis de notre hypnose. « Et vous allez où ?

— Hmm ? » j'ai fait, surprise qu'il soit toujours là.

« Quand vous disparaissez, par magie ? Abracadabra !

— Ah ! Euh... Je suis en coulisses en fait, je fume une clope. » J'ai de nouveau fait face à Aidan, et quand mon regard a accroché le sien, j'ai rougi violemment.

Même si je ne m'étais pas aperçue qu'il se passait un truc entre Aidan et moi, la façon dont Monsieur Muscles a réagi était un indice infaillible : il s'est éclipsé, lui qui n'avait pourtant pas l'air du genre à abandonner, en lâchant : « Bon. Amusez-vous bien, les enfants. »

« Alors, ça vous plaît, cette fête ? m'a demandé Aidan une fois seuls.

— Non. Je déteste, en fait.

— Oui, je vois. » Il a balayé la pièce du regard. « C'est effectivement détestable. »

Au même moment, un type assez petit, brun, le genre qui m'aurait plu avant ma rencontre avec Aidan, s'est posté entre nous et s'est exclamé : « Et alors, t'étais passé où ? T'as disparu, comme ça ! »

Cette fois, il m'a semblé pouvoir déchiffrer l'expression d'Aidan : Mais quand vont-ils nous ficher la paix ? Puis il a souri en annonçant : « Anna, je te présente mon meilleur ami, Leon. Il travaille avec Kent, celui qui fête son anniversaire. Et voici la femme de Leon, Dana. »

Dana devait dépasser son mari de trente bons centimètres. Longues jambes, poitrine généreuse, crinière à reflets multiples, peau lumineuse au bronzage uniforme.

« Bonsoir.

— Bonsoir, ai-je répondu.

— Euh... ça craint un peu comme soirée, non ? m'a demandé Leon d'un air inquiet.

— C'est-à-dire que...

— Ne t'en fais pas, m'a rassurée Aidan. Tu es avec les gentils.

— OK. Oui, ça craint un max. »

Dana a poussé un long soupir. « Bon, allons nous mélanger un peu, a-t-elle lancé à Leon. Plus tôt on s'y met, plus vite on sera partis. Excusez-nous.

— N'hésite pas à te tirer dès que la coupe est pleine », a conseillé Leon à Aidan avant de s'éloigner.

Je ne sais pas si c'est à cause des deux types qui couraient vers les toilettes en gloussant comme des gamines, leur petit sachet blanc à la main, ou des pauvres filles complètement camées qui se barbouillaient l'une l'autre avec du suprême de volaille prélevé dans les bouchées à la reine, mais toujours est-il qu'Aidan a fini par me proposer : « Anna, on s'en va. »

On s'en va ? Je l'ai dévisagé, un peu agacée par son audace. L'impulsion du moment, les plans sur la comète, tout ça, c'est bien beau quand on a dix-neuf ans, mais j'en avais trente et un. Je n'allais pas « m'en aller » comme ça, avec un type bizarre.

« Donne-moi juste le temps de prévenir quelqu'un. »

J'ai trouvé Jacqui dans la cuisine, en train de montrer à une foule captivée comment préparer un manhattan digne de ce nom, et je lui ai annoncé que je partais. Mais il fallait encore que je récupère mon manteau, coincé sous un couple en train de fricoter dans la chambre de Kent. Je ne voyais de la fille que les jambes et les chaussures.

63

« Euh... Quel manteau, déjà ? m'a demandé Aidan. Celui-ci ? OK. Excusez-moi, monsieur... Voilà, il faut juste que je récupère ce... »

Il a tiré un petit coup, et mon manteau a bougé de quelques centimètres ; même résultat la fois suivante. Enfin, après un grand coup sec, il a réussi à dégager le vêtement et nous sommes sortis. Grisés par notre fuite, armés d'une énergie que nous n'aurions pas eue en temps normal, nous avons descendu les volées de marches quatre à quatre avant de nous retrouver dans la rue.

Nous étions au début d'octobre, les journées étaient encore ensoleillées, mais les nuits se faisaient fraîches. Aidan m'a aidée à enfiler mon manteau, un trench en velours bleu nuit imprimé d'un paysage urbain argenté.

« J'aime bien ton style. » Il a reculé légèrement pour m'observer. « Oui, vraiment. »

Et moi, j'aimais bien le sien. Son bonnet, sa veste, ses grosses boots... ça faisait très « ouvrier chic ». Mais pas question de le lui dire.

« Je voudrais juste éclaircir un point, ai-je déclaré un peu sèchement. Je n'ai pas disparu : je suis partie. Parce que tu as décliné mon invitation à aller prendre un verre. Tu te rappelles ?

— Pourtant, j'en avais envie. J'ai eu envie de toi dès l'instant où tu m'es rentrée dedans. Seulement, je n'étais pas sûr de pouvoir te conquérir. »

J'ai décidé de laisser tomber. Du moins pour le moment.

À deux rues de l'immeuble, nous sommes tombés sur un étrange petit bar en sous-sol, aux murs rouges, avec une table de billard dans le fond. De la neige carbonique formait des volutes à hauteur de nos genoux – le barman nous a expliqué qu'ils essayaient de recréer l'âge d'or d'avant l'interdiction de fumer dans les lieux publics ; puis, à la demande d'Aidan, je lui ai exposé ma vie d'apprentie magicienne.

« Nous nous appelons Magnus le Magnifique et Gizelda. Gizelda, c'est mon nom de scène ; on a un succès énorme dans le Midwest. Je fabrique moi-même mes tenues, environ six cents sequins chacune, et toutes cousues main. Quand je les crée, je médite. Magnus, Frank de son vrai nom, est en réalité mon père. Maintenant, parle-moi de toi.

— Non. Toi, parle-moi de moi. »

J'ai réfléchi quelques instants. « OK. Tu es le fils d'un despote d'Europe de l'Est, renversé pour avoir volé des millions à son peuple. » Je lui ai adressé un petit sourire cruel. « L'argent est caché quelque part, et vous êtes tous les deux en quête de ce trésor. » Le portrait que je brossais de lui semblait l'inquiéter. Je l'ai pris en pitié et j'ai décidé de voler à son secours. « Mais tu veux mettre la main sur cet argent pour une noble cause : le reverser à ton pauvre peuple.

— Merci. Quoi d'autre ?

— Tu entretiens une relation saine avec ta première femme, une joueuse de tennis italienne. Et ex-actrice de porno. En fait, toi aussi tu étais un excellent joueur, jusqu'à ce que des blessures légères à répétition mettent fin à ta carrière.

— À propos, comment va ta main ?

— Mieux. Et je suis contente de voir que tu es sorti du coma dans lequel je t'avais plongé. Des séquelles ?

— Apparemment non. À en juger par la tournure que prend ce samedi soir, je dirais que je suis plus vif que jamais.

— On fait une partie de billard ?

— Tu sais jouer ?

— Disons que je joue. »

Au bout de vingt minutes passées à envoyer des boules dans des filets à trous, boules qui me faisaient penser à des testicules, j'ai écrasé Aidan.

« Dis donc, tu joues bien.

— Tu m'as laissée gagner.» Je lui ai enfoncé ma queue de billard dans le ventre. «Ne t'avise pas de recommencer.»

Il a ouvert la bouche pour protester, mais j'ai appuyé un peu plus. Hmm, il avait de bons abdos. Il a soutenu mon regard pendant quelques secondes, puis nous avons remisé nos queues sur l'étagère.

Quand le bar a fermé, à quatre heures du matin, Aidan a proposé de me raccompagner chez moi à pied. Mais c'était trop loin.

«Bien, prenons un taxi. Je te dépose.»

Une fois sur la banquette arrière, nous sommes restés muets, à écouter le chauffeur jurer en russe dans son téléphone portable. Je regardais Aidan à la dérobée, incapable de deviner ce qu'il ressentait, à cause des lumières et des ombres de la ville qui défilaient sur son visage. Je m'interrogeais sur la suite des événements. Je n'étais sûre que d'une chose : après le dernier râteau, je ne proposerais pas ma carte ou un verre de sitôt.

Nous sommes arrivés devant mon perron en ruine. «C'est ici.»

Un peu d'intimité aurait été bienvenue pour explorer le thème «Qu'est-ce qu'on fait maintenant ?», mais mieux valait rester dans le taxi, parce que si on sortait sans payer le chauffeur était susceptible de nous tirer dessus.

«Euh... Bon... J'imagine que tu vois d'autres mecs..., m'a dit Aidan.

— Tu imagines bien.

— Et... tu pourrais me caser dans ton emploi du temps ?»

J'ai réfléchi. «Oui, ce doit être possible.»

Je ne lui ai pas demandé s'il voyait d'autres femmes ; ça ne me regardait pas (c'est en tout cas ce qu'on est censé dire). De plus, à la façon dont Leon et Dana s'étaient conduits avec moi – aimables mais pas intéressés outre mesure, comme si

Aidan leur avait présenté beaucoup de filles au fil des ans –,
j'étais convaincue que tel était le cas.

«Je peux te demander ton numéro ?

— Je te l'ai déjà donné», ai-je répondu en sortant du taxi.

S'il tenait à me revoir, il en avait les moyens.

9

Je me suis réveillée dans mon lit étroit, toujours dans le salon encombré de canapés. J'ai passé quelques minutes embrumées à essayer de regarder par la fenêtre. La vieille dame arrivait avec son chien ; je les ai observés, à moitié endormie. Puis je me suis redressée. Je ne rêvais pas : le petit chien n'avait pas vraiment envie, mais la femme insistait. Il tentait de s'éloigner, et elle l'en empêchait. « Ici ! » Je ne l'entendais pas, mais je lisais sur ses lèvres. Bizarre.

Ensuite, maman est arrivée et j'ai pris un copieux petit-déjeuner – un demi-toast, onze grains de raisin, huit gélules et soixante Rice Krispies (record battu) – parce que j'avais besoin de la convaincre que je me remettais. Pendant qu'elle me lavait – une épreuve à vous donner le cafard, avec gants, serviettes et bassine d'eau tiédasse –, je me suis lancée.

« Maman, j'ai décidé de rentrer à New York.

— Ne sois pas ridicule. » Elle a continué à me rincer.

« Mes cicatrices se résorbent, mon genou supporte mon poids, je n'ai plus de bleus. »

Bizarre, d'ailleurs ; j'avais eu un millier de blessures, mais aucune n'était grave. Si mon visage était couvert de contusions, aucun os n'avait été fracturé. J'aurais pu me briser telle une coquille d'œuf et passer le reste de mes jours à

ressembler à un tableau cubiste (selon les mots d'Helen).
J'étais consciente d'avoir eu de la chance.

« Et regarde comme mes ongles poussent vite. » J'ai agité
ma main sous son nez ; j'avais perdu deux ongles et, sans rire,
j'avais atrocement souffert, bien plus que de mon bras cassé.

« Je te rappelle que tu as un bras cassé. En trois endroits.

— Oui, mais ce sont des fractures nettes, et je n'ai plus
mal. Je dirais que les choses sont presque rentrées dans
l'ordre.

— Oh, parce que tu es chirurgien, toi, maintenant ?

— Non, je suis attachée de presse en cosmétiques, et ils
ne vont pas me garder mon boulot au chaud pendant des
années. » Je lui ai laissé le temps de digérer cette information,
et j'ai enfoncé le clou, en murmurant d'un air sombre : « Plus
de maquillage gratuit. »

Mais ça n'a pas marché. « Tu n'iras nulle part. »

N'empêche, le moment était bien choisi : j'avais
rendez-vous à l'hôpital l'après-midi même pour mon
check-up hebdomadaire, et si les professionnels déclaraient
que j'allais mieux, maman ne pourrait plus me marcher sur
les pieds.

Après une attente interminable, on m'a fait passer une
radio du bras. Comme je l'avais prédit, je guérissais vite et
bien ; on allait me retirer l'écharpe de soutien sur-le-champ,
et le plâtre dans deux semaines.

Puis le spécialiste en dermatologie m'a annoncé que l'on
pouvait me retirer les points de suture que j'avais sur la joue,
et même moi je ne l'avais pas prévu. Ç'a été un peu plus
douloureux que je me l'étais imaginé, et je me suis retrouvée
avec une vilaine ligne rouge qui me coupait le visage du coin
de l'œil à la commissure des lèvres ; mais au moins, sans ce
fil bleu marine, j'avais l'air bien plus normale.

« On peut envisager la chirurgie esthétique ? a demandé maman.

— Pas pour le moment. Il est toujours difficile de dire comment les cicatrices vont évoluer. »

Ensuite, visite au Dr Chowdhury, histoire de me faire tâter le ventre et de vérifier le bon fonctionnement de mes organes. Selon lui, toutes les contusions et les bosses avaient disparu, et il a répété ce qu'il avait déclaré lors de ma dernière visite, à savoir que j'avais eu énormément de chance qu'aucun de mes organes n'ait éclaté.

« Elle envisage de rentrer à New York ! a explosé maman. Dites-lui qu'elle n'est pas en état de voyager.

— Mais… elle était bien en état de faire le trajet jusqu'en Irlande, non ? » a répondu le docteur, visant juste.

Maman lui a lancé un regard noir, et si elle ne l'a pas formulé, même pas dans sa barbe, un « Ta gueule, Ducon » a plané dans la pièce.

Nous sommes rentrées sans nous dire un mot. Je sentais que le silence de maman était grave, mais le mien était plutôt joyeux, et même assez insolent.

« Et ta patte folle, alors, qu'est-ce que tu en fais, hein ? a-t-elle fini par lâcher. Comment tu comptes retourner à New York si tu es incapable de grimper un escalier ?

— Bon, je te propose un marché : si j'arrive à monter celui de la maison, c'est que je suis en état de rentrer. »

Elle a accepté parce qu'elle pensait que je n'avais aucune chance d'y arriver. Seulement elle était loin de savoir à quel point j'étais déterminée à m'en aller. J'y arriverais. Et j'y suis arrivée – même s'il m'a fallu dix minutes, qui m'ont laissée en nage et un peu nauséeuse à cause de la douleur.

Mais ce que maman n'avait pas intégré, c'est que ne pas arriver à dépasser la première marche ne m'aurait pas empêchée de partir. Je devais le faire, je commençais à être prise de panique.

« Tu vois ? j'ai soufflé, hors d'haleine, en m'asseyant sur le palier. Je vais mieux. Mon bras, mon visage, mes tripes, mon genou – tout va mieux !

– Anna... » Je n'ai pas aimé le ton de sa voix. Trop grave. « Tes problèmes ne sont pas uniquement liés à tes blessures physiques. »

« Maman, je le sais. Mais il faut que je rentre. Il le faut, tu comprends ? Je ne dis pas que je resterai là-bas à jamais. Je déciderai peut-être de revenir à la maison au bout de quelques jours. Seulement, pour l'heure, je n'ai pas le choix : tout n'est pas bouclé. »

Quelque chose dans ma voix a dû la convaincre, parce qu'elle a changé de registre. « Bah, j'imagine que c'est comme ça, de nos jours : on veut tout contrôler. De mon temps, il n'y avait rien de mal à laisser une affaire en plan. On quittait un endroit, on ne revenait jamais, et personne n'y trouvait à redire. Et si on se mettait à agir un peu bizarrement, qu'on fasse des cauchemars à réveiller toute la maisonnée et qu'on coure dans tous les sens en se grattant la tête, le curé était contacté et il venait dire une prière. Non que ça soit utile, mais les gens s'en fichaient, c'était ce qu'il fallait faire, tout simplement.

– Rachel est à New York, elle aussi. Elle m'aidera, ai-je dit pour la rassurer.

– Tu devrais également songer à voir quelqu'un.

– Voir quelqu'un ? » Je me demandai si je n'avais pas mal entendu : en règle générale, maman était farouchement opposée à toute forme de psychothérapie. Rien n'aurait pu la convaincre que les psys appliquaient le principe de confidentialité. Bien qu'elle n'en ait aucune preuve, elle affirmait qu'ils organisaient des dîners au cours desquels ils régalaient leurs convives des secrets de leurs patients.

« Oui, voir quelqu'un, oui. Peut-être que Rachel pourra t'orienter.

— Hmm », ai-je marmonné d'un air pensif, comme si j'envisageais cette possibilité, mais je savais que je n'irais pas. Parler de ce qui était arrivé ne changerait rien.

« Bon, viens avec moi, il vaudrait mieux annoncer la nouvelle à ton père. Il se peut qu'il se mette à pleurer. Si c'est le cas, ignore-le. »

Pauvre papa. Dans une famille où les femmes régnaient en maîtres, son avis comptait pour du beurre. Il regardait son golf à la télé.

« On a un truc à te dire : Anna repart s'installer à New York pendant quelque temps », a annoncé maman.

Il a levé les yeux, à la fois surpris et contrarié. « Pourquoi ?

— Une histoire de truc à boucler.

— C'est-à-dire ?

— Je ne sais pas trop, a admis maman. Mais apparemment, c'est une question de vie ou de mort.

— Est-ce qu'il n'est pas encore un peu tôt pour repartir ? Et le bras cassé, alors ? Et la patte folle ?

— En voie de guérison : tout s'améliore. Et, plus tôt, elle s'occupe de ce truc à boucler, plus tôt, elle reviendra parmi nous. »

Puis il a fallu annoncer la chose à Helen. Qui ne l'a pas très bien pris. « Crime de guerre ! s'est-elle exclamée. Ne pars pas.

— Il le faut.

— Mais je croyais qu'on allait faire équipe, toi et moi. On pourrait être détectives privés. Avoir notre agence. T'imagines comme on s'amuserait ? »

C'est elle qui s'amuserait, surtout, bien au chaud sous sa couette pendant que je me gèlerais les fesses dans des massifs détrempés à faire le boulot à sa place.

« Je te suis plus utile en tant qu'attachée de presse en cosmétiques », ai-je répliqué. Ce qu'elle a eu l'air d'approuver.

Après, ils ont téléphoné à Rachel pour qu'elle m'emmène avec elle.

10

Pendant que j'attendais de voir si Aidan Maddox trouverait mon numéro et m'appellerait, j'ai continué à vivre ma vie. J'avais des Speed dates à entretenir. Mais Harris, l'architecte intéressant, s'est révélé un peu trop « intéressant » lorsqu'il a suggéré que pour notre premier rendez-vous nous allions ensemble chez la pédicure. Presque tout le monde s'est enthousiasmé, disant que c'était adorable, original, et que le bonhomme voulait manifestement me voir prendre mon pied – ha ha ! Mais j'avais des doutes. Quant à Jacqui, qui n'avait pas de temps à perdre avec ces absurdités de « papouilleur » (explications à venir), elle a sauté au plafond, saisie d'horreur. Donc, pas de rendez-vous avec Harris.

Bien décidée à ne pas me laisser abattre, je me suis préparée pour mon rendez-vous avec Greg, le boulanger du Queens. Nous étions en octobre et il ne faisait vraiment pas chaud, mais il avait proposé un pique-nique dans le parc. Il fallait en tout cas leur reconnaître ça : les types de New York avaient drôlement affûté leur stratégie de drague.

Nous devions nous retrouver juste après le boulot : Greg se couchait de bonne heure car il devait se lever au milieu de la nuit pour faire du pain. De toute façon, après sept heures et demie, il ferait trop noir dehors pour que l'on puisse se regarder ou voir ce que nous aurions à manger. En marchant le long du parc, j'essayais de me convaincre : bon, le programme était un peu inhabituel – et après ? Où était passé mon sens de l'aventure ?

En arrivant à la grille, j'ai aperçu Greg qui m'attendait, une couverture sur un bras, un panier en osier dans l'autre et – comble de l'horreur – une sorte de panama sur la tête. Et puis, c'est terrible à dire, mais il était bien plus gras qu'il n'en avait eu l'air lors de notre première rencontre.

Il a étalé la couverture sur l'herbe et a tapoté son panier. « Anna, je promets une fête à tes papilles, et même à tes cinq sens. »

Je craignais déjà le pire.

Allongé sur la couverture, il a ouvert le panier, en a sorti un pain et a refermé le couvercle d'un geste vif ; mais trop tard : j'avais vu que le panier contenait seulement du pain. Des kilos et des kilos de pain.

« Ça, c'est mon pain au levain. Une recette à moi. »

Il en a rompu un morceau, avec des manières de bon vivant, et s'est approché de moi. Je voyais d'ici la tournure que prenait ce rendez-vous : il comptait sur une séduction par le pain – une fois que j'aurais goûté à ses créations, je me pâmerais et tomberais éperdument amoureuse de lui. Ce type avait trop vu *Chocolat*.

« Ferme les yeux et ouvre la bouche. » Oh non, les boules, il voulait me faire manger ! Atroce. Tellement *Neuf semaines et demie* !

Pendant plus d'une heure très frisquette, Greg m'a fait lécher, humer, étudier et caresser du pain. La seule chose qu'il m'ait épargnée ? Écouter du pain.

Et il n'y avait effectivement rien d'autre à manger : pas de salade, pas de pilons de poulet, pas de dinde fumée.

« Aujourd'hui, tout le monde a la phobie des hydrates de carbone, a remarqué Jacqui quelques jours plus tard. Est-ce que notre homme est au courant ? »

J'avoue que ma détermination en avait pris un coup lorsque, le lendemain, le barman mignon m'a appelée au boulot en annonçant : « J'ai une idée géniale pour notre rencard de ce soir. »

Je l'ai écouté sans piper mot.

« Je participe à un projet en ce moment : on construit des maisons pour les démunis de Pennsylvanie – ils fournissent les matériaux, et nous la main-d'œuvre. »

Il a marqué une pause pour que je le félicite. Mais je n'en ai rien fait. Sur un ton un peu perplexe, il a continué : « Et donc, j'y vais ce week-end. Ça serait sympa que tu m'accompagnes. On pourrait apprendre à se connaître et en même temps, tu vois, faire le bien au sein d'une communauté. »

L'altruisme : le dernier truc à la mode. Une grande lassitude s'est emparée de moi.

« Merci pour la proposition, ai-je répondu. Mais je ne vais pas venir. Ravie de t'avoir rencontré, Nash…

— Nush.

— Désolée, Nush. Mais je ne crois pas que ce soit mon truc.

— OK. Pas grave. De toute façon, j'ai plein d'autres filles sous le coude.

— Je n'en doute pas. Bonne chance. »

J'ai raccroché d'un coup sec et me suis tournée vers Teenie. « Tu sais quoi ? J'en ai ma claque des New-Yorkais ! De vrais tarés ! Pas étonnant qu'ils aient recours au Speed dating, même dans une ville où les femmes qui se donneraient pour un mec grouillent sur les trottoirs. Est-ce qu'on a idée de proposer à quelqu'un un rendez-vous galant et de construire une maison en même temps ? Une *maison*, bordel ! »

La sonnerie du téléphone a coupé court à mon flot d'invectives ; j'ai inspiré un bon coup avant de décrocher.

« Candy Grrrl publicité, Anna Walsh à l'appareil.

— Salut, Anna Walsh ; Aidan Maddox à l'appareil.

— Manquait plus que ça.

— Qu'est-ce que j'ai fait ?

— Tu appelles pour me proposer un rendez-vous ?

— Oui.

— C'est pas le moment. Je viens juste de dire adieu à la population mâle de New York.

— Rien de grave en ce qui me concerne : je suis de Boston. Alors, qu'est-ce qui t'arrive ?

— Je viens de passer une semaine très bizarre, avec des rendez-vous galants tout aussi bizarres. Et je ne pense pas être en mesure d'en supporter un de plus.

— Rendez-vous ? Ou rendez-vous bizarre ? »

J'ai réfléchi une seconde. « Rendez-vous bizarre.

— Bien. Alors, si on allait boire un verre ? Ça manque suffisamment de bizarrerie ?

— Tout dépend : on le prend où, ce verre ? Dans un salon de beauté ? Un parc où on se les gèle ? Sur la Lune ?

— Je pensais plutôt à un bar.

— OK. Un verre.

— Et si, à la fin de ton verre, tu sens que tu n'accroches pas, dis-moi simplement que tu dois y aller parce qu'il y a une fuite dans ton appartement et que tu as fait venir le plombier. Qu'est-ce que tu en penses ?

— Parfait. Juste un verre. Et toi, ce sera quoi ton excuse pour t'échapper ?

— Je n'en aurai pas besoin.

— Tu pourras dire que tu dois repasser au bureau boucler un truc pour la réunion petit-déjeuner du lendemain matin.

— Très généreux de ta part, mais pas nécessaire. »

11

Maman s'est frayé un chemin jusqu'à mon lit.

« Je viens d'avoir Rachel au téléphone. Elle arrive samedi matin. » Plus que deux jours à tenir. « Et vous prendrez l'avion pour New York lundi. Si tu es toujours sûre de ta décision.

— Aucune hésitation. Est-ce que Luke vient avec elle ?

— Non... Dieu merci, d'ailleurs, a-t-elle ajouté en s'asseyant à côté de moi.

— Je croyais que tu l'aimais bien ?

— Mais je l'aime bien. Surtout depuis qu'il a accepté de l'épouser.

— À mon avis, c'est plutôt depuis qu'*elle* a accepté de l'épouser. »

Rachel et Luke vivaient ensemble depuis tellement longtemps que même maman avait abandonné tout espoir de voir Rachel « cesser de tourner toute la famille en ridicule ». Et puis, il y a deux mois, à la surprise générale, ils ont annoncé leurs fiançailles. Au début, la nouvelle a plongé maman dans un désespoir immense : elle pensait que Rachel devait être enceinte, pour qu'ils se marient après tout ce temps. Mais ma sœur ne voulait pas d'enfants, et ils se mariaient simplement parce qu'ils en avaient envie. Je suis très contente qu'ils aient fait leur annonce à ce moment-là, parce que s'ils avaient attendu ne serait-ce que quelques jours, par respect pour moi et ma situation, ils auraient eu le sentiment de ne pas en avoir le droit. Mais la date était fixée, l'hôtel réservé, et si Rachel et Luke se désistaient maintenant, ils savaient que je le prendrais encore plus mal.

« Donc… si tu aimes bien Luke, où est le problème ?

— C'est juste que je me demande…

— Quoi ?

— Je me demandais, l'autre jour : est-ce qu'il porte des slips ?

— Maman !

— Et aussi, quand je suis très près de lui, j'ai l'impression d'avoir envie de… J'ai envie de le mordre. »

Les yeux rivés au plafond, elle semblait perdue dans un doux rêve avec Luke, lorsque papa a passé sa tête par la porte pour lui dire : « Téléphone. »

Elle a sursauté, est sortie de la pièce, et est revenue manifestement perturbée.

« C'était Claire.

— Elle va bien ?

— Elle arrive de Londres samedi après-midi, voilà comment elle va.

— Et ça pose un problème ?

— Elle vient parce qu'elle veut voir Rachel en personne pour lui demander de ne pas épouser Luke.

— Ah. » Tout comme elle m'avait suppliée de ne pas épouser Aidan.

Elle était peut-être culottée de faire un truc pareil, mais il se trouve que j'avais vraiment douté avant de m'engager. Je savais que je prenais des risques avec Aidan – même si, étrangement, les risques n'étaient pas ceux que je craignais.

Aurais-je dû écouter Claire ? Au cours de ces semaines passées assise dans le jardin à regarder les fleurs, à sentir les larmes rouler le long de mes cicatrices, j'y avais beaucoup pensé. C'est vrai, de quoi j'ai l'air à présent ? Regardez dans quel état je suis.

Je n'arrêtais pas de me demander si c'était mieux ainsi, d'avoir aimé puis perdu l'être cher. Mais quelle question absurde, puisqu'on ne m'avait pas laissé le choix !

« Hors de question que Claire sabote ce mariage ! a déclaré maman.

— Il ne faut pas lui en vouloir d'essayer. » Après le désastre qu'est devenue sa propre union, Claire s'est mise à systématiquement qualifier de « belle connerie » le mariage, cette institution où les femmes sont traitées en esclaves, considérées comme des objets, une propriété passant des mains d'un homme à celles d'un autre.

« Je veux que ce mariage ait lieu, a insisté maman.

— Tu devras t'acheter un chapeau ridicule. Un de plus...

— Un chapeau ridicule, voilà bien le cadet de mes soucis. »

12

Lorsque Rachel s'est pointée samedi matin, maman s'est jetée sur elle en s'écriant : « Aie l'air radieuse, pour l'amour de Dieu ! Claire va débarquer dans l'après-midi pour te demander de renoncer à ce mariage.

— Vrai ? » Rachel avait l'air amusée. « Je n'arrive pas à y croire ! Elle t'a fait le même coup, Anna, hein ? » Puis, s'apercevant qu'elle avait mis les pieds dans le plat, elle a sursauté comme si quelqu'un venait de lui enfoncer un tisonnier dans les fesses et s'est empressée de changer de sujet. « Radieuse, donc. Mais radieuse comment ? »

Maman et Helen ont observé Rachel d'un air sceptique. Elle avait opté pour un style sobre, élégant-décontracté, New-Yorkaise en week-end : pull en cachemire à capuche, panta-court en toile, et tennis ultralégères, du genre qui se plie en huit et entre dans une boîte d'allumettes.

« Fais quelque chose avec tes cheveux », a suggéré Helen. Obéissante, Rachel a retiré sa grosse pince, et ses belles boucles brunes sont tombées en cascade dans son dos.

« Miss Walsh, vous voilà bien en beauté ! s'est exclamée maman, d'un ton un peu amer. Coiffe-moi tout ça ! Allez ! Et souris, tu veux ! »

Le truc, c'est que Rachel était déjà radieuse. Sa nature est ainsi faite : il y a en elle quelque chose de lumineux, un calme superbe et un côté « esprit mal tourné » secret, à peine visible.

Maman a fini par remarquer La Bague. Comment était-il possible qu'elle ne l'ait pas vue avant ? « Et n'oublie pas d'agiter ce gros caillou à la moindre occasion.

— OK.

— Bien, et maintenant, donne que j'y jette un œil. »

Rachel a retiré son anneau serti d'un saphir et, après une lutte acharnée entre Helen et maman, cette dernière a fini par l'emporter. « Grands dieux ! a-t-elle tonné, brandissant en l'air son poing fermé. Une éternité que j'attends ce jour ! »

Ensuite, elle a examiné la bague en détail, la tenant à la lumière, le regard étréci, comme un expert en pierres précieuses. « Elle a coûté combien ?

— T'occupe.

— Allez, dis-nous, a insisté Helen.

— Non.

— Tu sais qu'elle est censée valoir l'équivalent d'un mois de salaire, a renchéri maman. Au bas mot. S'il l'a payée moins que ça, il te prend pour une idiote... Bien ! Il est temps de faire notre vœu. Anna, vas-y en premier. »

Maman m'a passé la bague et Rachel a déclaré : « Tu connais la règle : tourne-la trois fois autour de ton cœur. Tu ne peux pas demander un homme, ni de l'argent, mais rien ne t'empêche de souhaiter une belle-mère pleine aux as ! »

Une nouvelle fois, réalisant ce qu'elle venait de dire, elle a pris son air « balai dans le derrière ».

« Ça va, l'ai-je rassurée. Pas de problème. On ne va pas continuer à marcher sur des œufs une éternité.

— Vraiment ? »

J'ai acquiescé.

« OK. Tu me montres ta trousse à maquillage ? »

Pendant un instant, serrées les unes contre les autres, pots de crème et maquillage sur les genoux, tout a semblé normal.

81

Est venu le moment d'imiter Claire.

« Le mariage ? Juste un moyen de réduire quelqu'un en esclavage, a soupiré maman, en adoptant le ton qu'elle avait quand elle enfourchait son cheval de bataille.

— Ce n'est pas sa faute, a affirmé Rachel, l'abandon et l'humiliation qu'elle a subis l'ont traumatisée.

— Oh, tais-toi ! est intervenue Helen, tu nous gâches le plaisir, là... Des objets ! Voilà ce que nous sommes : des objets ! »

Même moi je m'y suis mise.

« Moi qui pensais que le mariage se résumait à porter une jolie robe et être au centre de toutes les attentions. »

Nous avons crié en chœur : « Jamais je n'avais pensé aux implications politiques et à ce véritable fossé entre les sexes ! »

Après quoi nous avons été prises d'un fou rire, et même si j'avais conscience qu'à tout instant je pouvais fondre en larmes, j'ai réussi à conserver ma bonne humeur.

13

Pour notre rendez-vous à verre unique, Aidan et moi nous sommes retrouvés au Lana's Place, un bar calme, haut de gamme, à l'éclairage tamisé, dans des tonalités neutres mais sophistiquées.

« Ça te va ? m'a demandé Aidan. Pas trop bizarre, comme endroit ?

— Jusqu'ici, tout va bien. À moins que ce ne soit un de ces bars où le personnel se met à faire des claquettes à partir de neuf heures...

— Mince ! J'ai complètement oublié de vérifier. »

La serveuse est venue prendre notre commande. « Je garde la note au bar pour d'autres verres ?

— Non, ai-je répondu. Il se peut que je doive partir en urgence...

— ... si je deviens un peu trop loufoque à ton goût. Ne t'inquiète pas. Ce n'est pas mon genre. »

Sans trop savoir pourquoi, je lui faisais confiance. Il était différent de mes Speed dates. Mais on n'est jamais assez méfiant.

« On a la même cicatrice, a-t-il lancé.

— Pardon ?

— La cicatrice. Au sourcil droit. Tu ne trouves pas ça un peu... bizarre ? »

Il souriait : je n'étais pas censée prendre sa remarque au sérieux.

« Comment tu t'es fait la tienne ? m'a-t-il demandé.

— En jouant dans l'escalier avec les escarpins de ma mère.

— À quel âge ? Six ? Huit ans ?

— Vingt-sept... Non, à cinq ans et demi. Je m'imaginais dans une comédie musicale à Hollywood, je suis tombée dans l'escalier, et en atterrissant au bas des marches, je me suis cogné le front au convecteur.

— Au convecteur ?

— Au chauffage. Un gros truc en métal. On m'a fait trois points de suture. Et toi, ça t'est arrivé comment ?

— Le jour de ma naissance. Un accident, une histoire de sage-femme et de ciseaux. Trois points de suture pour moi aussi. Alors, raconte un peu ce que tu fais quand tu n'es pas apprentie magicienne ?

— Tu veux dire dans la vraie vie ?

— Si ça ne t'ennuie pas. Et vite, si tu veux bien. J'apprécierais, au cas où tu déciderais de partir. »

Je lui ai tout déballé. Jacqui, Rachel, Luke, les Real Men, les prouesses de Shake au concours d'air guitar et Nell, ma voisine du dessus. Mon boulot, la passion que j'avais pour mes produits, le jour où Lauryn m'avait volé mon idée de pub pour la crème de nuit à l'orange et à l'arnica et se l'était attribuée.

« Je la déteste déjà, a-t-il commenté. Ton vin est bon, ça va ?

— Oui, oui, très bon.

— Comme tu le bois très lentement...

— Pas aussi lentement que tu sirotes ta bière... »

À trois reprises, la serveuse est venue nous trouver. « Tout va bien ? Vous voulez commander autre chose ? » À trois reprises, on l'a envoyée promener.

Une fois Aidan au courant de ma vie, il m'a parlé de la sienne. De son enfance à Boston, du fait que Leon avait été son voisin pendant tout ce temps, et à quel point il était inhabituel dans leur quartier qu'un petit Juif et un petit Américain d'origine irlandaise soient les meilleurs amis du monde. Il m'a parlé de son frère cadet, Kevin, et de l'esprit de compétition qui les animait quand ils étaient enfants. « Nous avions seulement deux ans d'écart, mais tout entre nous était sujet à rivalité. » Il a évoqué son travail, son colocataire Marty, son soutien de longue date aux Red Sox de Boston ; et à un moment donné de l'histoire, j'ai fini mon verre de vin.

« Tu peux rester encore un peu ? Le temps que je finisse ma bière ? » Avec une admirable retenue, il a ensuite fait durer le fond de son verre pendant une heure entière. Quand, inévitablement, est arrivée la dernière gorgée, il a regardé son verre vide avec un air plein de regret. « Bon, nous y voilà... Tu avais signé pour un verre... Ça en est où, tes problèmes de plomberie, dans ton appartement ?

— Quels problèmes ? »

« Alors ? m'a demandé Jacqui quand je suis rentrée. Un taré de plus ?

— Non. Tout ce qu'il y a de normal.

— Frissons ? »

J'ai fait mine de réfléchir. « Oui. » J'avais bien eu des frissons.

« Bécotage ?

— On peut dire ça, oui.

— Avec la langue ?

— Non. » Il m'avait embrassée sur la bouche. J'avais ressenti une brève impression de chaleur et de détermination, puis il avait disparu, me laissant avide de lui.

« Tu l'aimes bien ?

— Oui.

— Ah, vraiment ? » J'avais capté son entière attention.

« Alors, je ferais mieux de me pencher sur son cas.

— Il n'a rien d'un papouilleur, ai-je lâché en la toisant du regard.

— J'en jugerai par moi-même. »

Le test dit du « Papouilleur » de Jacqui est un examen terriblement cruel qu'elle fait passer à tous les hommes. Son origine remonte à des années. Elle a couché avec un type, et il a passé toute la nuit à faire courir ses mains sur son corps, à l'effleurer, frôlant à peine sa peau, dans le dos, le long de ses cuisses, sur son ventre ; et avant qu'ils fassent l'amour, il lui a demandé si elle était sûre que c'était ce qu'elle voulait. La plupart des femmes auraient adoré ça : il était doux, prévenant, respectueux. Mais pour Jacqui, ç'a été le plus grand tue-l'amour de sa vie. Elle aurait de loin préféré qu'il l'allonge sur une table en dur, lui arrache tous ses vêtements et la prenne sans son consentement.

Ainsi était née l'expression : elle suggérait un côté efféminé qui dépouillait instantanément un homme de tout sex-appeal. C'était une appellation accablante, désignant la catégorie des irrécupérables. De l'avis de Jacqui, il valait mieux tomber sur un homme violent et bourré en habits cradingues que sur un papouilleur.

En constatant mon inquiétude à l'idée que Jacqui puisse étiqueter Aidan « papouilleur », j'ai compris à quel point je tenais à lui. Non que l'avis de Jacqui ait eu autant d'importance, mais quand même ; ça rend les choses un peu compliquées lorsque votre meilleure amie déteste votre petit ami. Mais Aidan n'était pas mon petit ami...

« Alors, tu le revois quand, ce papouilleur potentiel ? m'a-t-elle demandé.

— Je lui ai dit que je le rappellerais quand je serais d'humeur », ai-je répondu avec désinvolture.

Quoi qu'il en soit, il m'a téléphoné deux jours plus tard, pour me déclarer que l'attente de mon coup de fil était plus que ses nerfs ne pouvaient supporter, et savoir si je voulais bien dîner avec lui ce soir-là. Sûrement pas, ai-je répondu, d'abord il me harcelait, et puis qu'est-ce qu'il croyait ? J'étais une femme occupée. Cela dit, si l'invitation tenait, je pouvais me libérer le lendemain soir...

Quatre jours après ce dîner, nous sommes allés à un concert de jazz, mais ce n'était pas trop mal : les musiciens faisant une pause tous les deux morceaux, nous avions plein d'occasions de nous parler. Ensuite, nous nous sommes revus encore et encore, et il me demandait sans cesse des nouvelles de tout le monde, parce que, même s'il ne les avait jamais rencontrés, il connaissait presque chaque détail de leur vie. « Ça ressemble un peu aux *Feux de l'amour* », a-t-il constaté une fois.

On ne s'aventurait jamais sur un terrain trop sérieux. J'avais bien sûr des questions... Par exemple : pourquoi ne m'avait-il pas appelée quand je lui avais donné ma carte, ou pourquoi avait-il dit avoir eu envie de moi mais pensé qu'il ne m'aurait jamais ? Mais je me gardais bien de les lui poser parce que je ne voulais pas savoir. Du moins pas déjà.

À un moment donné de notre quatrième ou cinquième rendez-vous, il a pris une longue inspiration.

« N'aie pas peur, mais Leon et Dana aimeraient te rencontrer, enfin, faire vraiment ta connaissance. Qu'est-ce que tu en penses ? »

Ce que j'en pensais ? J'aurais préféré m'arracher les reins à mains nues.

« On verra… C'est marrant, parce que Jacqui aussi aimerait te rencontrer. »

Il a réfléchi quelques secondes. « D'accord.

— Vraiment ? Tu n'es pas obligé, tu sais. Je lui ai dit que je ne te le demanderais pas parce que tu risquerais de prendre peur et de partir en courant.

— Non, non, ça ne me pose pas de problème. Elle est comment ? Tu crois qu'on va s'entendre ?

— Il y a peu de chances.

— Pourquoi ?

— Parce que… Tu sais, quand deux personnes se voient pour la première fois et que la troisième – moi, en l'occurrence – veut à tout prix qu'elles s'entendent bien et assure : "Vous allez vous adorer" ? Comme leurs attentes sont trop élevées, elles finissent par être déçues et par se détester. Le truc, c'est de faire baisser ces attentes. Alors non, vous ne vous entendrez pas bien. »

« Super ! On va se faire un dîner tous les trois ! » s'est écriée Jacqui.

Impossible. Pas un dîner. Et s'ils n'accrochaient pas ? Deux ou trois heures à essayer de détendre l'atmosphère en forçant de grosses bouchées au fond de nos gosiers crispés – arggggh !

Un verre après le boulot ferait bien mieux l'affaire ; sympa, facile, et surtout rapide. J'ai choisi le Logan Hall, un grand bar assez bruyant pour couvrir tous les blancs dans la conversation. Il serait bondé de salariés stressés venus relâcher un peu la pression.

Le fameux soir, je suis arrivée la première et ai choisi une table sur le balcon. Jacqui a suivi peu après ; huit minutes plus tard, toujours pas d'Aidan en vue. « Il est en retard. » Jacqui a paru appouver.

« Ah, le voilà. » Il était en bas, en train de jouer des coudes à travers la foule, paraissant un peu perdu. « Ici, en haut ! » Il a levé la tête, m'a vue, a instantanément souri et articulé un « Salut ».

« Waouh ! Il est canon ! » Jacqui était sur le cul, mais elle s'est vite ressaisie. « Ce qui ne veut rien dire, attention ! Tu peux très bien tomber sur le mec le plus beau de la Terre, mais s'il refuse de manger les cacahuètes du bar parce qu'il est une chochotte de papouilleur ayant la phobie des germes, c'est rideau, tu m'entends ?

— Il les mangera, les cacahuètes », ai-je répondu sur un ton sans appel avant de me taire, parce qu'il arrivait.

Il m'a embrassée, s'est glissé à côté de moi et a fait un signe de tête à Jacqui.

« Qu'est-ce que je vous sers ? nous a lancé la serveuse en plaçant sur notre table des sous-verres et une soucoupe de cacahuètes.

— Un saketini pour moi, ai-je répondu.

— La même chose, a renchéri Jacqui.

— Et pour monsieur ?

— Je manque d'imagination... On va dire trois. »

Je me suis demandé ce que Jacqui allait penser de ça. Est-ce que les cocktails étaient un truc de filles essentiellement ? Est-ce qu'il aurait dû commander une bière ?

« Tiens, prends des cacahuètes, a proposé Jacqui.

— Merci », a-t-il lâché en se servant.

J'ai adressé à Jacqui mon petit sourire satisfait.

Nous avons passé une soirée très agréable. Au point que nous avons pris un deuxième verre, puis un troisième ; à la suite de quoi Aidan a insisté pour régler la note. Je me suis inquiétée à nouveau. Est-ce qu'un non-papouilleur aurait préféré que chacun paie sa part ?

« Merci, lui ai-je glissé. Tu n'étais pas obligé.

— Oui, merci », a répété Jacqui, et j'ai retenu mon souffle. S'il se lançait dans une phrase du genre « Mais avoir de si charmantes jeunes femmes pour compagnie était un tel plaisir », c'était fichu.

Au lieu de quoi, il a simplement répondu : « De rien », et j'ai été convaincue que ça allait jouer en sa faveur dans cette dernière ligne droite.

« Bon, je file aux toilettes, a annoncé Jacqui, la route est trop longue jusque chez moi !

— Bonne idée. » Je l'ai suivie. « Alors ? Papouilleur ou pas ?

— Lui ? Pas le moins du monde.

— Ouf. » J'étais contente, ravie, même, qu'Aidan passe ce test haut la main.

Très admirative, elle a ajouté : « Je suis sûre que ça doit être dur de le garder à la maison… », et mon sourire a légèrement vacillé.

14

Ce samedi après-midi-là, un taxi s'est arrêté devant notre maison. La portière s'est ouverte, laissant apparaître d'abord une sandale au talon vertigineux, puis une jambe bronzée (avec de légères traces orange au niveau des chevilles), une minijupe en jean effilochée, un antique T-shirt portant l'inscription « MON MEC N'EST PAS LÀ CE WEEK-END », et une cascade de cheveux méchés de blond. Claire venait d'arriver.

« Quand même, elle a quarante ans, a remarqué Helen. On dirait une vraie traînée. Elle n'a jamais été aussi mal.

— N'importe quoi ! Je préfère encore son look à celui de cette satanée Margaret, a répliqué maman en se dirigeant vers le taxi pour l'accueillir. Alors, ma chérie, on a pris un coup de jeune ? »

Tout sourires, Claire a remonté l'allée, faisant étalage de ses longues jambes à peine gagnées par la cellulite, pour tomber dans les bras de maman.

« Je ne t'ai jamais vue avoir si fière allure, a déclaré celle-ci. D'où il vient, ce T-shirt ? Écoute, il faut absolument que tu en touches deux mots à Margaret. C'est ta petite sœur, et elle a l'air plus vieille que moi. Elle nuit à mon image.

— Non mais, regarde-moi dans quel état tu es ! est intervenue Helen. Habillée comme une dépravée, à quarante ans !

— Tu sais ce qu'on dit de ce moment de la vie ?» Claire a posé sa main sur l'épaule d'Helen.

— Que c'est l'âge où les fesses commencent à tomber ?

— Non, que c'est celui où la vie commence ! a hurlé Claire à la face d'Helen. La vie COMMENCE à quarante ans. Quarante, c'est le nouveau trente. Et puis, l'âge n'est qu'un nombre. On est jeune si on se sent jeune. Maintenant, tire-toi !»

Elle a pivoté sur ses talons vertigineux et, avec un sourire étincelant, m'a prise dans ses bras. « Anna, ma chérie, comment vas-tu ?»

Crevée, à vrai dire. Claire n'était à la maison que depuis une poignée de secondes, mais déjà les cris, les insultes et les brusques sautes d'humeur m'avaient replongée directement dans l'enfance.

« Tu as bien meilleure mine que la dernière fois, m'a-t-elle affirmé avant d'inspecter l'entrée, à la recherche de Rachel. Où est-elle ?

— Elle se cache.

— Je ne me cache pas, BORDEL DE MERDE ! Je médite, OK ?» La voix de Rachel nous parvenait d'en haut. Nous avons toutes levé la tête pour l'apercevoir allongée sur le palier, la tête passée entre les piliers de la balustrade. « Tu aurais pu t'épargner le déplacement, Claire. Parce que, quoi que tu dises, je vais me marier ; et d'abord, comment concilies-tu tes principes féministes avec une jupe aussi courte ?

— Je ne m'habille pas pour les hommes, mais pour moi.

— Ouais, bien sûr », a lâché maman avec un sourire méprisant.

Finalement, Rachel est sortie de l'état puéril dans lequel nous semblions toutes plongées (surtout maman) pour redevenir la Rachel sage et sereine que nous connaissions, et elle a accepté de prêter l'oreille à ce que Claire avait à dire. Helen, maman et moi avons demandé la permission d'assister à leur discussion, mais Rachel a déclaré qu'elle ne préférait pas, et Helen a baissé les yeux en murmurant : « Oui, bien sûr, nous comprenons. » Dès l'instant où elles se sont enfermées dans une chambre, nous avons couru à l'étage (enfin, maman et Helen ; moi, je boitillais) pour écouter à la porte ; mais, à part les rares haussements de ton, les « Propriété ! » ou « Objets ! » et les soupirs irrités de Rachel, nous nous sommes vite ennuyées.

Ayant échoué à convaincre Helen de ne pas se marier, Claire est repartie le dimanche soir profondément offensée.

Ce soir-là, papa est venu me parler – du mieux qu'il pouvait. « Alors, prête pour le grand voyage demain ?

— Fin prête.

— Bien… Bonne chance pour le retour alors, et continue à marcher alors, comme on le faisait, hein… C'est bon pour ton genou. »

Le nombre de fois où il disait « alors » indiquait à quel point il était mortifié. Papa était prêt à mourir pour moi, pour toute sa famille, mais il ne voulait pas, ne pouvait pas parler de ses émotions.

« Alors quand tu seras rentrée, tu pourrais peut-être pratiquer un sport ? Ça fait du bien à l'esprit, ça vide la tête. Alors, je sais pas, moi, ça peut être du golf. Et puis, note, ça serait bon pour ton genou aussi.

— Merci papa, j'y réfléchirai.

— D'un autre côté, il faut pas nécessairement que ce soit du golf. Peut-être un truc de filles, sinon. Et puis nous, on viendra sûrement filer un coup de main à Rachel pour l'organisation de son mariage. »

À l'aéroport, maman a étudié l'écran des départs, ensuite son regard est passé de Rachel à moi et elle s'est exclamée : « Quand même, qu'est-ce que c'est dommage que vous viviez l'une et l'autre à New York ! » Les poings plantés sur les hanches, elle s'est cambrée, toute poitrine dehors. Elle avait convaincu Claire de lui donner son T-shirt « MON MEC N'EST PAS LÀ CE WEEK-END » et essayait par tous les moyens d'attirer l'attention sur l'inscription. « Est-ce que l'une de vous deux ne voudrait pas emménager ailleurs, pour qu'on ait un autre pied-à-terre gratuit ? J'ai toujours voulu voir Sydney…

— Ou Miami, a renchéri papa, avant que maman et lui se cognent les hanches en chantant *Bienvenue à Miami* !

— Bon, allez, il est temps de nous dire au revoir, a lâché Rachel un peu froidement.

— D'accord, d'accord… » Ils avaient tous les deux le visage un peu rougi ; ils ont pris une profonde inspiration et se sont lancés dans un tourbillon de gentillesse et d'inquiétude. « Anna, mon cœur, tu verras, ça va aller. » « Tu t'en remettras, va. » « Laisse le temps faire les choses. » « Reviens à la maison dès que tu en as envie. » « Rachel, tu as intérêt à veiller sur elle ! »

Même Helen m'a dit : « J'aimerais bien que tu restes. Essaie de ne pas devenir trop tarée.

— Écris-moi, lui ai-je répondu. Tiens-moi au courant de l'évolution de ton scénario, et de ton boulot.

— OK. »

Mais ce qui m'a semblé très singulier dans cette scène d'adieux, c'est que, malgré leurs innombrables vœux de rétablissement et leurs encouragements, à aucun moment le nom d'Aidan n'a été mentionné.

15

Après que Jacqui m'a eu dit d'Aidan que j'aurais du mal à
le garder à la maison, elle lui a déclaré : « Bon, tu as réussi
le test. Tu nous plais. Tu peux te joindre à nous quand tu
veux.

— Euh... merci.

— D'ailleurs, demain soir, c'est l'anniversaire du mec de
Nell. On se retrouve à l'Outhouse sur Mulberry Street. Si ça
te dit...

— Heu, OK. » Il a regardé dans ma direction. « OK ?

— OK. »

L'idylle entre Jacqui et Aidan a donc continué le lendemain soir. Dans l'atmosphère étouffante du bar, elle a repéré
un adonis adossé au mur. « Regarde le type, là-bas. Pas mal,
hein ? Tu crois qu'il attend quelqu'un ?

— Demande-lui, a suggéré Aidan.

— Mais je ne peux pas me pointer et lui poser cette question, enfin !

— Tu veux que j'y aille ? »

Les yeux de Jacqui ont failli sortir de leurs orbites. Elle
s'est agrippée à lui. « Tu ferais ça ?

— Bien sûr. » Sous notre regard, Aidan s'est frayé un
passage dans la foule, a dit quelques mots à l'adonis qui a
répondu, puis il a tourné la tête dans notre direction. Nouvel

échange verbal, ensuite Aidan s'est redirigé vers nous... suivi de l'adonis.

« J'y crois pas ! a sifflé Jacqui. Il arrive ! »

Malheureusement, le véritable nom de l'adonis était Burt ; de près, il avait un visage particulièrement figé, et, qui plus est, il ne semblait pas intéressé par Jacqui. Mais après ça, aux yeux de celle-ci, Aidan était tout droit sorti de la cuisse de Jupiter.

Super : tout le monde s'entendait bien. Cependant, puisque Aidan avait rencontré à deux reprises Jacqui, j'étais bien obligée de revoir Leon et Dana. Je n'étais pas particulièrement impatiente d'être jugée... et rejetée. Mais, à la différence de la fois où j'avais fait leur connaissance, ils ne m'ont pas traitée comme une silhouette en carton grandeur nature, et nous avons, à ma grande surprise, passé un très bon moment.

Quelques jours plus tard, les Real Men ont organisé une fête pour Halloween à l'occasion de laquelle ils se sont déguisés en eux-mêmes. J'étais là à me demander si Aidan allait venir lorsque quelqu'un s'est posté devant moi, un drap blanc sur la tête, en geignant un « Wouuuuuuuu ! ».

« Euh, je reviens dans deux secondes », ai-je répondu, agacée.

Mais le fantôme a soulevé son drap en s'exclamant : « Eh, Anna, c'est moi ! »

Aidan ! J'en ai crié de surprise et de plaisir. Je me suis jetée dans ses bras et il m'a serrée fort contre lui, ses mains dans mon dos, nos jambes emmêlées, et j'ai été submergée par une bouffée de désir. Il a dû la ressentir lui aussi, parce que d'un coup son regard a changé, est devenu plus sérieux. Nous nous sommes observés de longues secondes, puis l'ami de Nell, déguisé en diable, a planté sa fourche dans les fesses d'Aidan et le charme a été rompu.

À ce stade de notre relation, j'avais vu Aidan sept ou huit fois, et jamais il n'avait tenté de me sauter dessus. À tous nos rendez-vous, nous n'avions échangé qu'un baiser. On était passés du bisou rapide et ferme au baiser plus langoureux, plus tendre ; mais un baiser, un seul, voilà tout ce à quoi nous avions eu droit.

Est-ce que j'en désirais davantage ? Oui. Est-ce que sa retenue piquait ma curiosité ? Oui. Mais j'avais réussi à garder le contrôle et à éviter de me mettre martel en tête, chaque fois que je rentrais à la maison sans m'être fait sauter dessus, avec des questions du genre « Mais c'est quoi son problème ? », « Je ne lui plais pas ou quoi ? », « Est-ce qu'il est gay ? chrétien ? un de ces baratineurs qui trouvent que le-grand-Amour-peut-attendre ? ».

Aidan m'a appelée le lendemain de Halloween. « C'était marrant, hier, comme soirée.

— Oui. Je suis contente que ça t'ait plu. Tu sais, samedi soir, Shake participe aux éliminatoires pour le championnat d'air guitar. Je crois qu'on va tous y aller, histoire de se marrer un peu... Ça te tente ? »

Un silence. « Anna... Je peux te dire un truc ? »

Je me suis attendue au pire.

« Comprends-moi bien : j'aime beaucoup Jacqui, Rachel, Luke, Shake, Dana, Leon, Nell et son ami étrange... Mais j'aimerais te voir, toi. Rien que nous deux ?

— Quand ?

— Dès que possible ? Ce soir ? »

J'ai commencé à sentir une boule dans mon ventre. Qui a grossi quand Aidan a ajouté : « Il y a un petit restau italien très sympa sur la 85e Ouest. »

Il n'y avait pas qu'un petit restau italien sur la 85e Ouest. Son appartement s'y trouvait aussi.

« Vingt heures ? a-t-il proposé.

— OK. »

Nous avons englouti nos plats à la vitesse grand V ; une heure et demie après nous être assis, nous avions avalé notre café et tirions notre révérence au patron. Comment était-ce arrivé ?

Nous n'avions pas que les spaghettis en tête, voilà comment. J'étais pour ma part extrêmement nerveuse – bien que je n'aie eu aucune raison de l'être. Quand nous avions débarqué à New York, Jacqui et moi avions pris quelques cours de techniques de séduction. « Les New-Yorkaises sont très expérimentées, avait affirmé Jacqui. On ne leur arrive pas à la cheville. Si on ne sait pas comment faire un strip-tease en dansant autour d'une barre, jamais on ne se trouvera un mec. »

Donc, en théorie, j'avais un ou deux tours sensuels dans mon sac. Et pourtant, lorsque Aidan a enroulé une mèche de mes cheveux autour de son index en murmurant : « Viens, allons chez moi », tout le duvet de ma nuque s'est hérissé d'un coup et je me suis sentie au bord du malaise.

Nous avons pénétré dans son appartement, mais je suis restée dans l'entrée, l'oreille tendue. « Marty n'est pas là ce soir ?

— Non, il est sorti.

— Sorti du genre... sorti ? »

Une hésitation. « Sorti .. du genre qui va pas dormir là.

— Hmmm. »

J'ai poussé une porte, derrière laquelle j'ai découvert une chambre. J'ai remarqué le linge de lit repassé de frais, les bougies posées çà et là, la bonne odeur de campagne. « C'est ta chambre ?

— Oui. » Il m'y a suivie.

« Et elle est toujours aussi nickel ? »

Un silence. « Non. »

Rire nerveux. Puis son expression est passée à quelque chose de beaucoup plus intense, et j'ai de nouveau senti cette boule dans mon ventre. J'ai fait quelques pas dans sa chambre, soulevant les objets qui me tombaient sous la main. Les bougies posées sur sa table de chevet venaient de chez Candy Grrrl. « Oh, Aidan, j'aurais pu te les avoir gratuitement.

— Anna ? » a-t-il dit doucement. Il était tout près de moi. Je ne l'avais pas entendu approcher. J'ai levé les yeux. « Rien à foutre, des bougies. »

Il a glissé une main derrière ma nuque, sous mes cheveux, m'envoyant des minidécharges électriques le long de la colonne, a penché son visage vers le mien et m'a embrassée, avec un peu d'hésitation au début. Puis nous nous sommes véritablement pris au jeu, et j'ai été saisie par sa proximité ainsi que par la rugosité de ses cheveux, et la chaleur de son corps à travers sa fine chemise en coton. J'ai passé un pouce sur les contours de sa mâchoire, laissé glisser mes doigts le long de sa colonne, posé une paume contre la saillie de sa hanche.

Les boutons de sa chemise s'étaient défaits, et voilà que je voyais son torse ; son ventre, plat, musclé, une ligne de broussaille brune menant vers le bas... J'ai regardé ma main faire sauter le bouton de son jean. C'était un réflexe, n'importe qui aurait agi de même.

Ensuite, nous nous sommes figés ; et maintenant ?

Ma main tremblait légèrement. J'ai levé les yeux vers lui. Il me regardait, l'air suppliant ; doucement j'ai descendu sa braguette, apercevant les détails de son érection, visible sous la toile de jean tendue. Mince, petites fesses, cuisses fermes et effilées, il était encore plus appétissant que je ne l'avais

99

imaginé. S'allongeant sur moi, il m'a déshabillée comme si j'étais un cadeau. « Anna, tu es tellement belle, répétait-il. Tellement belle... »

Son érection, douce et dure entre mes cuisses, me rappelait la soie ; il m'embrassait partout, des paupières au creux de mes genoux.

Mes projets de mettre à exécution ce qu'on m'avait appris en cours de séduction sont tombés à l'eau. Ainsi, mon intention de faire tourner mon soutien-gorge au-dessus de ma tête : dans le feu de l'action, je l'avais oubliée, ayant bien autre chose en tête. Je jouis rarement lorsque je couche avec un homme pour la première fois ; mais là, ce qu'il me faisait, les lentes manœuvres de son pénis contre moi, en moi, la chaleur, le désir, le plaisir qui s'intensifiait, gonflait...

Nous avons accéléré la cadence, et j'en voulais toujours davantage.

« Plus vite, l'ai-je supplié. Aidan, je crois que je vais... » Il a bougé de plus en plus rapidement en moi, et mon plaisir a continué de croître. Après une seconde de néant total, j'ai explosé, emportée par une exquise jouissance qui me faisait vibrer à l'extérieur comme à l'intérieur.

À son tour il a joui, répétant mon prénom, les doigts emmêlés dans mes cheveux, les yeux fermés, une expression d'angoisse sur le visage. « Anna, Anna, Anna. »

Pendant de longues minutes, ni lui ni moi n'avons prononcé un mot. Luisants de sueur et assommés de plaisir, nous étions aplatis de tout notre long sur les draps. Dans ma tête, j'avais une petite conversation avec moi-même : *C'était génial. C'était incroyable.* Mais je ne voulais rien exprimer à voix haute : ça aurait forcément fait cliché.

« Anna ?

— Mmm ? »

Aidan a roulé sur le côté pour s'allonger sur moi et m'a murmuré : « Voilà l'une des meilleures choses qui me soient jamais arrivées. »

Il y avait là bien plus qu'une agréable partie de jambes en l'air. J'avais l'impression de le connaître. J'avais l'impression qu'il m'aimait. Nous nous sommes endormis serrés l'un contre l'autre, son bras passé autour de ma taille, ma main sur sa hanche.

Je me suis réveillée au son d'une tasse que l'on pose sur une soucoupe. « Café, a-t-il annoncé. Il est l'heure de se lever. »

Lentement, j'ai émergé de mon délicieux sommeil de plomb et essayé de me redresser.

« Oh, je vois que tu es déjà habillé, ai-je constaté, surprise.

— Ouais. » Il évitait mon regard. Il s'est assis au bord du lit pour enfiler ses chaussettes, le visage fermé, le dos tourné, et d'un coup j'étais tout à fait réveillée.

J'étais déjà passée par là, je savais la délicatesse de la situation, et connaissais les règles : rester légère, ne pas le brusquer, composer avec ses sautes d'humeur. Eh bien non, pas cette fois, merde ! Je méritais mieux que ça.

En sirotant mon café, je lui ai demandé : « Tu n'as pas oublié, pour demain soir ? Le concours d'air guitar, avec Shake ? Tu viens toujours ? »

Sans me faire face, il a marmonné dans sa barbe : « Je ne serai pas en ville ce week-end. »

Mon cœur a raté un battement. C'était comme si on m'avait giflée. Tout compte fait, il semblait que j'aurais dû m'en tenir à la règle : Faire profil bas et marcher sur des œufs.

« Il faut que j'aille à Boston, a-t-il ajouté. Une affaire à régler.

— Tu te fous de moi.

— Je me fous de toi ? a-t-il répété, incrédule.

— Oui, Aidan, tu te fous de moi. On couche ensemble, tu agis bizarrement et maintenant, sans qu'on sache pourquoi, tu n'es pas là ce week-end. C'est bien du foutage de gueule, non ? »

Le sang a reflué de son visage. « Anna, écoute... Bon, de toute façon, le bon moment pour te le dire n'existe pas, alors... »

Hou là. Une saloperie se préparait. La fin de notre histoire. Déjà. Juste au moment où je commençais à vraiment bien l'aimer. La merde.

« Quoi ? ai-je demandé durement.

— Euh... Qu'est-ce que tu dirais que notre relation, ça soit du sérieux ? Une relation exclusive, en quelque sorte ?

— Exclusive ? »

J'ai répété le mot, parce que « relation exclusive » était quasi synonyme de fiançailles.

« Oui, juste toi et moi. Je ne sais pas si tu vois toujours d'autres types... »

J'ai haussé les épaules. Moi non plus, je ne le savais pas. Mais il existait une question bien plus importante : « Et toi, tu vois toujours d'autres filles ? »

Un silence. « C'est pour ça que je dois aller à Boston. »

16

Pendant le vol de Dublin à New York, mes cicatrices ont provoqué quelques coups de coude entre voisins, mais rien à voir avec les regards choqués du voyage aller. Surtout que Rachel, ma farouche protectrice, défiait et analysait psychologiquement tous les passagers qui me regardaient avec un peu trop d'insistance.

« Qu'est-ce qui vous fascine autant dans la mutilation ? a-t-elle demandé à une personne qui ne cessait de se retourner pour m'observer. De quoi avez-vous peur ?

— Arrête, ai-je soufflé. Il n'a que sept ans. »

Après avoir atterri et récupéré nos bagages, j'ai complètement paniqué à l'idée de monter dans un taxi. Je tremblais littéralement de peur, mais Rachel m'a dit : « On est à New York, ma belle ; tu auras toujours besoin de prendre des taxis. Il va falloir te remettre en selle. Alors, pourquoi ne pas en profiter tant que je suis là pour m'occuper de toi ? »

Je n'avais pas vraiment le choix : soit je m'asseyais dans ce taxi, soit je reprenais l'avion pour l'Irlande. Les genoux liquéfiés par la terreur, je me suis engouffrée dans le véhicule.

Pendant la course, Rachel a parlé de choses et d'autres – insignifiantes –, mais ça m'a divertie. Des célébrités qui avaient perdu du poids. Ou pris du poids. Frappé leur coiffeur. Ça m'apaisait.

Puis nous avons franchi le pont qui mène à Manhattan. J'ai presque été surprise qu'elle soit encore là, vaquant à sa vie, sa vie de Manhattan, toujours la même, sans tenir compte de ce qui m'était arrivé.

Bientôt, nous avons atteint mon quartier, le Mid-Village. Nous nous sommes retrouvées devant l'immeuble où nous habitions, Aidan et moi, et le voir là, devant moi, m'a causé un tel choc que mon estomac s'est révulsé.

Même si Rachel portait mes bagages, j'ai eu du mal à monter les trois étages avec ma patte folle ; cependant, dès que j'ai mis ma clé dans la serrure – Rachel a insisté pour que ce soit moi qui ouvre et non elle –, j'ai senti une présence dans l'appartement, et je me suis presque écroulée de soulagement : il était toujours là. Dieu merci. Sauf que la présence décelée était en fait celle de Jacqui. Prévenante, elle était venue m'accueillir pour m'éviter un retour brutal dans un appartement vide, mais ma déception était si aiguë qu'il m'a fallu vérifier chaque recoin, juste au cas où.

Non qu'il y ait eu beaucoup de pièces : un salon avec le coin cuisine riquiqui qu'on en avait extrait, une demi-salle de bains (à savoir une cabine de douche, et non une baignoire), et, au fond, notre chambre sombre avec son minuscule carreau donnant sur le puits de lumière (notre budget ne nous avait pas permis une fenêtre digne de ce nom). Mais nous en avions fait un nid douillet : un grand lit avec une tête de lit en fer forgé, un canapé assez large pour que l'on puisse s'y allonger tous les deux côte à côte, et des accessoires indispensables, tels que des bougies parfumées et une télé grand écran.

J'ai boitillé de pièce en pièce, allant même jusqu'à regarder derrière le rideau de douche, mais il n'était pas là. Au moins, les photos de lui demeuraient aux murs ; une âme « bienveillante » n'avait pas pris sur elle de les en débarrasser « pour mon bien ».

Rachel et Jacqui se comportaient comme si tout était absolument normal. Rachel a tapé dans ses mains en s'efforçant de mimer la bonne humeur. « Bien, mangeons ! C'est important de manger. Qu'est-ce qui vous fait envie ?

— Pizza ? m'a demandé Jacqui.

— Ça m'est égal. » Je lui ai tendu le menu de chez Andretti. « Tu commandes ?

— Il vaut mieux que tu le fasses toi-même », a déclaré Rachel.

Je l'ai regardée d'un air las.

« Désolée, mais c'est vrai, a-t-elle insisté.

— Oui, mais quand c'est moi qui commande, ils oublient toujours la salade.

— Alors on fera sans... »

J'ai donc passé la commande, et, ainsi que je l'avais prédit, ils ont oublié la salade.

« Je vous l'avais dit, ai-je commenté, vaguement triomphante. Je vous avais prévenues, hein. »

Mais aucune d'elles n'a relevé.

Dès que nous avons eu fini de dîner, Jacqui m'a mis sous le nez une pile d'enveloppes haute de trente centimètres. « Ton courrier. »

J'ai saisi le paquet, l'ai fourré dans le placard et ai refermé la porte. Je le lirai un jour.

« Euh... Tu ne veux pas l'ouvrir ?

— Pas tout de suite. »

Un silence délicat.

« Je viens juste d'arriver, ai-je ajouté sur la défensive. Laisse-moi respirer un peu. »

Un autre silence.

« Bon, alors, raconte, Jacqui, ai-je repris, quoi de neuf ? Remise de ta rupture avec Buzz ? »

Buzz était l'ex-petit ami de Jacqui. Un bronzage qui durait toute l'année, une tonne de confiance en lui et de fric, et une incroyable cruauté – il faisait poireauter Jacqui dans des bars ou des restaus pendant des heures, puis lui disait qu'elle avait mal compris l'heure ou le lieu de rendez-vous.

Ma copine le traitait continuellement de connard, assurait qu'elle en avait sa claque ; que cette fois, c'était sûr, ça y était... mais elle lui laissait toujours une dernière chance. Et puis il avait fini par rompre avec elle le soir du nouvel an, et ça l'avait anéantie.

Jacqui n'a pas eu l'occasion de me répondre. Comme si je n'avais pas parlé, Rachel a lâché : « Il y a beaucoup de messages sur ton répondeur. On a pensé que tu voudrais peut-être ne pas être toute seule pour les écouter.

— Oui... Pourquoi pas ? Vas-y, appuie sur le bouton. »

Le compteur annonçait trente-sept messages. Toutes sortes de gens avaient resurgi d'un peu partout.

« Anna, Anna, Anna...

— Mais c'est qui, ça ? »

« C'est Amber... Je viens juste d'apprendre... »

« Amber Penrose ? Mais je ne l'ai pas vue depuis une éternité ! Efface-moi ça !

— Voyons... tu n'as pas envie d'écouter son message ? m'a demandé Jacqui, qui était aux commandes du répondeur.

— Inutile. Je pourrais écrire le script moi-même. Écoute, je me souviendrai de toutes les personnes qui se sont manifestées. Je les rappellerai. Alors efface, je te dis ! Suivant ! »

« Anna, je viens d'apprendre la nouvelle et je n'arrive pas à cr... »

« Ouais, ouais, ouais... Allez hop, on efface ! »

Rachel a marmonné quelque chose ; il m'a semblé capter le mot « déni ». « Écris au moins leur nom.

— Je n'ai pas de stylo.

— Tiens. » Elle m'a tendu un stylo et un carnet qui s'étaient matérialisés comme par magie, et bien sagement j'ai noté le nom de tous ceux qui m'avaient téléphoné, et en échange j'ai pu m'épargner leur commisération.

Puis Jacqui et Rachel m'ont fait allumer mon ordinateur et ma boîte mail : j'avais quatre-vingt-trois messages. J'ai passé en revue les adresses des expéditeurs, en cherchant une seule, qui n'y figurait pas.

« Lis-les.

— Inutile. Je m'y mettrai dans la semaine. Bon, maintenant, les filles, écoutez : vous allez m'excuser, mais j'ai besoin de dormir. Je bosse demain matin.

— Quoi ? a aboyé Rachel. Mais tu es complètement à côté de tes pompes ! Absolument pas en état, que ce soit sur le plan physique ou émotionnel, de reprendre le travail. En déni total de ce qui t'est arrivé. Tu as grandement besoin d'aide. Grandement, tu m'entends ? »

Pendant qu'elle poursuivait sur ce thème, je me suis contentée d'acquiescer. « Je suis désolée que ce soit ce que tu ressens », ai-je fini par articuler sur un ton très calme, comme je l'avais vue faire avec des gens en colère après elle. Elle a cessé net son laïus, a froncé les sourcils et m'a demandé : « À quoi tu joues, exactement ?

— Rachel, mille mercis pour ta gentillesse, mais la seule façon pour moi de m'en sortir est de continuer à agir comme avant.

— Ne va pas travailler demain.

— Je leur ai déjà annoncé que je revenais. »

Un débat houleux a suivi. Rachel avait peut-être une volonté de fer, mais, à ce moment précis, moi aussi. J'ai senti qu'elle faiblissait, alors j'ai saisi ma chance. « Luke va se demander ce que tu fais. »

Je me suis mise à les diriger vers la sortie, mais je vous le jure devant Dieu : j'ai bien cru qu'elles n'allaient jamais partir. Arrivée à la porte, Rachel a insisté pour faire un discours. Elle s'est même éclairci la voix. « Anna, je ne peux pas avoir une idée précise de l'enfer que tu vis à l'heure actuelle, mais lorsque j'ai admis que j'étais toxicomane, j'ai eu l'impression que ma vie était finie. Et je m'en suis sortie en prenant la décision suivante : Je ne penserai pas à ce qui m'attend, pas aux semaines à venir, pas à demain ; je vais me concentrer sur le fait d'aller au bout de cette journée. Si tu considères la situation de cette façon, morceau par morceau, tu arriveras peut-être à te rendre compte que tu es capable d'accomplir des choses dans ta journée ; alors qu'à la pensée de devoir répéter ces choses, ces gestes, jusqu'à la fin de ton existence, tu aurais envie de te pendre.

— Oui, d'accord, OK, merci du conseil, tu es adorable. » *Mais fiche le camp, bon sang !*

« J'ai mis ce gros chien en peluche dans ton lit, m'a annoncé Jacqui. Pour que tu aies un peu de compagnie.

— Ah, Dogly ? Merci. »

Après m'être assurée qu'elles étaient bel et bien parties et ne reviendraient pas pour un dernier petit tour, j'ai fait ce que je mourais d'envie de faire depuis des heures : j'ai appelé Aidan sur son portable. Je suis tombée directement sur sa messagerie, mais j'étais tellement soulagée d'entendre sa voix qu'une douce chaleur m'a envahie.

« Aidan, c'est moi. Chéri, je suis rentrée à New York, dans notre appartement, alors, tu sais où me trouver. J'espère que tu vas bien. Je t'aime. »

Puis je lui ai envoyé un mail.

De : Apprentiemagicienne@yahoo.com
À : Aidanmaddox@yahoo.com
Objet : De retour

Cher Aidan,
Ça me fait un peu bizarre de t'écrire de cette façon. Je ne pense pas t'avoir envoyé une vraie lettre avant aujourd'hui. Des centaines de petits mails, oui, pour savoir qui rapportait le

dîner à la maison, à quelle heure on se retrouvait, etc., mais jamais sur ce genre de chose.

. Je suis de retour dans notre appartement, mais tu es peut-être déjà au courant. Rachel et Jacqui sont venues, on a mangé une pizza de chez Andretti. Ils ont oublié la salade, comme d'habitude, mais ils nous ont donné un Dr. Pepper en plus.

Je prie pour que tu ailles bien, pour que tu n'aies pas peur, que tu viennes me voir ou que tu me contactes, de la façon qui te conviendra.

Je t'aime.

Anna

J'ai relu ce que je venais de taper. Était-ce assez léger ? Je ne voulais pas qu'il sache à quel point je m'inquiétais, car, quelle que soit l'épreuve qu'il traversait, elle devait être assez rude sans que je vienne l'aggraver.

Résolue, j'ai cliqué sur Envoyer, et une douleur foudroyante m'a parcouru le bras, depuis l'endroit où mon ongle repoussait jusqu'à l'épaule. J'allais devoir me calmer sur le clavier aussi, avec mes ongles tout bousillés. La douleur m'a donné la nausée un instant, me distrayant momentanément du sentiment qui venait de me submerger – une vague de rage, ou de tristesse, due à mon incapacité à protéger Aidan, mais si fugace que je n'ai pas eu le temps de bien l'analyser.

Dans la chambre, couché du côté d'Aidan, dans le lit, se trouvait Dogly, le chien en peluche qu'il avait depuis tout bébé : de longues oreilles tombantes, de grands yeux larmoyants, un regard plein d'adoration, et une fourrure caramel tellement épaisse qu'elle évoquait la toison d'un mouton.

C'était l'heure de ma dernière fournée de cachets, et pour une fois j'ai apprécié tous ces trucs qui altéraient mon humeur – antidépresseurs, analgésiques et autres somnifères.

Revenir à New York se révélait plus difficile que je ne l'avais cru, et j'avais besoin de toute l'aide dont je pouvais disposer.

Mais, même après une dose à assommer un éléphant, je n'arrivais pas à me coucher. Puis, d'un coup, j'ai eu l'impression de recevoir une décharge électrique, en apercevant son sweat gris sur le fauteuil de la chambre. On aurait dit qu'il venait de l'enlever et l'avait lancé sur le dossier. Avec délicatesse, je l'ai porté à mon visage, l'ai reniflé, et il restait assez de son odeur pour me donner le tournis. J'y ai enfoui ma figure, m'étouffant avec l'intensité de sa présence et de son absence.

Le sweat n'avait pas l'odeur particulière – que j'adorais – de son cou (ou de son aine, plus forte, plus douce, plus sauvage), mais ça m'a suffi pour me mettre au lit. J'ai fermé les yeux, attirée par les pilules dans une sorte de demi-sommeil ; mais dans cet état qui précède la perte totale de conscience, j'ai soudain perçu l'atrocité de ma situation : j'étais de retour à New York, sans lui et seule.

17

Après une nuit de sommeil lourd et sans rêves – merci les cachets –, je suis passée par différents états de conscience avant de me juger capable de me lever – comme un plongeur en apnée qui remonte vers le haut, prévenant les courbes émotionnelles d'une explosion soudaine à travers la surface du sommeil. Au moment où j'ai ouvert les yeux, je me sentais très paisible. Je comprenais son absence.

Mon premier geste a été d'allumer l'ordinateur et de vérifier mes mails, dans l'espoir de trouver une réponse de sa part. On m'a annoncé que j'avais cinq nouveaux messages, et mon cœur s'est mis à battre dans ma poitrine avec un espoir fou. Une réduction sur les places du concert de Justin Timberlake. Leon me demandant de l'appeler, il me savait de retour. Claire, qui pensait fort à moi. Une offre spéciale pour me faire agrandir le pénis. Et un virus bloqué. Mais rien d'Aidan.

Inconsolable, je me suis traînée jusqu'à la douche, pour m'apercevoir que j'étais à peine en mesure de me mouiller le corps, sans parler des cheveux. Vous avez déjà essayé de prendre une douche sans vous mouiller un bras ? Durant les deux derniers mois, on avait tout fait à ma place, si bien que je n'avais pas remarqué à quel point j'étais handicapée. Dans un éclair de clairvoyance, j'ai entrevu que je n'étais pas à la hauteur, sur aucun plan.

Bien. Phase habillage. Rien pour arranger mon moral, mais Dogly avait l'air de compatir. Je n'en pouvais plus de cette garde-robe loufoque, cintre après cintre, plus les rangées de chaussures et de sacs aux couleurs criardes – avec le pire, les chapeaux. J'allais bientôt avoir trente-trois ans, ces trucs débiles n'étaient plus de mon âge. Une promotion, voilà ce qu'il me fallait, parce que plus vous étiez en amont dans la chaîne alimentaire, plus on vous autorisait à porter des tailleurs.

De : Apprentiemagicienne@yahoo.com
À : Aidanmaddox@yahoo.com
Objet : La loufoque reprend du service

Tenue du jour : bottes en daim noir, bas résille fuchsia, robe vintage en crêpe de Chine noire à pois blancs, manteau trois-quarts rose (vintage également) et sac papillon. Un chapeau ? J'entends ta question d'ici. Mais bien sûr ! Un béret noir, posé un peu de biais. Dans l'ensemble, plutôt morose, mais ça devrait aller pour aujourd'hui.
J'aimerais vraiment avoir de tes nouvelles.

Anna

Tant que j'étais connectée, j'ai eu une idée : j'allais lire son horoscope pour voir si je parvenais à obtenir un indice sur l'endroit où il se trouvait.

SCORPION : D'ordinaire, vous prenez le changement avec philosophie, mais des événements récents vous ont boule-versé, voire dépassé. Les enjeux de ce mois atteindront leur apogée autour de jeudi, lors de l'éclipse de Lune. Avant cette date, explorez toutes les opportunités, mais ne contractez aucun engagement.

Le passage « bouleversé, voire dépassé » m'a inquiétée. Je me sentais impuissante, puis la colère a pris le dessus. J'aurais bien aimé puiser là un peu de réconfort, alors j'ai cliqué sur un autre site de prédictions, Votre Avenir.

SCORPION : Le soleil brille dans votre signe et vous incite à une certaine complaisance. Aujourd'hui, vous aurez envie de montrer votre côté hédoniste. Tant que vous restez dans la légalité et ne blessez personne, faites-vous plaisir, amusez-vous !

Je n'aimais pas beaucoup ça non plus : je ne voulais pas qu'il montre son côté hédoniste à une autre personne que moi. J'ai cliqué sur Voyance Directe.

SCORPION : Résistez à la tentation de ressusciter ce qui est mort, que ce soit projets, relations ou passions. Vous entamez un nouveau cycle et, dans les semaines à venir, vous recevrez toutes sortes d'offres très alléchantes !

De mieux en mieux ! Hors de question qu'on lui fasse des offres alléchantes si je n'en fais pas partie ! Je me suis forcée à me déconnecter d'Internet – car le risque que je reste ici toute la journée jusqu'à ce que je trouve un horoscope convenable était réel –, puis je lui ai laissé un bref message sur sa boîte vocale, et j'ai fini par quitter l'appartement. Une fois dans la rue, je me suis aperçue que je tremblais. Je n'avais pas l'habitude de partir seule pour le bureau, on prenait toujours le métro ensemble : il descendait à la 34e et moi je continuais jusqu'à la 59e. Et est-ce que cette ville avait toujours été aussi bruyante ? Tous ces klaxons, ces cris, ces crissements de pneus – et ce dès la 12e Rue. À quel vacarme allais-je avoir droit au nord ?

Je me suis dirigée vers le métro, avant de réaliser ce qui m'attendait : des escaliers dans tous les sens, alors que mon genou me faisait déjà mal, beaucoup plus qu'à Dublin. Je n'avais pris que la moitié de mes analgésiques parce que je ne voulais pas entamer ma journée de reprise en piquant du nez en réunion, et j'ai constaté avec surprise à quel point ces cachets anesthésiaient la douleur.

Mais par quel autre moyen me rendre au boulot ? J'ai frissonné à l'idée de prendre un taxi. J'avais supporté la course de l'aéroport à chez moi parce que Rachel m'accompagnait, mais la perspective de me retrouver seule dans un taxi me terrifiait. Clouée sur place par l'indécision, j'ai examiné les options qui s'offraient à moi. Rentrer à l'appartement et y passer la journée en mon unique compagnie était la moins acceptable.

Après être restée plantée sur le trottoir pendant un temps indéterminé, à subir les regards curieux des passants, je me suis vue héler un taxi, et, comme dans un rêve, monter à bord. Étais-je réellement en train de faire une chose pareille ? La peur était profondément ancrée en moi ; les yeux pareils à des soucoupes, j'observais les voitures autour de nous, sursautant ou sentant mon cœur s'accélérer dès que l'une d'elles s'approchait trop, comme si ne pas les quitter du regard allait les empêcher de nous heurter. Soudain, j'ai reçu un coup à la poitrine : j'avais vu Aidan. Il était dans un bus arrêté à un carrefour. Je n'avais distingué que son profil, mais c'était bien lui, pas de doute – ses cheveux, ses pommettes, son nez. La cacophonie urbaine a semblé s'atténuer pour n'être plus qu'un bourdonnement sourd, et pendant que je cherchais de la monnaie et agrippais la poignée de la portière, le bus a redémarré. Prise de panique, je me suis retournée pour le regarder par le pare-brise arrière.

« Monsieur ! » ai-je crié au chauffeur du taxi. Mais nous avancions dans la direction opposée et nous étions déjà trop loin. Jamais je ne l'aurais rattrapé.

« Oui ?

— Non, rien. »

Je tremblais de tous mes membres : le fait de le voir m'avait causé un véritable choc. Cependant, sa présence à bord de ce bus était complètement absurde – il allait dans la mauvaise direction, s'il se dirigeait vers son bureau. Ça ne pouvait pas être lui, juste quelqu'un qui lui ressemblait. Comme deux gouttes d'eau. Mais... et si c'était lui ? Et si j'avais loupé ma seule chance de le retrouver ?

18

Les vigiles n'arrivaient pas à croire que j'étais de retour. Aucun employé de McArthur on the Park n'avait pris de congés aussi longs – ni pour des vacances ni pour « aller en Arizona », parce que la plupart de ceux qui « allaient en Arizona » ne revenaient pas au bureau (on les en empêchait). « Salut Morty ! L'Irlandaise est de retour !

— Madame Anna, ça alors ! On était persuadés qu'ils vous avaient virée ! Mais qu'est-ce qui est arrivé à votre visage ? »

Délicatement, ils m'ont tapée dans la main droite – couverte de pansements – et j'ai rejoint la foule massée devant les ascenseurs pour me glisser dans l'une de ces boîtes en métal remplies à ras bord où chacun, un café à la main, évite de croiser le regard du voisin.

Au trente-huitième étage, les portes ont coulissé avec un léger sifflement. J'ai bataillé pour accéder à la sortie et me suis fait éjecter comme une boule de flipper sur la moquette couleur crème, épaisse et molle, dans un air qui sentait le fric. Quelqu'un que je n'avais pas vu m'a dit : « Bon retour parmi nous, Anna », et j'ai presque sauté au plafond. C'était Lauryn Pike, ma chef, et on aurait dit qu'elle était restée là toute la nuit à m'attendre. Après une hésitation, elle a avancé une main vers moi, comme pour avoir un geste de compassion, puis elle s'est ravisée. Heureusement. Je n'avais aucune envie d'être touchée, ni réconfortée.

« Ça va bien, on dirait ! Tu as l'air reposée, vraiment. Et tes cheveux ont poussé. Donc, prête à reprendre du service ? »

D'un coup, j'ai été saisie d'une peur panique à l'idée de ne plus faire l'affaire, mais j'ai réussi à me maîtriser.

« Plus que jamais, Lauryn.

— Parfait. Ça tombe bien, parce qu'il se passe un tas de choses en ce moment.

— OK. Fais-moi une petite mise au point.

— Bien sûr. Oh, et, Anna, surtout préviens-moi si tu flanches, si tu ne tiens pas le coup, hein ? » Et dans sa bouche, ce n'était pas une manifestation de gentillesse. Elle voulait juste que je lui donne le feu vert pour me virer. « Et quand est-ce que ce... truc à ton visage va disparaître ? » Ils détestent les imperfections physiques, dans cet endroit. « Et ton bras ? Quand est-ce qu'on t'enlève ton plâtre ? » Puis ses yeux se sont posés sur mes doigts couverts de pansements. « Qu'est-ce que c'est que ce cirque ?

— Il me manque des ongles.

— Oh, mon Dieu ! Je crois que je vais vomir. »

Elle s'est assise, a respiré bruyamment, mais n'a pas vomi. Parce que, pour ce faire, il faut au préalable avoir ingurgité quelque chose, ce qui était peu problable dans son cas.

« Il faut m'arranger ça, hein ? Va voir quelqu'un. Règle cette question. Aujourd'hui.

— Oui, mais... OK. »

Une silhouette argentée a attiré mon attention – Teenie ! Affublée d'une combinaison argentée rentrée dans des bottes en vinyle orange, avec des cheveux bleus pour aller avec sa bouche d'un bleu à paillettes. Teenie est coréenne et loufoque jusqu'à la moelle. Malgré cela, elle est ma préférée chez

McArthur on the Park ; je la considère comme une amie, elle m'a même appelée lorsque j'étais en Irlande.

« Anna ! Tu es rentrée ! Ooh, j'adore tes cheveux. Ils ont drôlement poussé. » Nous nous sommes discrètement éloignées de Lauryn et elle m'a demandé tout bas : « Alors, chérie, comment ça va ?

— Ça va.

— Tu es sûre ? » Elle a arqué ses sourcils bleu métallisé. J'ai jeté un œil en direction de Lauryn ; elle était hors de portée de voix. « OK, c'est pas la grande forme. Mais tu sais, Teenie, je ne m'en sortirai que si tout le monde se comporte comme d'habitude. »

Je ne pouvais accepter la compassion des gens : elle impliquait que tout ça avait réellement eu lieu.

« On déjeune ?

— Non, je ne peux pas. Lauryn m'a dit de m'arranger les ongles.

— Qu'est-ce qu'ils ont ?

— Il m'en manque. Mais ils repoussent à une vitesse incroyable.

— Berk.

— Oui, bon, bah, ça va... »

Cela faisait une éternité que je n'avais pas mis les pieds au bureau, mais l'environnement me semblait familier – et, en même temps, radicalement différent. Ma ou mes remplaçantes avaient réorganisé mon espace, et quelqu'un avait rangé la photo d'Aidan dans un tiroir, ce qui m'a mise dans une colère noire. Je l'ai sortie et posée d'un coup sec à l'endroit où elle avait toujours été. Et c'était moi qu'on disait en plein déni ?

« Oh, mon Dieu ! Anna ! Tu es de retour ! » s'est exclamée Brooke Edison. Brooke a vingt-deux ans, vit avec papa et maman dans un triplex de l'Upper East Side, et est accessoirement pleine aux as. Une voiture la dépose chaque matin devant l'immeuble – elle ne prend pas le métro, ni un taxi, mais une Lincoln climatisée avec eau minérale et chauffeur très poli. Brooke n'a pas besoin de travailler, elle tue simplement le temps en attendant qu'un type lui passe une énorme caillasse au doigt et lui offre une maison dans le Connecticut avec un break et trois enfants surdoués.

Ariella la garde dans l'équipe parce qu'elle connaît tout le monde – les gens sont toujours soit sa marraine, soit le meilleur ami de son père, ou son ancien prof de piano.

Elle s'est avancée vers mon bureau en faisant rebondir sur ses épaules sa magnifique chevelure, qui brillait de la santé d'une riche privilégiée. Tendant une main vers moi (ongles courts impeccables, vernis brillant incolore), elle n'a même pas cillé à la vue de ma cicatrice et m'a déclaré avec une sincérité qui semblait authentique : « Anna, je suis profondément désolée de ce qui t'est arrivé.

— Merci. »

Sans insister, elle a tourné les talons – une situation délicate gérée de main de maître. Brooke est l'incarnation de la perfection – la personne la plus au fait des convenances que je connaisse.

« Bien, tout le monde ! a appelé Lauryn. Maintenant qu'Anna a fini de discuter, pouvez-vous m'accorder quelques minutes pour une réunion Candy Grrrl ? »

Toute la journée, je me suis sentie examinée en douce. Quand je croisais des filles d'autres marques dans les couloirs ou aux toilettes, elles me lançaient des regards obliques et, dès que je me trouvais à distance, je savais qu'elles chuchotaient sur mon compte. Comme si c'était ma faute. Ou contagieux. J'essayais de désamorcer les choses en leur souriant, mais alors elles détournaient les yeux d'un air horrifié.

Heureusement, on était à New York : je serais quelque temps l'objet de la curiosité générale, puis on se désintéresserait de mon sort.

En milieu de matinée, Franklin m'a conduite dans le sanctuaire d'Ariella afin que je la remercie d'avoir gardé mon poste à disposition aussi longtemps. Un mur entier était recouvert de photos où elle figurait avec des célébrités. Dans son supertailleur bleu pastel – sa marque de fabrique –, elle a accusé réception de ma gratitude en acquiesçant lentement, les yeux mi-clos. Rien n'était plus déconcertant qu'Ariella jouant la reine de la mafia. « Peut-être pourrez-vous me le rendre un jour. » Soit elle avait une angine chronique, soit elle parlait délibérément à la don Corleone. « Si j'ai besoin d'un service, je peux compter sur vous ? »

Je travaille très dur pour vous, ai-je eu envie de répondre. Avant tous ces événements, j'ai obtenu plus d'articles qu'aucune de vos attachées de presse et je compte bien poursuivre sur cette lancée. Vous ne m'avez pas versé un dollar pendant mon absence, et ce n'est pas comme si j'étais partie sur un coup de tête.

« Bien sûr, Ariella.

— Et allez chez le coiffeur. »

De la tête, elle a signifié à Franklin qu'il me montre la sortie.

Dans le couloir, Franklin s'est massé d'un pouce manucuré les sourcils, ou plus exactement entre, à l'endroit où il aurait des rides s'il ne se faisait injecter du Botox toutes les six semaines. « Jésus Marie Joseph ! C'est juste moi, ou à toi aussi elle paraît un peu... psychotique ?

— Pas plus que d'habitude, ai-je répondu. Mais je ne suis peut-être pas la meilleure juge, en ce moment. »

Il m'a regardée d'un air compatissant. « Je sais, ma bichette. Alors dis-moi un peu, comment ça va ?

— Oh, ça va. » Inutile de poursuivre : Franklin ne s'intéresse absolument pas aux problèmes d'autrui. Mais comme il ne s'en cache pas du tout, je m'en moquais bien.

Il m'a donné une petite tape sur l'épaule en me rassurant. « Tout s'arrangera, cocotte. »

Que j'adore l'humour de Franklin et qu'il soit toujours partant pour étaler sa vie privée ne fait pas de lui un ami. C'est mon chef – plus précisément, le supérieur de ma chef (Lauryn se trouve sous ses ordres).

« Et tu as entendu ce qu'a dit Ariella : va chez le coiffeur. Prends rendez-vous chez Perry K. »

Une coupe ultrabranchée avec mes mains estropiées ? À l'heure du déjeuner, j'ai voulu me faire poser des faux ongles ; mais quand j'ai retiré mes pansements, l'esthéticienne a viré au vert en bredouillant qu'il était impossible de fixer des ongles en acrylique sur les miens. Quand je suis rentrée au bureau, Lauryn s'est comportée comme si je mentais.

« La fille m'a dit d'y retourner dans un mois, me suis-je défendue, faiblement. Je m'en occuperai à ce moment-là.

— Mais bien sûr. Œil pour Œil... je veux tes idées de campagne vendredi. »

Par « idées », Lauryn entendait une campagne complète, avec communiqués de presse, tableurs, budget, et un contrat signé par Scarlett Johansson se disant tellement ravie d'être la nouvelle égérie de Candy Grrrl qu'elle le ferait gratuitement.

« Je vais voir ce que je peux faire. » Aussitôt, je me suis installée à mon bureau pour commencer à lire les données sur cette nouvelle crème, Œil pour Œil.

Je n'ai donc regardé mes mails qu'en fin d'après-midi. À la différence de ceux que j'avais reçus sur mon adresse perso, les pros avaient été lus et traités. Je les ai parcourus en diagonale, pour tenter de rattraper mon retard. Beaucoup avaient été envoyés par des rédactrices beauté réclamant des produits pour lesquels elles ne feraient sûrement jamais d'articles, ou par des gens avec qui j'avais réalisé des campagnes de presse, ou encore par George (Monsieur Candy Grrrl), qui me soumettait ses idées saugrenues. Soudain, mon cœur a bondi dans ma poitrine : enfin ce que j'attendais ! En gras – ce qui signifiait non lu – apparaissait un mail d'Aidan.

De : Aidanmaddox@yahoo.com
À : AnnaW@CandyGrrrl.com
Objet : Ce soir

Je viens d'essayer de t'appeler, mais tu es en ligne. Je voulais juste t'avoir avant de partir. À ce soir. Rien de particulier à te dire, sinon que je t'aime et t'aimerai toujours, quoi qu'il arrive.

A xxxxxxxx

Je l'ai relu. Qu'est-ce que ça voulait dire ? Il venait me voir ce soir ? Mais j'ai alors remarqué la date : le 16 février, et nous étions le 20 avril. La décharge d'adrénaline qui avait traversé mon pauvre corps plein d'espoir a instantanément stoppé sa course. Je n'étais qu'une imbécile, et tous ces médicaments n'arrangeaient rien. Ce mail avait dû arriver dans ma boîte juste après mon départ du bureau pour rejoindre Aidan, neuf semaines plus tôt ; et comme il était personnel, ma remplaçante ne l'avait pas ouvert, me laissant le soin de le faire à mon retour.

19

Ma première rencontre avec les Maddox

« Tu fais quoi pour Thanksgiving ? m'avait demandé Aidan.

— Aucune idée. » Je n'y avais pas vraiment réfléchi.

« Tu veux venir à Boston avec moi ? Dans ma famille ?

— Heu, oui, merci. Pourquoi pas ? Si tu es sûr de toi. »

Réponse informelle : je savais l'enjeu énorme – même s'il l'était moins que je ne l'avais cru. Lorsque j'en ai parlé à mes collègues, elles ont paniqué.

« Vous êtes ensemble depuis combien de temps ?

— Depuis vendredi.

— Vendredi dernier ? Tu veux dire il y a cinq jours ? Mais c'est beaucoup trop tôt !

— Ça nous laisse un mois, ai-je protesté.

— Trois semaines et demie. »

Je n'avais vraiment pas besoin qu'elles me sapent le moral. J'étais déjà bien assez inquiète : Aidan m'avait parlé de Janie.

Le sujet se prêtait plutôt à une confession tard le soir, mais les circonstances en avaient décidé autrement : Aidan avait vidé son sac de bon matin – après notre première nuit passée ensemble. Du coup, j'étais arrivée en retard au boulot, mais je m'en fichais. Il fallait que je sache.

Voilà l'essentiel : Aidan et Janie sortaient ensemble depuis environ cent soixante-huit ans. Ils avaient tous deux grandi à Boston, à trois kilomètres l'un de l'autre, et s'étaient mis en couple dès le lycée, en fait. Après s'être inscrits dans deux universités différentes, ils s'étaient séparés d'un commun accord ; mais, une fois revenus à Boston trois ans plus tard, c'était reparti mon kiki. Depuis leurs vingt ans, ils formaient donc un gentil petit couple, et avaient fini par intégrer la famille de l'autre : Janie se joignait aux Maddox pendant leurs vacances d'été à Cape Cod, Aidan passait des week-ends avec la famille de Janie dans leur résidence secondaire de Bar Harbor. Au fil des ans, Aidan et Janie avaient rompu plusieurs fois, essayé de sortir avec d'autres personnes, mais toujours fini par retomber dans les bras l'un de l'autre.

L'eau a coulé sous les ponts et ils ont emménagé – chacun dans son appartement –, et les allusions au mariage devenaient un poil insistantes dans leurs familles respectives lorsque, environ un an et demi avant que je le rencontre, Aidan a été muté à New York.

Personne ne s'y attendait, mais Aidan et Janie se sont rassurés en se disant que New York n'était qu'à une heure de vol de Boston et qu'ils se verraient tous les week-ends ; de plus, Aidan chercherait un autre boulot à Boston et Janie enverrait des CV à New York. Sur ce, Aidan était parti, en promettant fidélité.

« Tu devines la suite », m'a-t-il dit.

En fait, j'avoue que je suis un peu tombée des nues. Avant notre premier rendez-vous, lorsqu'il m'avait appelée pour demander une place dans mon agenda, il m'avait donné l'impression d'être libre – j'avais donc au contraire piétiné les plates-bandes d'une autre femme ?

« Alors, tu t'es perdu dans Manhattan et maintenant tu écumes les bars, en quête de chair fraîche ? »

Il a émis un petit rire triste. « Hem, pas exactement. Mais, oui, j'ai couché avec d'autres femmes. »

Disons à son honneur qu'il a refusé de faire porter le chapeau à cette ville et ses tentations – toutes ces femmes libérées, d'une beauté exquise, et qui ont étudié, sans oublier d'apprendre à faire tournoyer leur soutien-gorge au-dessus de leur tête comme pour essayer d'attraper un buffle au lasso.

« Je suis entièrement responsable, a-t-il lâché d'un ton malheureux. J'avais tellement honte, je me serais fouetté ! Ce bon vieux sentiment de culpabilité tout catholique, ça vous rattrape chaque fois. Tu vas rire, mais j'ai fait un truc qui ne m'était pas arrivé depuis une éternité : je suis allé me confesser.

— Oh. Alors, tu veux dire que tu es catholique... pratiquant ? »

Il a secoué la tête. « Plutôt catholique sur le retour. Je me sentais une telle merde que j'étais prêt à tout essayer. »

Je ne savais que répondre.

« Janie méritait beaucoup mieux que ça. C'est quelqu'un de bien, une personne bourrée de qualités humaines. Elle voit le côté positif en toute chose, sans pour autant faire de l'optimisme béat. »

Oh-oh. J'allais devoir me mesurer à une sainte.

« La première fois que je t'ai vue, le jour où je t'ai renversé mon café dessus, je venais de prendre une bonne résolution : j'allais être fidèle à Janie. Et j'en avais vraiment l'intention. »

Voilà donc pourquoi il avait agi si bizarrement quand je lui avais proposé un verre ! Il n'avait pas dit : « Merci, mais, non merci », ni : « Écoutez, je suis très flatté, mais... » Non, à la place, il avait émis des signaux de désespoir.

« Et donc, qu'est-ce qui s'est passé ? ai-je demandé, en colère. Je suis quoi, moi ? Un faux pas qui va te mener sur le chemin de la culpabilité ? Une erreur qui va te valoir une nouvelle séance au confessionnal ?

— Non. Non, non, non, pas du tout ! Environ un mois plus tard, je suis passé à Boston, et Janie m'a déclaré qu'il valait mieux marquer une pause.

— Ah ?

— Oui. Et même si elle n'y est pas allée franco, elle m'a laissé entendre qu'elle était au courant pour les autres femmes.

— Ah ?

— Eh oui. Elle me connaît par cœur. Elle a dit que ce petit jeu avait assez duré, que c'était soit le moment de s'engager, soit celui de se quitter. Une dernière tentative permettrait de voir si nous étions faits l'un pour l'autre. Il s'agissait de rencontrer d'autres gens, sortir un peu de notre système, et dresser un bilan.

— Et alors ?

— J'ai déchiré ta carte. J'avais tellement peur de flancher et te téléphoner que je me suis forcé à la détruire le jour où tu me l'as donnée. Mais je n'arrêtais pas de penser à toi. Je me souvenais de ton nom et de ton lieu de travail, seulement je pensais qu'il était trop tard pour te rappeler. Tu sais, j'ai failli ne pas aller à la fête, ce fameux soir ; mais quand je t'ai vue en train de discuter avec cette tête de lard, là, j'ai cru en Dieu. Te retrouver par hasard... ç'a été comme me prendre une batte de base-ball en pleine face... Je ne veux pas te faire peur, Anna, mais jamais je n'ai éprouvé quelque chose d'aussi fort pour quelqu'un. Jamais. »

J'étais incapable d'articuler un mot. La culpabilité me rongeait. D'un autre côté, je ne pouvais m'empêcher de me sentir... flattée.

« Je voulais parler à Janie avant de te parler à toi. J'ignorais si une relation sérieuse avec moi te tentait, mais j'ai compris que de toute façon, entre Janie et moi, c'était bel et bien

126

terminé. Voilà, tu sais tout. Je regrette seulement de t'avoir raconté cela avant qu'elle ne soit au courant. »

Et moi donc !

Je suis consciente que ça va paraître superficiel, mais je mourais d'envie de savoir à quoi ressemblait cette Janie. Je pinçais les lèvres très fort pour m'empêcher de le lui demander, mais ç'a été plus fort que moi : les mots se sont échappés de ma bouche.

« Et euh... sinon, à quoi elle ressemble ? »

Il a eu l'air surpris par ma question.

« Heu, disons qu'elle est pas mal, heu... tu vois, quoi, elle a des cheveux... des cheveux bouclés... » Une pause. « Enfin, elle les avait frisés. Mais ils sont peut-être raides depuis quelque temps... »

OK : il n'avait pas la moindre idée de ce à quoi elle ressemblait. Ils étaient ensemble depuis tellement de temps qu'il ne la regardait plus. Mon intuition me disait toutefois de ne pas sous-estimer cette femme et l'attachement qu'Aidan éprouvait pour elle. Ils avaient partagé quinze ans de leur vie, et, tel un boomerang, il continuait de revenir vers elle.

Il est donc parti pour Boston, et pendant tout le week-end j'ai eu vaguement mal au cœur ; des pensées contradictoires se pourchassaient en un cercle vicieux. Au concours d'air guitar, Shake m'a accusée d'avoir été distraite pendant sa prestation, et il avait raison : les yeux dans le vague, je m'étais interrogée sur la réaction de Janie, tout en me détestant d'être responsable du malheur de quelqu'un. Et à quel point tenais-je à Aidan ? Au point de le laisser mettre un terme à une histoire longue de quinze ans ? Et si, nous deux, ça n'était pas sérieux, au fond ? S'il changeait d'avis et se remettait avec Janie ? J'étais terrifiée à cette idée ; je l'aimais vraiment beaucoup. Vraiment vraiment beaucoup. Et qu'est-ce qui arriverait s'il était en fait un chaud lapin ? Pas infidèle seulement envers Janie, mais un habitué des coups à droite et à gauche ? Mieux valait ne pas me mettre en tête que je serais celle qui le changerait ; non, mieux valait prendre mes jambes à mon cou. Là-dessus, je me demandais à nouveau comment Janie avait réagi...

« Elle l'a très bien pris », a affirmé Aidan en surgissant sur mon perron le dimanche soir.

« Vrai ?

— Elle a fait une allusion... tu vois... comme quoi elle avait peut-être rencontré quelqu'un elle aussi. »

Enfin un peu de baume au cœur – mais juste un peu. Vous savez à quel point les hommes sont bêtes, parfois. Janie s'était sûrement employée à sauver les apparences ; mais, à cette heure, n'était-elle pas en train de faire couler un bain chaud et de sortir les lames de rasoir du placard de la salle de bains ?

Tandis que l'avion, plein de bons enfants qui rentraient à la maison pour Thanksgiving, amorçait sa descente sur Logan, j'ai demandé à Aidan : « Redis un peu... combien de filles, à part Janie, tu as emmenées chez tes parents pour Thanksgiving ? »

Il a réfléchi pendant une éternité, comptant sur ses doigts, murmurant des chiffres dans sa barbe, avant de s'exclamer : « Aucune ! »

Le thème était devenu habituel au cours de ces quatre dernières semaines ; mais, à présent que j'étais bel et bien arrivée à Boston, j'avais de plus la nausée. « Aidan, je ne plaisante pas ! Je n'aurais pas dû venir. Tout le monde va me détester parce que je ne suis pas Janie. Les rues vont être bondées de gens qui jetteront des pierres sur la voiture et ta mère va cracher dans ma soupe.

— Tout se passera très bien. » Il a serré ma main dans la sienne. « Ils vont t'adorer, tu verras. »

C'est Dianne, sa mère, qui est venue nous chercher à l'aéroport, et au lieu de me lancer des graviers à la figure en hurlant : « BRISEUSE DE MÉNAGE ! », elle m'a prise dans ses bras en me souhaitant la bienvenue à Boston.

Elle était adorable – un peu étourdie, très bavarde, et pas la meilleure conductrice que j'aie connue. Nous avons fini par arriver à destination : une banlieue pas très différente de celle d'où je venais, en termes de population, de voitures garées dans les allées, de voisins fouineurs au regard un brin hostile, etc.

La maison aussi m'a semblé familière : tapis à motifs horribles, mobilier disparate, salon farci de trophées sportifs, tableaux affreux et bibelots en porcelaine à l'avenant – je me sentais chez moi.

J'ai posé mon sac dans l'entrée, et mes yeux sont tombés sur une photo d'Aidan plus jeune qui tenait par la taille une fille lui tournant le dos. J'ai su immédiatement qu'il s'agissait de Janie. Alors... à quoi ressemblait-elle ? Elle avait l'air heureuse, un peu comme tous les gens sur les photos – celles que l'on met dans des cadres argentés à fioritures, du moins. Peu à peu, une découverte a fait son chemin en moi : elle était jolie – longues boucles brunes (la beauté de ses cheveux n'étant pas gâchée par le chignon haut sur la tête et le chouchou vert) et large sourire dévoilant une denture parfaite.

Manifestement, cette photo datait, à en juger par le chouchou et le regard clair et innocent d'Aidan – peut-être Janie avait-elle mal vieilli ?

Quelqu'un a crié : « Papa, ils sont arrivés ! », puis une porte s'est ouverte et un jeune homme est apparu : brun, musclé, très souriant et extrêmement mignon. « Salut, je suis Kevin, le petit frère.

— Moi, c'est Anna...

— Oui. On sait déjà tout de toi. » Il m'a éblouie avec un nouveau sourire. « Waouh. Dis-moi, tu aurais pas une sœur ?

— Si, si. » J'ai pensé à Helen. « Mais tu serais sûrement terrorisé si je te la présentais. »

Il n'a pas compris que je ne plaisantais pas, aussi a-t-il émis un bon rire, franc et sonore. « Ah, tu es drôle. Je crois qu'on va bien s'amuser ce week-end. »

Le suivant à faire son entrée a été M. Maddox, un homme grand et maigre à la voix un peu hésitante. Il m'a serré la main mais s'est montré avare de mots. Cela dit, je ne l'ai pas pris pour moi : Aidan m'avait prévenue que lorsqu'il parlait, c'était en général à propos du parti démocrate.

Kevin a insisté pour monter mon sac dans ma chambre, une chambre qu'on aurait pu jumeler avec la chambre d'amis de chez mes parents. Puis j'ai encore eu mal aux yeux : sur la coiffeuse, une autre photo d'Aidan et Janie, cette fois prise sur le vif, une seconde avant qu'ils ne s'embrassent. Et là, pas d'horrible chouchou vert : les cheveux de Janie étaient retenus par la main d'Aidan.

De nouveau, je me suis sentie nauséeuse, et après avoir fixé le cliché intensément pendant un moment, je l'ai placé face contre le meuble. Hors de question que sur mon sommeil veille une photo d'Aidan et Janie prêts à s'embrasser. Un léger toc-toc à la porte m'a fait sursauter, et Dianne est entrée, les bras chargés de linge. « Serviettes de toilette ! » Elle a immédiatement remarqué le cadre renversé sur la coiffeuse. « Mince ! Oh, Anna ! Ça fait des années qu'il est là, à force je ne le vois plus. Je manque tellement de tact ! Pardonnez-moi. »

Elle l'a ramassé, est sortie de la chambre pour revenir les mains vides.

« Désolée. Je suis sincèrement désolée. »

Et elle semblait très embêtée de m'avoir contrariée.

« Quand vous serez prête pour le dîner, n'hésitez pas à descendre. »

Un vrai dîner de Thanksgiving : énorme dinde, tonnes de patates et d'autres légumes, vin, champagne, verres en cristal, bougies... La totale. L'atmosphère était très détendue, j'étais presque sûre à cent pour cent que Mme Maddox n'avait pas craché dans ma soupe, tout le monde bavardait gaiement. Le père Maddox a même fait une blague – sur le parti démocrate –, et si je ne l'ai pas comprise, j'ai néanmoins ri avec les autres.

Seule ombre au tableau : toutes les photos accrochées aux murs du salon n'étaient pas d'Aidan et Janie, mais il y en avait suffisamment pour que je tressaille à intervalles réguliers. Au fil des ans, la chevelure de Janie avait raccourci. Bien : les hommes préfèrent les femmes aux cheveux longs. Elle avait aussi pris un peu de poids, mais elle conservait un air joyeux, agréable – c'était le genre de femme qu'apprécient les autres femmes.

Alors que je savourais une gorgée de vin, le père Maddox a demandé : « Vous voudriez bien me passer les pommes de terre rôties, Janie, ma douce ? »

Qui ?

J'ai regardé tout autour, mais comme les patates étaient en face de moi et que le père Maddox me fixait des yeux, j'en ai conclu qu'il s'adressait à ma personne. Docilement, je lui ai tendu le saladier ; Kevin m'a lancé un clin d'œil, et Dianne et Aidan ont articulé en silence : « Désolés ! »

Mais, deux secondes plus tard, Dianne a lancé : « Oh, Aidan, figure-toi qu'on est tombés sur le père de Janie à la quincaillerie. Il nous a dit qu'il avait enfin terminé l'abri, et qu'il aimerait bien que tu passes voir ce que ça donne. Quand aviez-vous donc commencé ce chantier ? »

Le père Maddox a renchéri :

« Tu veux savoir ce qu'il faisait à la quincaillerie ? »
Soudain, ses yeux s'étaient mis à briller et il paraissait amusé
– sans doute les effets de l'alcool. « Il achetait de la peinture, oui, monsieur. De la peinture blanche. Pour leur maison
de Bar Harbor. Il l'a laissée telle quelle pendant un été,
comme tu lui avais demandé ; mais on n'arrive toujours pas à
comprendre ce qui vous avait pris de repeindre cette maison
en rose, les enfants ! »

Son regard a glissé d'Aidan à moi, puis j'ai lu la panique
dans ses yeux. *Ce n'est pas Janie !*

Après dîner, Aidan et moi nous sommes assis dans le salon,
un peu tendus.

« Je n'ai pas ma place ici, je n'aurais pas dû venir.

— Mais bien sûr que si ! Tu verras, ça s'arrangera. Excuse
mon père, il est un peu... Il ne fait pas exprès d'être désagréable, la plupart du temps ; il reste dans son monde à lui,
simplement. »

Silence.

« À quoi tu penses ? m'a-t-il demandé.

— À la moquette. » Elle était ornée de motifs en spirale.
« Si tu la fixes assez longtemps, tu as l'impression d'avoir les
yeux montés sur ressorts.

— Moi, j'ai plutôt l'impression que le sol se soulève dans
ma direction, avant de retomber. »

En silence, nous avons regardé les spirales réaliser leurs
spirales, et ça y était : on avait fait la paix.

« Tu verras, ça s'arrangera, a répété Aidan. Laisse agir le
temps. S'il te plaît.

— D'accord. Mes parents aussi traitaient mon ex comme
quelqu'un de la famille.

— Ils l'aimaient comme leur propre enfant, c'est ça ?

— En fait... non... Ils le détestaient. Il faisait donc vraiment partie de la famille. »

Le lendemain, nous sommes allés au centre commercial, parce que vous ne pouvez demeurer indéfiniment assise dans la maison des parents de votre nouveau petit ami, à craindre les prochaines réminiscences concernant son ex-petite amie. Je tombais sans cesse sur des conversations du genre : « Tu te rappelles, cet été-là, à Cape Cod ? Dans le camping-car ? Quand Janie a fait ci ? Quand Janie a fait ça ? »

Mais une fois au centre commercial, je me suis réjouie, car dès que je suis loin de chez moi, même les magasins qui ne m'intéressent pas d'habitude prennent soudain un attrait particulier. Aidan m'a acheté un souvenir de Boston – une boule à neige –, puis m'a glissé : « Bon, je crois qu'il est temps de rentrer... »

Alors nous sommes remontés dans la voiture, et on venait de sortir du parking lorsque ça s'est produit. Avant même qu'Aidan fasse un drôle de bruit, j'avais remarqué que sa mâchoire s'était tendue.

J'ai scanné le paysage par la fenêtre, à la recherche de ce qu'il avait bien pu voir. Une femme marchait dans notre direction. Nous avancions assez vite ; déjà, on l'avait dépassée, mais mon intuition m'a crié : « Tourne-toi, tourne-toi, vite ! »

J'ai jeté un coup d'œil par-dessus mon épaule. La femme continuait de marcher, elle portait un jean et (je n'ai pas pu m'empêcher de le remarquer) elle avait une bonne paire de fesses. Je ne l'ai pas quittée des yeux jusqu'à ce qu'elle disparaisse.

Je me suis rassise normalement, le dos bien calé contre mon siège. « C'était Janie, n'est-ce pas ? » S'il me mentait là, à cet instant précis, il n'y avait pas d'avenir pour nous.

Il a acquiescé, l'air un peu sombre. « Oui, c'était Janie.

— Quelle coïncidence !

— Tu l'as dit. »

De retour chez les Maddox, tandis que nous prenions le café avant de repartir pour l'aéroport, j'ai remarqué plusieurs albums de photos, très épais, dans la bibliothèque, et je les ai imaginés quittant leur étagère en volant, s'ouvrant un à un pour laisser s'envoler à leur tour les photos qui remplissaient la pièce comme une nuée d'oiseaux. Des centaines de photos voletant, se mêlant à mes cheveux, autant d'épisodes dans la vie d'Aidan et Janie : Aidan et Janie au bal de la promo ; lors de la remise des diplômes ; au dîner d'anniversaire des trente ans d'Aidan ; à la fête surprise qu'il avait organisée pour la promotion de Janie ; aux retrouvailles de leur lycée ; remportant un concours de bowling et un beau trophée ; en vacances à la Jamaïque, préparant des palourdes à Cape Cod ; à la fête d'adieux d'Aidan avant son départ pour New York, les mains pleines de peinture rose devant la maison de Bar Harbor...

Sur le trajet du retour, aucun de nous deux n'a été très bavard. Cette visite avait été une erreur : Aidan était un type génial, il avait beaucoup de choses pour lui – mais aussi beaucoup de bagages, de choses inachevées à Boston. Sa place était donc là, auprès de Janie. J'ai fini par admettre que, quoi qu'il arrive, il retournerait toujours vers elle et elle accepterait toujours de le reprendre. Ils avaient une histoire trop longue, trop de points en commun.

Toute cette tension donnait mauvaise mine à Aidan, et pendant la course de taxi il m'a serré la main si fort que j'avais les doigts meurtris. Il cherchait un moyen de m'avouer que c'était fini entre nous. Inutile : je savais exactement ce qui se tramait.

Le taxi m'a déposée devant chez moi. J'ai embrassé Aidan sur la joue en lui disant : « Prends soin de toi. »

Tandis que je m'extrayais de la voiture, il m'a rappelée. « Anna ?

— Oui ?

— Anna, tu veux m'épouser ? »

Je l'ai dévisagé pendant de longues secondes. « Ressaisis-toi, Aidan », ai-je répondu avant de claquer la portière.

20

De : Apprentiemagicienne@yahoo.com
À : Aidanmaddox@yahoo.com
Objet : Tu vas adorer !

En arrivant au bureau ce matin (deux jours que je suis rentrée), j'ai croisé Tabitha, de Bergdorf Baby, qui m'a lancé, en voyant ma cicatrice : « Mortel, ce look ! » Après, elle a compris que c'était une vraie cicatrice, et n'a plus su où se mettre. À tel point qu'elle avait quasiment la tête enfoncée entre les omoplates. Elle a sprinté direct vers les toilettes. Pas impossible qu'elle ait vomi.
J'espère que tu vas bien. Je t'aime.

Ton Anna

De : Apprentiemagicienne@yahoo.com
À : Aidanmaddox@yahoo.com
Objet : Ça aussi, tu vas adorer !

Mes collègues pensent que, tout ce temps, j'étais en Arizona. En rentrant de déjeuner avec Teenie, je suis tombée dans l'ascenseur sur une fille de chez EarthSource qui a remarqué qu'elle ne m'avait pas vue depuis un bon moment ; ce à quoi j'ai répondu que c'était normal : je n'étais pas à New York.
Je pensais que tout le monde au bureau était au courant de ce qui m'était arrivé, mais je suppose que les nanas de chez EarthSource sont complètement à l'ouest. Ça doit être leur régime à base de soja vert. Elle me demande combien de temps j'ai été absente, je réponds : « Environ deux mois. » Là, elle me

lance un regard lourd de sous-entendus et articule quelque chose tout bas. Je me penche vers elle en lui disant que je n'ai pas compris, alors elle répète : « Vis au jour le jour, et ça ira. » Euh... mais oui.

J'espère que tu vas bien, je pense tout le temps à toi. Je t'aime.

Ton Anna

De : Apprentiemagicienne@yahoo.com
À : Aidanmaddox@yahoo.com
Objet : Habits du vendredi

Robe chemisier en popeline jaune à la Doris Day, collant noir à motifs cœurs bleus, veste en jean... et mes escarpins bleus, ceux qui d'après toi étaient les plus pointus jamais fabriqués. Pas de chapeau aujourd'hui – mon petit plaisir du jour.

Je t'aime,

Ton Anna

Je lui envoyais deux à trois mails par jour, m'efforçant de garder un ton léger et jovial. Je ne voulais pas le faire culpabiliser en lui avouant que je désespérais d'avoir de ses nouvelles. Mieux valait laisser simplement les voies de communication ouvertes, afin qu'il me contacte s'il le pouvait. Je lisais également son horoscope chaque matin, pour récolter quelques indices sur son état. Ainsi, sur Astro Site :

Ne laissez pas l'urgence ambiante vous forcer à prendre des décisions hâtives. Puisque vous n'aurez toutes vos cartes en main qu'à partir de mai, faites patienter votre entourage.

Ça ne me convenait pas vraiment, alors j'ai cliqué sur Votre Avenir.

Les Scorpion du monde des affaires peuvent s'attendre à un voyage à l'étranger, susceptible de leur faire rencontrer une personne désirable parlant une langue étrangère.

Quelle que soit cette personne, vous serez ravi que le monde soit aussi petit !

Là, j'ai carrément détesté. J'ai même pleuré. Hop, un clic sur Voyance Directe !

Essayez de monter des projets, et vous ne rencontrerez que des frustrations. Ayez donc plutôt l'esprit libre, et à partir de la mi-mai vous aurez acquis une telle confiance en vous que vous vous demanderez à quoi bon vous être fait autant de souci.

Voilà qui était mieux. Pas d'étrangère désirable, au moins. J'ai enfilé mes escarpins bleus et attrapé mes clés, mais face à la porte de l'appartement je me suis arrêtée – demi-tour vers le téléphone. Je voulais juste appeler son portable. Encore une fois. Le plaisir d'entendre sa voix, ne serait-ce que son message enregistré, était comparable à une tablette de chocolat quand on éprouve un besoin maladif de sucre.

21

Œil pour Œil – soin contour de l'œil :
prenez votre revanche sur le temps !

Les yeux rivés à mon écran, j'ai avalé une gorgée de café.
Mais rien n'y faisait – ce slogan était nul. Je l'ai effacé, pour
affronter une page blanche, espérant un trait de génie.
J'essayais de pondre un communiqué de presse pour notre
nouvelle ligne de soins, Œil pour Œil, tentant des jeux de
mots sur la vengeance, la loi du talion, etc. En vain.

J'avais encore vu Aidan en me rendant au bureau. Cette
fois, il était sur la 5e Avenue, vêtu d'une veste que je ne
connaissais pas. Il avait trouvé le temps de faire du shopping, mais pas de m'appeler ? Une fois de plus, le taxi roulait
trop vite ; je n'ai pas eu le temps de demander au chauffeur de s'arrêter. J'aurais dû essayer quand même... mes
regrets m'empêchaient à présent de me concentrer. À moins
que ce ne soit mes analgésiques. Quoi qu'il en soit, j'avais la
tête pleine de coton.

J'ai tapé « Œil pour Œil », puis j'ai eu l'impression d'avoir
tout dit, d'être vide. Pfff... Il fallait vraiment que je me ressai-
sisse. Je n'étais pas stagiaire, ni assistante junior sur un petit
budget ; non, j'assistais la vice-présidente des relations
publiques, j'avais des responsabilités.

L'été où j'ai été embauchée chez Candy Grrrl, notre Super Gloss Repulpant Sorbet Glacé s'est vendu jusqu'à épuisement du stock, et on a même vu des bagarres autour de nos stands. Enfin, la vérité, c'est que dans le magasin Nordstrom de Seattle, deux sœurs se sont vaguement disputé le dernier gloss Candy Grrrl de la région Pacifique Nord-Ouest ; pour finir, tout s'est arrangé à l'amiable : celle qui a obtenu le gloss devait, je crois, simplement garder les enfants de sa sœur ce soir-là. Mais une fille qui en a dans le ciboulot (en l'occurrence moi) s'est débrouillée pour monter l'incident en épingle et le transformer en fait divers. J'ai publié un communiqué de presse annonçant en lettres capitales noires : « ON SE BAT POUR CANDY GRRRL ! » ; ça devait être un bon jour pour moi, parce que l'info a été relayée par le *New York Post* et le *New York Sun*. Puis ç'a été au tour des chaînes régionales, et même CNN en a fait un minisujet. On était en août, les journalistes n'avaient rien à se mettre sous la dent ; et, la rumeur ayant pris une réelle ampleur, de vraies bagarres avaient eu lieu à des stands de notre marque. Au Bloomingdale de Manhattan, une femme en avait bousculé une autre pour s'emparer d'un gloss, et cette dernière lui avait lancé : « Eh, attention ! En plus, ce n'est même pas votre couleur ! »

Ensuite, Jay Leno a blagué (de façon pas très drôle, mais peu importe) sur des gens qui sortaient leur flingue aux stands Candy Grrrl. Résultat final : j'ai obtenu une promotion.

De nouveau, j'ai tapé « Œil pour Œil ». Je commençais à prendre peur. J'avais repris le travail depuis trois jours, et j'étais incapable de produire ne serait-ce qu'un malheureux communiqué de presse. Je me rendais compte que j'avais espéré un choc avec cette reprise du boulot – un choc qui me replongerait dans la réalité, la normalité, or rien ne s'était passé. J'avais l'impression d'être dans un rêve, de tenter de courir avec des jambes de plomb. Mon esprit refusait de fonctionner, mon corps était douloureux, il me semblait que le monde avait légèrement dévié de son axe.

Trois quarts d'heure plus tard, mon écran s'était un peu noirci :

La crème qui va vous en mettre plein les yeux.
Œil pour Œil – la seule injustice, c'est qu'elle ne fera
rien pour vos dents !
Vengez-vous de vos cernes, poches et rides d'expression
avec Œil pour Œil !
Le soin qui a vos yeux à l'œil.

Teenie a lu par-dessus mon épaule. « Hou là…

— Et encore… tu n'as pas vu mes premières tentatives…

— C'est ta première semaine, il faut juste que tu reprennes le pli.

— Oui, et puis avec les médocs…

— T'inquiète, ça va s'arranger… Tu veux que j'essaie de trouver un truc ? »

Teenie a fait de son mieux pour m'aider, mais elle avait ses propres problèmes : elle était responsable de la diffusion de Candy Baby et Candy Man.

D'un coup, Lauryn a déboulé en demandant d'une voix suraiguë : « Il est prêt, ce communiqué de presse ?

— J'arrive », ai-je marmonné, tandis que Teenie me murmurait à l'oreille : « D'abord, c'est le gras qui est métabolisé. Puis vient le tour du maigre, des muscles, et enfin des organes. À ce stade, le corps se digère lui-même. Est-ce que cette imbécile voudrait bien se mettre à manger ? » Teenie faisait médecine en cours du soir, et elle aimait partager ses connaissances.

J'ai imprimé mes idées minables, prête à jouer au manège humiliant, avant d'aller rejoindre Lauryn. La responsabilité de la publicité pour la marque se répartissait entre Lauryn et moi de la manière suivante : je faisais tout le boulot et trouvais toutes les idées, pendant qu'elle me menait une vie d'enfer, était payée deux fois plus que moi, et s'attribuait tous les mérites.

De plus, je devais harceler les rédactrices beauté, les inviter à déjeuner, leur dire à quel point nos produits étaient formidables, et les persuader de nous octroyer une ou deux phrases toutes faites ainsi qu'une photo dans leur rubrique. Cette partie de mon travail était extrêmement importante, ce qui impliquait une intervention très ciblée ; on mesurait les centimètres de couverture que j'obtenais et on les mettait en rapport avec la somme qui aurait dû être déboursée en publicité pour le même espace.

Cette année, ma cible avait augmenté de douze pour cent par rapport à l'année précédente... mais j'avais perdu deux mois de harcèlement pendant mon exil en Irlande. J'allais avoir du mal à rattraper mon retard. Ariella se montrerait-elle indulgente ? Candace et George Biggly, sinon ? Peu probable. Objectivement, pourquoi feraient-ils une chose pareille ?

J'ai tendu la feuille à Lauryn. Une seconde lui a suffi.

« De la merde ! » Elle me l'a lancée à la figure.

Tout allait bien. Il fallait toujours que je lui propose au moins deux premières fournées, elle acceptait en général la troisième.

Si sa remarque n'était pas agréable, c'était bon de savoir que tout était comme d'habitude.

Je ne suis partie qu'à sept heures et demie, et quand je suis rentrée chez moi, j'ai découvert que j'avais reçu un mail de ma mère – un truc qui n'était jamais arrivé.

De : FamilleWalsh@eircom.net
À : Apprentiemagicienne@yahoo.com
Objet : La femme et son chien

Chère Anna,

J'espère que tu vas bien. Sache que tu peux revenir à la maison quand bon te semble, nous nous occuperons de toi. Je t'écris au sujet de la femme au chien qui fait ses besoins devant chez nous.

Merde ! Dans quel guêpier étais-je allée me fourrer ?

Je l'avoue, nous avons tous cru au départ que tu avais des hallucinations, vu la masse de pilules que tu prends. Mais je n'ai pas peur de « changer mon fusil d'épaule » (qu'est-ce que signifie au juste cette expression ? Tu crois que ça a un rapport avec la chasse ?) et d'admettre que j'ai eu tort. Helen et moi-même l'observons depuis quelque temps, et il s'avère qu'elle force en effet son chien à pisser devant notre maison, alors je voulais simplement te mettre « au jus », comme on dit. Pour l'instant, nous ne l'avons pas encore identifiée. Comme tu le sais, c'est une femme assez âgée, et pour moi toutes les vieilles se ressemblent. Tu le sais également, Helen a des jumelles très puissantes, que ton père a payées. Mais elle ne veut pas me les prêter et ne me les passera que contre de l'argent. Je trouve cela injuste. Si tu l'as au téléphone, je te prie de lui en toucher deux mots. Et si jamais elle te fait part d'un « scoop » sur l'identité de cette femme, n'oublie pas de m'en avertir.

Ta mère qui t'aime,
Maman

22

Moins d'une semaine après la première fois, Aidan a réitéré sa demande en mariage, avec une bague dessinée par un joaillier dont j'avais dit un jour aimer les créations. L'anneau fin en or blanc, serti de sept diamants en étoile, était magnifique, et moi j'étais complètement flippée.

« Aidan, domine-toi un peu, tu veux ? Tu te mets trop de pression, là. On a seulement passé un week-end pas terrible. Je trouve ta réaction disproportionnée. »

Je me suis dépêchée de rentrer à la maison pour tout raconter à Jacqui.

« Une bague ? s'est-elle exclamée. Alors tu vas te marier !

— Mais non, je ne vais pas me marier.

— Pourquoi pas ?

— Pourquoi ?

— Bah, parce qu'il t'a demandée en mariage ! » D'un ton agacé, elle a ajouté : « C'était une blague. Bref... Alors, pourquoi tu ne veux pas l'épouser ? »

Un peu paumée, j'ai bredouillé : « Raison *a)* je le connais à peine et j'ai tellement été spontanée dans ma vie que j'ai usé toutes mes cartouches ; raison *b)* Aidan a trop de bagage et je ne veux pas d'un mec qui sait tout faire ; raison *c)* comme tu l'as dit toi-même, Jacqui Staniforth, et je parie que tu as raison, il doit être dur à garder à la maison. Je fais quoi s'il me trompe, hein ?

— Aucune de ces raisons n'est valable. C'est plutôt raison *d)* tu es une retardataire, a-t-elle affirmé en donnant de la voix. Alors que toutes les autres nanas de notre âge seraient ravies de se marier, même à un nain à trois yeux avec du poil sur le nez, toi, tu es encore assez naïve pour ne pas vouloir épouser le premier mec qui te le demande. Oui, tu le connais à peine ! Oui, il a du vécu ! Oui, il aurait peut-être du mal à garder Popaul dans son pantalon ! Mais franchement, Anna, tu n'as pas idée de la chance que tu as !»

J'ai attendu qu'elle cesse de crier.

«Excuse-moi, a-t-elle repris, les joues légèrement rouges, presque à bout de souffle. Je me suis un peu emportée. Désolée, Anna, tu as raison : ce n'est pas parce qu'il a deux yeux, une taille normale et une pilosité nasale peu développée que tu dois l'épouser. Absolument pas.

— Merci.

— Cependant, tu l'aimes. Et lui aussi t'aime. Même si ça va vite entre vous, sûr que c'est du sérieux.»

La fois suivante où Aidan a sorti la bague, je l'ai prié d'arrêter.

«Je ne peux pas m'en empêcher.

— Mais pourquoi tu veux m'épouser ?»

Il a soupiré. «Je peux te dresser une liste, mais elle ne suffira jamais à exprimer ce que j'éprouve. Tu sens bon, tu es courageuse, tu aimes bien Dogly ; tu es drôle, intelligente, très très jolie ; j'aime ta façon de penser, quand on parle d'envoyer le cadeau d'anniversaire à ma mère à Boston par FedEx et que d'un coup tu dis : "Personne ne peut avoir l'air sexy en léchant un timbre"...» Il a écarté les bras puis les a laissés retomber en signe d'impuissance. « Il s'agit de bien plus que ça. Infiniment plus.

— Et c'est quoi la différence entre les sentiments que tu as pour moi et ceux que tu as pour Janie ?

— Je refuse de dénigrer Janie, qui est quelqu'un de bien, mais, franchement, il n'y a aucune comparaison possible... » D'un coup, il a claqué des doigts. « Si, si, j'ai trouvé ! Tu as déjà eu une rage de dents ? Un mal de chien, vraiment, comme si on t'administrait des décharges électriques dans la tête, dans les oreilles ? Une douleur si forte que tu peux presque la voir ? Oui ? OK, alors convertis cette intensité en amour : voilà ce que j'éprouve pour toi.

— Et Janie ?

— Janie ? Janie, c'est... une bosse à la tête parce que le plafond était trop bas ; ça fait un peu mal, mais rien d'insupportable. Tu comprends ce que je veux dire ?

— Bizarrement, oui. »

Je m'étais aperçue dès le premier jour qu'il existait un truc entre nous : le courant passait. Ensuite, nous nous étions revus par un pur hasard presque deux mois plus tard – cette coïncidence était comme un « signe » que nous étions destinés l'un à l'autre. Cependant, je n'avais pas besoin de « signes » dans ma vie, plutôt de faits.

FAIT 1. Impossible de nier qu'il avait sérieusement semé la confusion dans mon esprit ; je répétais avec insistance que l'on se connaissait à peine, en mon for intérieur j'avais au contraire l'impression que l'on se connaissait extrêmement bien.

FAIT 2. Cela faisait trèèès longtemps que je n'avais pas éprouvé de tels sentiments envers un homme. Je suspectais – avec quelques craintes – d'être gravement amoureuse de lui.

FAIT 3. J'appréciais la loyauté, et Aidan possédait cette qualité. Il l'avait démontré en de nombreuses occasions, envers Jacqui, Rachel, même Luke et les Real Men, qu'il appelait « mecs » juste pour ne pas détonner. Il fêtait avec moi mes victoires professionnelles et détestait Lauryn sans l'avoir rencontrée.

FAIT 4. Je n'allais pas me laisser distraire par l'aspect physique de notre relation, parce que n'importe qui peut nous plaire au lit. Mais en l'occurrence, on avait vraiment du mal à ne pas se sauter dessus dès que l'on se voyait.

Sur le papier, tout cela était très beau. Le problème n'en demeurait pas moins Janie. Je n'arrivais pas à pardonner à Aidan de l'avoir laissée tomber.

Lorsque j'en ai fait part à Jacqui, elle s'est insurgée. « Mais il l'a laissée tomber pour toi !

— Peut-être, n'empêche que ça me semble injuste. Il était avec elle depuis une éternité, alors qu'il me connaît depuis cinq minutes à peine !

— Je t'en prie, écoute-moi bien. Tu as déjà entendu parler de personnes qui sortent ensemble pendant des années et des années, puis d'un coup se séparent et deux jours plus tard épousent quelqu'un d'autre, non ? Quand ça arrive, les gens disent : "Bah, je leur donne un mois" ; mais souvent ils ont tort, car souvent ça marche. Et j'ai le sentiment que c'est ce qui arrive pour vous. On n'est pas obligé de passer cinquante ans avec une personne avant d'être sûr de son choix. Parfois, il suffit de quelques secondes. Tu connais le dicton : "Quand on est sûr, c'est qu'on est sûr" ?

— Oui.

— Alors, tu es sûre ?

— Non. »

Elle a soupiré. « Ben, on n'en a pas fini ! »

« Pendant toutes ces années où j'ai été avec Janie, m'a raconté Aidan, je ne l'ai jamais demandée en mariage, et elle non plus d'ailleurs.

— Là n'est pas la question. Je suis assez flippée que ça aille aussi vite entre nous sans que tu te mettes à parler mariage !

— De quoi tu as peur ?

— Bof, les trucs d'usage : je ne pourrai jamais plus coucher avec un autre homme que toi, je n'ai pas envie de tourner comme ces couples qui finissent les phrases l'un de l'autre, etc., etc. »

Mais ma véritable crainte, c'était que ça ne marche pas, qu'il se fasse la belle avec une autre – ou qu'il retombe dans les bras de Janie – et que j'en sorte complètement anéantie. Lorsqu'on aime quelqu'un autant que je pensais aimer Aidan, on s'expose à une chute terrible.

« J'ai peur que ça foire, ai-je admis. Qu'on finisse par se détester, par perdre confiance en l'amour, en l'espoir, dans toutes ces valeurs nécessaires. Je ne le supporterais pas. Je me transformerais en poivrote maquillée comme un camion volé avec une coupe de cheveux pas possible, qui boit des martinis au petit-déj et essaie de se taper le jardinier.

— Anna, rien de tout cela n'arrivera, je te le promets. C'est du solide entre nous, ça se passe bien – on ne peut mieux, même. Et tu le sais comme moi. »

Parfois, oui, je le savais. Voilà pourquoi mon désir d'accepter sa proposition me rappelait l'envie incontrôlable de sauter dans le vide que j'éprouvais quand j'étais sur le toit d'un immeuble.

« D'accord, alors si tu ne veux pas qu'on se marie, acceptes-tu au moins de venir en vacances avec moi ?

— Une minute, ai-je répondu. Il faut que je demande à Jacqui. »

« Bon test : ça passe ou ça casse, a-t-elle décrété. Ce sera un véritable fiasco si vous finissez tous les deux coincés dans un pays étranger sans rien à vous dire... Tente le coup. »

Alors j'ai déclaré à Aidan que je partirais avec lui à condition qu'il ne me demande pas une seule fois en mariage. « Marché conclu », a-t-il assuré.

Je suis allée en Irlande pour Noël et, à mon retour, Aidan et moi nous sommes envolés pour six jours au Mexique.

Après le froid du morne hiver new-yorkais, le sable blanc et le ciel bleu nous ont éblouis à nous faire mal aux yeux. Mais, surtout, j'avais Aidan pour moi toute seule vingt-quatre heures sur vingt-quatre, avec le sexe comme passe-temps principal. Première activité du matin, dernière activité de la journée, et plein de fois entre.

Pour être sûrs de sortir du lit de temps en temps, nous avons fait un tour en ville et décidé de nous inscrire au cours de plongée pour débutants, dirigé par deux Californiens expatriés, accessoirement adeptes de la fumette. Il ne coûtait qu'une bouchée de pain – ce qui aurait dû nous mettre la puce à l'oreille. De même que le formulaire à signer, stipulant qu'en cas de mort, mutilation, attaque de requin, névrose traumatique, orteils écrasés, ongles cassés, prothèses perdues, et j'en passe, ils n'étaient en aucune façon responsables.

Mais on s'en contrefichait : on était trop occupés à s'amuser dans la piscine avec les neuf autres débutants, à former des O avec le pouce et l'index, et à ricaner comme si on était de retour à l'école.

Le troisième jour, on nous a emmenés faire notre première séance en mer, et bien qu'on n'ait plongé qu'à quatre mètres sous les vagues, on s'est retrouvés dans un autre monde. Un monde de paix, où le seul son audible est celui de votre respiration, où tout bouge avec grâce. Nager dans cette eau bleue donnait l'impression d'être en suspension dans de la lumière bleue. L'eau était si incroyablement claire que les rayons du soleil se réfléchissaient sur le blanc du sable qui tapissait le sol océanique.

Fascinés, Aidan et moi nous promenions main dans la main, à l'aise, parmi les coraux et des poissons de toutes les couleurs : jaunes à pois noirs, oranges à rayures blanches, transparents complètement incolores. D'innombrables bancs nous frôlaient sans un bruit, en partance vers un ailleurs.

Pour rire, on a retiré nos tubas et on les a échangés, comme les amants dans les films des années 30 buvaient le champagne dans le verre de l'autre après avoir croisé leurs bras.

« Waouh, c'était génial ! s'est extasié Aidan quand nous sommes sortis de l'eau. Exactement comme dans *Nemo*. Et tu sais ce que ça signifie, Anna ? Que toi et moi on a un truc en commun. On partage la même passion. »

J'ai cru qu'il allait en profiter pour me redemander en mariage, alors je lui ai lancé un regard de travers et il a ajouté : « Quoi ? » « Rien, rien », ai-je répondu.

Le dernier jour, c'était la cerise sur le gâteau : on partait plonger en eaux profondes, ce qui impliquait de décompresser pendant la remontée. En pratique, cela signifie s'arrêter deux minutes tous les cinq mètres pour que l'air dans les poumons fasse ce qu'il a à faire. On s'était entraînés dans des eaux peu profondes, mais là, ça allait être pour de vrai.

Sur le bateau qui nous emmenait en mer, les choses ont dérapé : Aidan avait attrapé un rhume et, bien qu'il ait joué à être au top de sa forme, l'instructeur l'a remarqué et s'est opposé à ce qu'il plonge.

« Tu ne pourrais pas égaliser la pression dans tes oreilles. Désolé, mec, mais pas question. »

Aidan était tellement déçu que j'ai décidé de ne pas plonger non plus. « Je préfère rentrer à la cabine de plage et faire l'amour avec toi. Il y a bien une heure qu'on ne l'a pas fait...

— Et si tu plongeais quand même, et qu'on fasse l'amour après ? Vas-y, Anna : tu en avais très envie, de cette descente, et puis tu me raconteras comment c'était. »

Puisque Aidan ne venait pas, il me fallait un autre partenaire. On m'a mise avec un type que j'avais vu lire *Vaincre la codépendance* sur la plage. Il était parti en vacances seul et avait fait équipe avec l'instructeur une sortie sur deux.

Les dernières recommandations nous ont été faites avant que l'on ne se jette à l'eau pour s'immerger dans ce monde de silence. Monsieur Codépendant refusait de me tenir la main, mais ça me convenait parce que je n'y tenais pas particulièrement. Nous étions près du fond sous-marin depuis quelques minutes – on perd un peu la notion du temps quand on est en bas – lorsque je me suis rendu compte qu'à deux reprises j'avais inspiré, sans que mon tuyau me fournisse de l'air. J'ai recommencé. Même résultat. J'étais aussi surprise que lorsque je finis une bombe de laque – un truc qui n'arrivera jamais, croit-on. J'appuie, j'appuie, en me disant : Voyons, cette bombe ne peut pas être vide, jusqu'à ce que je me rende à l'évidence – si, elle est vide, et je ferais mieux d'arrêter de m'acharner dessus comme une tarée sinon elle va m'exploser à la figure.

Ma jauge indiquait qu'il me restait de quoi respirer pendant vingt-cinq minutes, mais rien ne sortait ; mon tube devait être bloqué. J'ai utilisé mon tuba de secours, et senti la panique poindre : pas d'air là non plus.

Arrêtant Monsieur Codépendant, je lui ai fait le signe qui correspondait à « Pas d'air ». Puis j'ai voulu attraper son tuba de secours pour avaler une bonne goulée d'oxygène... et là je me suis aperçue qu'il n'en avait pas ! L'abruti ! Même en état de choc, je savais ce qui lui était passé par la tête : il l'avait détaché afin de prouver sa non-codépendance. Tout fier de lui, il avait dû se dire : Je marche seul ; je ne dépends de personne et personne ne dépend de moi.

Eh bien, c'était loupé parce que, vu la situation, j'allais devoir respirer par son propre tuyau. Je lui ai fait signe de me le donner, mais au moment de le sortir de sa bouche il a paniqué. Je l'ai vu à travers son masque.

Monsieur Codépendant avait trop peur de se priver d'air pendant trois secondes ! Une main sur son tuba, il m'a indiqué : « Je remonte » ; et, comble de l'horreur, il s'est mis à nager vers la surface, toujours en protégeant sa réserve d'air.

Les autres avaient continué à avancer, je les voyais déjà disparaître au loin. Personne ne pouvait me venir en aide. *Non, non, non, faites que je sois en train de rêver. S'il vous plaît, mon Dieu, ne laissez pas une chose pareille arriver !*

Je me trouvais à quinze mètres de profondeur et je n'avais plus d'air. Jusqu'à maintenant, j'avais éprouvé une sensation de légèreté, mais là, le poids de cette eau pouvait me tuer.

Mon sentiment de terreur était tel que j'avais l'impression de rêver. Il fallait à tout prix remonter à la surface.

Jouant des jambes, les poumons au bord de l'explosion, je me suis propulsée vers le haut sans respecter aucune des consignes qu'on nous avait données, avec juste cette idée en tête : « Putain de merde, je vais mourir, et c'est ma faute parce que j'ai choisi un cours de plongée à deux balles de l'heure ! »

Tous les cinq mètres, j'étais censée m'arrêter deux minutes pour décompresser – mais là, impossible, même pas deux secondes !

J'ai dépassé un banc de poissons-clowns sans cesser de prier pour arriver à la surface, vite, vite... Le sang cognait à mes oreilles, et des images défilaient dans mon crâne. Soudain, j'ai compris que je revoyais le film de ma vie. Et merde ! je me suis dit, je vais vraiment y passer.

Mais pourquoi fallait-il que je meure ? D'un autre côté, pourquoi pas ? Sur six milliards d'humains sur Terre, il en mourait à tout bout de champ ; alors, pourquoi pas moi ?

Quand même, c'était dommage, parce que si on m'avait laissé encore une petite chance, un petit peu de temps, j'aurais...

Au moment précis où je voyais ma tête exploser, j'ai brisé la ligne bleue qui sépare les deux mondes. Le bruit et la lumière éblouissante m'ont frappée, une vague m'a heurté l'oreille, et j'ai arraché mon masque pour inspirer à pleins poumons l'oxygène salvateur, stupéfaite de ne pas être morte.

L'instant d'après – ou du moins il m'a semblé –, j'étais allongée sur le pont, cherchant toujours à retrouver mon souffle ; Aidan était penché au-dessus de moi, avec dans le regard un mélange d'horreur et de soulagement. Fournissant un effort monumental, j'ai articulé : « OK, je veux bien t'épouser. »

23

Je me suis réveillée d'un coup, dans le noir, le cœur battant à tout rompre. J'ai allumé la lumière sans même m'en rendre compte. Les sens en alerte, j'ai brusquement réalisé que je m'étais assoupie tout habillée sur le canapé, parce que j'avais voulu repousser le plus possible l'instant où je devrais aller me coucher seule.

Quelque chose m'avait tirée du sommeil. Quel était ce bruit ? Une clé dans la serrure ? Est-ce que quelqu'un avait ouvert puis refermé la porte ? En tout cas, je n'étais pas seule. On le sent quand on n'est pas seul chez soi, l'espace est différent.

Ça ne pouvait être qu'Aidan : il était rentré ! Mais malgré mon envie de sauter de joie, j'avais la trouille. Du coin de l'œil, j'ai perçu un mouvement près de la fenêtre, et tourné la tête d'un coup. Il n'y avait rien.

Je me suis levée. Personne dans le salon, personne dans le coin cuisine, il valait mieux que je vérifie dans la chambre. Grosse appréhension en poussant la porte… J'ai tendu le bras vers l'interrupteur, terrorisée à l'idée qu'une main puisse saisir la mienne dans l'obscurité. Quelle était cette silhouette longue et étroite près du placard ? J'ai appuyé sur l'interrupteur : la pièce s'est emplie de clarté, et la forme s'est révélée être notre bibliothèque, ni plus ni moins.

Le souffle court, j'ai allumé dans la salle de bains et tiré d'un coup sec le rideau de douche au motif à vagues. Personne là non plus.

Alors qu'est-ce qui m'avait réveillée ?

Soudain m'est parvenue son odeur. L'espace réduit de la salle de bains en était empli. De nouveau prise de panique, j'ai scruté la pièce à la recherche de... quoi ? J'avais peur de fixer des yeux le miroir – si j'allais y croiser le regard de quelqu'un d'autre ? Puis je me suis aperçue que son sac de linge était tombé sur le carrelage. Quelques vêtements en étaient sortis et un flacon s'était brisé au passage. Je me suis accroupie ; je ne sentais pas l'odeur d'Aidan, seulement celle de son après-rasage.

OK. Mais comment ce sac était-il tombé ? Rien de très mystérieux, en fait. Cet immeuble commençait à se délabrer, et en claquant sa porte on pouvait provoquer des ondes de choc chez le voisin du dessous.

Je suis allée chercher un balai pour ramasser les bris de verre, mais dans la cuisine m'attendait une autre odeur, cette fois de fleur fraîche – sucrée, poudrée, oppressante. J'ai humé l'air, nerveuse, et je l'ai reconnue, sans arriver d'abord à la nommer... puis ça m'est revenu : cette odeur de renfermé, imposante, pareille à la mort, était celle du lis, que je détestais.

J'ai regardé autour de moi, terrorisée. D'où pouvait-elle venir ? Il n'y avait pas de fleurs dans l'appartement. Pourtant, la senteur était bien là. Je ne rêvais pas. L'air en était empreint, presque saturé.

Une fois le sol de la salle de bains nettoyé, comme je redoutais d'aller me coucher, j'ai allumé la télé pour passer en revue tous les tarés sur les chaînes du câble. Après être tombée sur un épisode de *K 2000* que je n'avais jamais vu, j'ai sombré dans un demi-sommeil, et rêvé qu'Aidan ouvrait la porte et entrait.

« Aidan ! Te voilà ! J'étais sûre que tu finirais par revenir...

— Bébé, je ne peux pas rester très longtemps, mais j'ai quelque chose d'important à te dire.

— Je sais. Vas-y, dis-le-moi, je peux tout entendre.

— Paie le loyer, tu es en retard.

— C'est tout ?

— La facture de rappel est dans le placard, avec le reste du courrier. Bien sûr, tu n'as pas envie d'ouvrir toutes ces lettres, mais trouve au moins celle-là. Ne perds pas notre appart, bébé, OK ? Comporte-toi en héros. »

24

« Anna ? Je peux savoir où tu es ? » C'était Rachel.
« Au bureau.

— Anna ! Il est huit heures et quart, et on est vendredi soir ! Pour ta première semaine, tu devrais y aller mollo.

— Je sais, mais j'ai une tonne de boulot, et je mets dix fois plus de temps qu'avant. »

Certes, ma moitié de nuit scotchée sur *K 2000* ne m'avait pas rendu service. J'avais été toute la journée à côté de la plaque – épuisée et l'esprit au ralenti. Lauryn entassait le boulot sur mon bureau, Franklin me harcelait pour que j'aille chez le coiffeur... et, histoire de me remonter le moral, quelques irréductibles de chez EarthSource pensaient que j'étais alcoolique.

L'une d'entre elles était venue me trouver le matin même pour m'inviter à une réunion – d'Alcooliques anonymes, cela va sans dire – à l'heure du déjeuner. D'autres employées de McArthur, « en voie de guérison », y participeraient.

« Merci, ai-je articulé en essayant de ne pas perdre mon calme. Très gentil de ta part, mais je n'ai pas de problème avec l'alcool.

— Toujours dans le déni, à ce que je vois, a-t-elle insisté en secouant tristement la tête. Il faut d'abord abdiquer pour réussir à gagner, Anna.

— OK, ai-je répondu de guerre lasse.

— Ça marche si tu y tiens, alors fais un effort, tu le vaux bien. Si tu veux boire, c'est ton problème ; mais si tu veux arrêter, c'est le nôtre.

— Merci. Tu es adorable.» *Et maintenant dégage, avant que Lauryn se pointe.*

Rachel appelait pour me proposer un truc. « Quelques-uns des Real Men vont passer à la maison jouer au Scrabble… ça pourrait être un moyen facile pour toi de revoir un peu des gens. Tu crois que tu en serais capable ? »

Je l'ignorais. Je n'avais pas envie de rester seule, mais pas non plus envie d'être avec quelqu'un d'autre. Rien de paradoxal là-dedans : je désirais simplement être avec Aidan.

J'étais de retour à New York depuis quatre jours à peine et je n'avais jamais reçu autant d'invitations de ma vie. Tout le monde se montrait très prévenant, mais les seules personnes que j'avais été capable de rencontrer jusqu'à présent étaient Jacqui et Rachel (qui formait un tout avec Luke). J'avais des tas de gens à rappeler : Leon et Dana ; Ornesto, notre voisin « guilleret » du dessus ; la mère d'Aidan. Je le ferais en temps voulu…

Après avoir éteint mon PC, j'ai sauté dans un taxi sur la 58e – je m'y réhabituais, lentement. En chemin, j'ai appelé Jacqui pour l'inviter à m'accompagner.

« Un Scrabble avec les Real Men ? Plutôt me pendre, mais c'est gentil de le proposer. »

Luke m'a ouvert la porte. Si sa coupe de rocker est beaucoup plus courte qu'à l'époque où il a rencontré Rachel, il continue à porter ses jeans un poil trop serrés et, invariablement, mon regard vient s'aimanter sur son entrejambe. Impossible de me contrôler. De la même manière, j'avais l'impression que les gens s'adressaient plus à ma cicatrice qu'à moi quand ils me parlaient.

« Viens, entre, a-t-il déclaré à ma cicatrice. Rachel prend une douche, elle n'en a pas pour longtemps.

— Super », ai-je répondu à son entrejambe.

L'appartement de Rachel et Luke se trouvait dans un immeuble au loyer contrôlé de l'East Village. Pour New York, il était spacieux : on se tenait debout au milieu du salon sans parvenir à toucher les quatre murs. Ils vivaient depuis maintenant presque cinq ans dans cet endroit très douillet, plein d'objets qui ont un sens : couvertures en patchwork et coussins brodés fabriqués par des toxicomanes auxquels Rachel est venue en aide, coquillages rapportés par Luke en souvenir du pique-nique célébrant le quatrième anniversaire clean et sobre de Rachel... Plusieurs lampes diffusaient une lumière tamisée, et l'air embaumait les fleurs fraîches posées sur la table basse.

« Bière ? Vin ? Eau ? m'a proposé Luke.

— De l'eau, ça ira », ai-je répondu, toujours à son entrejambe. Si je commençais à picoler, je craignais de ne plus pouvoir m'arrêter.

On a sonné. « C'est Joey », m'a annoncé Luke. Joey, son meilleur ami. « Tu es sûre que ça ne te dérange pas de le voir ? »

J'ai essayé de répondre à son visage, vraiment, mais mes yeux ont glissé sur son torse pour s'arrêter sous sa ceinture. « Non, non, aucun problème. »

Quelques secondes plus tard, Joey s'installait à l'envers sur une chaise, les coudes sur le dossier. Très gracieux.

« Salut, Anna. Désolé pour ton... enfin... tu vois... un sacré coup dur. » Enfin une personne qui ne m'agoniserait pas de gentillesses. C'était pas plus mal.

Sans la moindre gêne, il a longuement examiné ma cicatrice puis a sorti de sa poche un paquet de cigarettes. Il en a fait sauter une, qui est allée atterrir directement dans sa bouche ; il a ensuite craqué une allumette contre le mur de briques rouges, mais à l'instant où il allait allumer la cigarette, la voix désincarnée de Rachel nous est parvenue d'une autre pièce : « Joey, même pas en rêve ! »

Il s'est figé, l'allumette incandescente à la main, et a marmonné : « Ah, je savais pas qu'elle était déjà rentrée.

— Oh que si, je suis rentrée, Joey ! Allez, éteins-moi ça, maintenant.

— Fais chier. »

Il a quand même obéi. Quelques minutes plus tard, Gaz est arrivé avec Shake, le champion d'air guitar. Ils se sont efforcés de ne pas regarder ma cicatrice. Du coup, ils m'ont parlé en fixant un point qui devait se situer à trente centimètres au-dessus de ma tête. Mais ça partait d'une bonne intention. Gaz, un type adorable un peu dégarni et aux abdos forgés à la bière – pas une lumière, mais qu'importe ! –, m'a serrée contre lui en me disant : « Ah, ma pauvre Anna...

— Ouais..., a approuvé Shake en agitant sa crinière de gauche à droite, ça craint. » Puis lui aussi m'a prise dans ses bras, sans cesser d'éviter mon regard.

J'ai tenu bon. Il le fallait. À présent que j'étais de retour, tôt ou tard j'allais revoir les gens que je connaissais, et nos retrouvailles ressembleraient inévitablement à celles-ci.

« Au fait, Anna, merci, hein, pour la mousse volume de Candy Grrrl, a ajouté Shake. Impecc.

— Oh, de rien... Alors, ça a marché ? » Je la lui avais donnée quelques mois auparavant. Son objectif, son obsession : avoir une chevelure aussi épaisse que possible pour les championnats d'air guitar.

« Et cette laque.... Incroyable, son pouvoir de fixation !

— Je suis contente que ça te convienne. N'hésite pas à me dire quand il faudra te réapprovisionner.

— Merci, c'est cool. »

160

Rachel a émergé de la salle de bains, dans un nuage exhalant la lavande. Elle a adressé au passage un sourire à Joey, qui lui a lancé un regard noir en retour. Tandis que les mecs s'enlisaient dans leur partie de Scrabble, bière à la main, nous nous sommes installées sur le canapé, et Rachel a doucement massé ma main valide.

J'étais en train de piquer du nez quand on a de nouveau sonné. À ma grande surprise est entrée Jacqui. Toute pimpante, d'humeur bavarde, jolie comme un cœur : quelqu'un lui avait donné un sac Louis Vuitton, et elle était en route vers une projection privée.

« Salut. » Elle a adressé un signe de la main aux Real Men. « Je ne peux pas rester très longtemps. Mais comme la projection est à deux pas, je me suis dit que j'allais vous faire un petit coucou, voir comment marche ce Scrabble.

— Oh, mais quel honneur pour nous ! » a lancé Joey d'une voix traînante. Il mâchonnait un bout d'allumette.

Jacqui a levé les yeux au ciel. « Oh, Joey, tu veux que je te dise ? Une pièce s'éclaire vraiment... quand tu la quittes. »

Elle est venue nous rejoindre sur le canapé. « Pourquoi faut-il qu'il soit toujours aussi désagréable ?

— Il ne s'aime pas beaucoup, a répondu Rachel.

— Ouais, rien d'étonnant.

— Et il projette cette aversion sur les autres, a continué Rachel.

— Je ne comprends pas. Pourquoi ne peut-il pas être juste normal, hein, comme tout le monde ? Enfin, bref... Je me tire. Désolée d'être passée juste en coup de vent... Bonne fin de soirée, a-t-elle lancé à la tablée. Sauf à toi, Joey. »

Après son départ, la partie de Scrabble s'est poursuivie, mais au bout d'une demi-heure, j'ai été saisie de panique : d'un coup, la présence de ces gens m'était devenue insupportable.

« Bon, je crois que je ne vais pas tarder », ai-je dit, en essayant de masquer l'urgence dans ma voix.

Rachel et Luke m'ont jeté un regard inquiet. « Je vais t'accompagner et te mettre dans un taxi, a proposé Rachel.

— Laisse, tu es à peine habillée. Je vais le faire, est intervenu Luke.

— Non, non, je vous en prie, ça va aller. » Je regardais la porte avec envie... J'étais certaine d'exploser, si je ne partais pas dans la minute.

« Bon, si tu es sûre...

— Oui, je suis sûre.

— Tu fais quoi demain ? m'a demandé Rachel.

— Après-midi shopping avec Jacqui.

— Ça te tente, un ciné dans la soirée ?

— Oui, a renchéri Luke, ils projettent une version digitale remasterisée de *La Mort aux trousses* à l'Angelica.

— OK, oui, super ! » J'avais du mal à respirer. « À demain, alors.

— Bonne nuit.

— Bonne nuit. »

On m'a ouvert la porte. Enfin, j'étais libre. Mon pouls a ralenti, je respirais mieux. Debout sur le trottoir, ma panique a reflué. Mais pas longtemps : j'ai brusquement réalisé que je devais être en bien piteux état, pour ne pas même supporter la présence de ma propre sœur. Et à présent, il fallait que je rentre dans mon appartement vide.

J'étais perdue, paumée à un point que je n'aurais jamais cru possible.

Me mettant à marcher, j'ai fini, après quelques détours, par atteindre mon immeuble – je n'avais pas d'autre endroit où aller. En bas des marches, tandis que je retardais encore le moment d'y pénétrer en cherchant mes clés dans mon sac, quelqu'un m'a lancé : « Hé, ma douce ! Attends-moi ! »

C'était Ornesto, notre voisin du dessus, qui descendait la rue, en costume de maquereau rouge vif. *Merde alors.*

Arrivé à ma hauteur, il a ajouté, sur un ton accusateur : « Je t'ai appelée. J'ai dû te laisser un milliard de messages. Au bas mot.

— Je sais, Ornesto, je suis désolée. Mais je me sens un peu bizarre…

— Hou ! là ! là ! mon Dieu ! Mais… ton visage ! Dis-moi, c'est pas joli joli tout ça… » Il a pratiquement promené son nez le long de ma cicatrice, comme pour sniffer un trait de coke, avant de m'enlacer – en me faisant mal. Par chance, Ornesto est un personnage très égocentrique, et il ne lui a pas fallu longtemps pour recentrer son attention sur lui. « Je rentre chez moi juste une seconde, pour me changer, puis je pars à la chasse à l'homme ! Viens me faire la causette pendant que je mets mes habits de lumière.

— OK. »

Ornesto manquait cruellement de chance avec les hommes : soit ils le trompaient, soit ils lui volaient ses sauteuses antiadhésives hors de prix, soit ils retournaient dans les bras de leur femme. Qu'était-il arrivé cette fois-ci ?

« Il m'a battu.

— Vraiment ?

— Tu ne vois pas, là, mon œil au beurre noir ? »

Il me l'a montré, non sans fierté. On ne voyait guère qu'une vague bosse aux reflets violets sous son arcade sourcilière. Cependant, il semblait en être tellement content que j'ai porté ma main à ma bouche en m'exclamant : « Mais c'est horrible !

— Tu l'as dit. Enfin, la bonne nouvelle, c'est que je prends des cours de chant. D'après mon psy, j'avais besoin d'un exutoire créatif. » Contre toute attente, Ornesto est infirmier vétérinaire. « Mon coach vocal assure que j'ai du talent, et qu'il n'a jamais vu quelqu'un assimiler aussi vite la méthode respiratoire !

— Ah, génial. » Inutile de s'emballer, Ornesto étant du genre à s'exciter pour un oui pour un non. Probable que d'ici à une semaine il se sera disputé avec son prof de chant et aura laissé tomber les cours.

J'ai regardé autour de moi ; une odeur me rappelait quelque chose... Sur la table. Un gros bouquet de fleurs. Des lis.

« Ah tiens, tu as des lis ?

— Oui, je me fais des petits cadeaux, parfois. Les hommes me traitent tellement mal ! Le seul sur lequel je peux compter, c'est moi.

— Quand les as-tu achetés ? »

Il a réfléchi. « Hier. Pourquoi, quelque chose ne va pas ?

— Non, non, rien. » Mais je me demandais si c'étaient les lis d'Ornesto que j'avais sentis la veille. L'odeur avait pu me parvenir par la bouche d'aération de la cuisine. Était-ce bien ce qui s'était passé ? Aidan n'avait-il rien à voir dans cette histoire ?

25

Avant, je rêvais d'un mariage en blanc.

Le genre de rêve au milieu duquel on se réveille en pleine nuit, en sursaut, en sueur, le cœur battant. Un rêve qui ressemble drôlement à un cauchemar. Je le visualisais dans les moindres détails. Des mois passés à me chamailler avec ma mère à propos des brocolis. Le jour J, la lutte pour me faire une place entre mes sœurs (toutes mes demoiselles d'honneur) devant le miroir afin de me maquiller. Celle pour convaincre Helen de ne pas porter MA robe. Papa qui m'accompagne à l'autel en marmonnant : « J'ai l'air d'un parfait crétin avec ce gilet » ; puis, à mon futur époux : « Tenez, prenez-la, elle est à vous. Tout le plaisir est pour nous. »

Mais rien de tel que frôler la mort pour vous remettre les idées en place.

Après avoir récupéré de mon accident de plongée – j'avais dû passer quelques heures en sas de décompression, puis accepté les excuses abjectes de Monsieur Codépendant –, j'ai appelé ma mère pour la remercier de m'avoir donné la vie.

« Parce que tu crois que j'avais le choix ? Neuf mois que t'étais là-dedans, tu serais sortie par où, sinon ? »

Puis je lui ai annoncé que j'allais me marier.

« Bien sûr, prends-moi pour une imbécile !

— Mais non, maman, je t'assure. Attends, ne quitte pas, je te le passe. »

J'ai tendu le combiné à Aidan, qui a pris un air terrifié. « Je dis quoi ?

— Que tu veux m'épouser.

— OK. Allô ? Bonjour, madame Walsh. Est-ce que je peux épouser votre fille ? » Il s'est tu un instant et m'a redonné le combiné.

« Elle veut te parler.

— Alors, maman, qu'en penses-tu ?

— Qu'est-ce qui cloche chez cet homme ?

— Rien du tout.

— Rien d'évident, plutôt, mais ça doit cacher quelque chose. Est-ce qu'il a un travail ?

— Oui.

— Une dépendance à un produit chimique quelconque ?

— Non.

— Ben alors, on ne respecte plus les traditions familiales ? Comment s'appelle-t-il ?

— Aidan Maddox.

— Irlandais ?

— Irlandais américain. De Boston.

— Comme JFK ?

— Tout à fait, comme JFK. » Elle adorait Kennedy, presque autant que le pape.

« Mais regarde comment il a fini ! »

Feignant l'irritation, j'ai déclaré à Aidan : « Ma mère refuse que je t'épouse de crainte que tu te fasses exploser la tête à l'arrière d'un cabriolet lors d'une escapade à Dallas.

— Eh, attends un peu, a protesté ma mère, je n'ai jamais dit ça ! Simplement, c'est très soudain comme annonce, je ne m'y attendais pas. Pourquoi tu ne nous as pas parlé de lui à Noël ?

— Mais si, je vous en ai parlé. Je vous ai raconté que j'avais un petit ami qui passait son temps à me demander en mariage, mais Helen faisait son imitation de Stephen Hawking mangeant une glace et personne ne m'écoutait. Comme d'habitude. Téléphone à Rachel, si tu veux. Elle l'a rencontré. Elle se portera garante. »

Une pause. « Et Luke, il l'a rencontré ?

— Oui.

— Je demanderai à Luke, alors.

— Parfait. »

« Est-ce qu'on va vraiment se marier ? ai-je demandé à Aidan.

— Bien sûr.

— Dans ce cas, autant aller vite. Dans trois mois. Début avril ?

— Marché conclu. »

Pour faire les choses dans les règles à New York, après avoir décrété la relation « sérieuse », « exclusive », il fallait passer par la case « fiançailles », le tout en prenant son temps.

Mais Aidan et moi avons envoyé balader le protocole. Deux mois entre la relation exclusive et les fiançailles, trois entre les fiançailles et le mariage. Et je n'étais même pas enceinte.

Seulement, après mon accrochage avec la Faucheuse sous les vagues, j'étais pleine d'allant et d'énergie, et rien ne me semblait valoir la peine d'attendre.

« On se marie où ? m'a demandé Aidan. À New York ? Dublin ? Boston ?

— Aucune de ces villes. Marions-nous à County Clare, sur la côte ouest de l'Irlande. On y passait toutes nos vacances d'été. Mon père est né là-bas. C'est un endroit magnifique.

— D'accord. Il y a un hôtel ? Vas-y, appelle-les. »

Je me suis exécutée aussitôt : l'hôtel de Knockavoy pouvait nous recevoir à la date demandée. J'ai raccroché, un peu nauséeuse.

« Oh, mon Dieu, je viens de réserver pour notre mariage ! Je crois que je vais vomir... »

Puis tout s'est passé très vite. J'ai décidé de laisser maman s'occuper du menu, à cause de la guerre des brocolis concernant le mariage de Claire. De toute façon, la bouffe est toujours dégueulasse dans les mariages. Alors, à quoi bon se disputer pour savoir si les invités auront droit à des brocolis infects ou du chou-fleur immangeable ? « Fais comme il te plaira, maman. Le traiteur, c'est ton affaire. »

Je m'inquiétais bien davantage au sujet de mes demoiselles d'honneur : aucune envie de jouer les arbitres entre quatre folles hystériques pour des questions de couleurs, de coiffure et de chaussures. Mais par un merveilleux coup de pouce du destin, Helen a refusé d'en faire partie, en raison de la superstition selon laquelle si on est demoiselle d'honneur plus de deux fois, on ne se mariera jamais. « Non que j'aie prévu quoi que ce soit, je veux juste garder toutes les options possibles. »

Quand maman l'a entendue, elle a interdit à Rachel d'être ma demoiselle d'honneur de peur que ça lui porte la poisse et qu'elle ne se marie jamais avec Luke ; puis, après une réunion au sommet, il a été décrété que je n'aurais aucune demoiselle d'honneur, et que les trois enfants de Claire seraient mes petites porteuses de fleurs, y compris son fils Luka.

Ensuite s'est posée la question de la robe. J'avais une vision très nette de ce que je voulais – une robe fourreau en satin fendue en biais –, mais je ne trouvais nulle part l'objet de mon désir. Pour finir, elle a été dessinée et confectionnée par une connaissance de Dana, une femme qui d'ordinaire fabriquait des rideaux.

Et, bien sûr, on devait s'occuper de la liste d'invités.

« Ça te dérange si Janie vient ? » m'a demandé Aidan.

Question piège. Naturellement, je ne souhaitais pas sa présence si elle souffrait d'un cœur brisé et si, au moment où le prêtre demande : « Y a-t-il quelqu'un qui s'oppose à cette union ? », elle se mettait à bondir en hurlant : « ÇA DEVRAIT ÊTRE MOI À SA PLACE ! »

D'un autre côté, j'aurais apprécié de la rencontrer.

« Non, ça ne me gêne pas du tout. Il faut que tu l'invites. »

Ce qu'il a fait. Cependant, nous avons reçu une gentille lettre nous remerciant pour l'invitation, mais la déclinant du fait que le mariage était célébré en Irlande.

Je ne savais pas trop si j'étais soulagée ou non. Bref. Elle ne venait pas, c'était ainsi.

Sauf que, en jetant un œil à notre liste de mariage en ligne, j'ai vu qu'une dénommée Janie Sorensen nous avait offert un cadeau. Pendant une minute, je me suis demandé : Qui peut bien être cette Janie Sorensen ? Et puis ça m'est revenu : Janie ! La Janie d'Aidan ! Que nous avait-elle acheté ? J'ai cliqué sur son nom, et quand la page est apparue sur l'écran, elle m'a fait l'effet d'un coup de poing dans le bide. Janie nous avait offert un set de couteaux de cuisine. Très aiguisés, très pointus, très dangereux. Certes, ils figuraient sur notre liste ; mais pourquoi n'avait-elle pas opté pour un jeté de lit en cachemire ou des coussins brodés, également sur cette fichue liste ? me suis-je demandé, les yeux rivés à l'écran. Devais-je voir dans ce cadeau un avertissement ? Ou est-ce que je surinterprétais ?

J'en ai touché deux mots à Aidan, qui a éclaté de rire. « Tout à fait son humour.

— Alors c'était délibéré ?

— Oh oui, il y a de grandes chances. Mais rien qui vaille la peine de s'inquiéter. »

Et pourtant.

Moins de deux semaines plus tard, un vendredi soir, j'étais chez Aidan, à passer en revue les menus à emporter pour lui proposer certains plats. Il ôtait sa cravate tout en ouvrant son courrier, lorsque le contenu d'une enveloppe a semblé le choquer. Je l'ai senti de l'autre bout de la pièce.

« Quoi ? Qu'est-ce qu'il y a ? »

Il a marqué une pause, puis a lentement levé les yeux vers moi. « Janie se marie.

— Quoi ?

— Janie se marie. Deux mois après nous. »

J'observais sa réaction avec attention. Un sourire a illuminé son visage. « Je trouve ça super. »

Et sa joie avait l'air authentique.

« Elle épouse qui ? »

Il a haussé les épaules. « Un type du nom de Howard Wicks. Jamais entendu parler.

— On est invités ?

— Non. La cérémonie a lieu aux Fidji. Juste les proches. Elle a toujours dit que si elle se mariait, ce serait aux Fidji. » Il a relu la lettre. « Vraiment, je suis très heureux pour elle.

— Ils ont une liste de cadeaux ?

— Je n'en sais rien, mais si c'est le cas, on pourrait leur envoyer une corde... ou peut-être une bonne grosse machette ? »

Même en déléguant au maximum, nous avons passé trois mois très stressants à organiser ce mariage. Tout le monde nous disait que c'était notre faute, qu'on aurait dû se laisser plus de temps, mais j'avais l'impression que, si on avait attendu un an, le stress se serait dilaté pour occuper tout ce temps, et du coup on aurait passé une année éprouvante au lieu de trois mois seulement.

Enfin, ça en valait la peine.

Par une journée à bourrasques, sous un ciel sans nuages, dans une église perchée sur une colline, Aidan et moi nous sommes mariés. Les jonquilles étaient de sortie, des grappes jaune vif courbées par les rafales de vent. Des prés d'un vert ondoyant s'étendaient autour de nous, à perte de vue, et la mer écumante scintillait dans le lointain.

Sur les photos prises devant l'église, des hommes aux chaussures cirées et des femmes en tailleur pastel sourient. Nous sommes tous beaux. Nous avons tous l'air très heureux.

26

De : LuckyStarInvestigations@yahoo.ie
À : Apprentiemagicienne@yahoo.com
Objet : Magnum

Anna, écoute, il se passe quelque chose d'horrible. Il faut que tu m'aides, mais surtout, motus et bouche cousue. Pas un mot à qui que ce soit. Voilà l'horrible vérité : j'ai de la moustache. Sortie de nulle part : à vingt-neuf ans, ça peut pas être la ménopause, plutôt ce fichu boulot. À force d'être assise dans le froid et l'humidité, je me transforme lentement en animal à longs poils afin de me protéger des intempéries. Pour l'instant, ça peut encore aller : j'en suis au stade Magnum, mais avant longtemps je ressemblerai à un des mecs de ZZ Top, avec de la barbe jusqu'aux genoux. Pourtant, j'aime mon boulot. Je n'ai pas envie d'abandonner. Qu'est-ce qu'on peut faire pour cette moustache, alors ?
Envoie-moi des produits. Envoie-moi tout ce que tu as. C'est urgent. L'heure est grave.

Ta sœur velue, Helen

P.-S. : J'espère que tu vas bien.

Candy Grrrl ne faisait pas dans les produits dépilatoires. Pour l'instant. Dans leur projet de domination du monde, simple question de temps. J'ai suggéré à Helen de se teindre la moustache, et lui ai assuré que j'étais impatiente de lire la suite de son scénario.

De : Apprentiemagicienne@yahoo.com
À : Aidanmaddox@yahoo.com
Objet : Habits du lundi

Robe chinoise en satin rouge brodé, sur un jean court et des baskets rouges. J'ai attaché mes cheveux à l'aide de deux baguettes – une ruse pour éviter de porter un chapeau. Six jours que je n'en ai pas : je me fais ma petite révolution dans mon coin. Je me demande combien de temps ils vont mettre à le remarquer, car, crois-moi, ils vont s'en apercevoir.
J'aimerais vraiment avoir de tes nouvelles. Je t'aime.

Ton Anna

Quand je suis arrivée au bureau, Franklin m'a regardée de la tête aux pieds, s'attardant un peu sur mes cheveux. Il savait que quelque chose manquait, mais était trop agité pour y réfléchir. L'heure de la RLM avait sonné (la Réunion du Lundi Matin), ou comment passer une heure et demie en enfer.

En guise de préparation, Franklin réunissait son troupeau – les filles bossant pour Candy Grrrl, Bergdorf Baby, Bare, Kitty Loves Katie, EarthSource et Warpo (une marque encore plus branchée que Candy Grrrl).

« Beau travail », a-t-il déclaré à Tabitha. Le nouveau sérum de nuit lancé par Bergdorf Baby avait bénéficié d'une bonne critique et – ce qui comptait bien plus – d'une photo dans le *New York Times* de dimanche.

Puis, à Lauryn et moi : « Il faut reprendre les choses en main, les filles.

— Oui, mais…, a commencé Lauryn.

— Je connais toutes les raisons. Je dis juste qu'il faut vous rattraper. Et qu'il y a du boulot. »

Lauryn m'a jeté un regard noir ; elle avait des projets me concernant. Elle voulait me faire bosser non-stop sur ses communiqués de presse, alors que je devais me mettre en quête d'espace presse pour nos produits et renouer avec mes cibles. Laquelle de nous deux allait gagner ?

Nous nous sommes tous engouffrés dans la salle du conseil. Les quatorze marques étaient représentées. Il y avait les chanceuses, celles qui avaient réussi à négocier des articles, des placements de produits. J'avais moi-même obtenu une ou deux pages. Mais, évidemment, pas dans la presse écrite. Durant mon absence, personne ne semblait avoir pris la peine de continuer le harcèlement des rédactrices beauté des journaux – à quoi ces intérimaires avaient-elles donc passé leur temps ? Mais, grâce aux bagarres pour notre gloss relayées par les médias, mes contacts ne m'avaient pas oubliée et nos relations commençaient à porter leurs fruits – à la façon dont les bulbes plantés en septembre donnent des fleurs au printemps suivant.

Le long du mur, les employés se bousculaient, cherchant à se rendre invisibles ; la peur était presque perceptible. Même moi, je sentais l'anxiété monter. Après ce qui m'était arrivé, j'aurais pensé qu'une humiliation publique au boulot ne m'affecterait pas. Mais me retrouver dans cette pièce un lundi matin avait fait resurgir l'angoisse du passé – typique réflexe pavlovien.

Les lundis matin étaient horribles. Bon, ils le sont pour tout le monde, partout ; mais plus particulièrement pour nous, car une grande partie de notre succès dépend de ce qui est paru dans les suppléments des journaux du weekend. CQFD. Parfois, des filles qui, lâchées par des rédactrices beauté, n'avaient pas obtenu la couverture escomptée vomissaient avant la réunion.

Tandis que nous prenions place, Ariella nous a ignorés. Assise au bout de l'immense table, elle feuilletait un magazine. Puis, comme les autres, j'ai vu de quel magazine il s'agissait : le *Femme* de ce mois. Merde. Il n'était pas encore en kiosque. Elle s'en était procuré un exemplaire avant tout le monde. Aucun d'entre nous ne savait ce qu'il y avait à l'intérieur, mais elle allait se faire une joie de nous en informer. « Mesdames ! Approchez, approchez. Voyez ce que je vois. Je vois Clarins. Clinique. Lancôme. Et, un comble, même Revlon. Mais je ne vois pas… »

Sur qui est-ce que ça tomberait ? Ç'aurait pu être n'importe laquelle d'entre nous. Qui donc aurait dû avoir une page dans *Femme* ?

« … Visage ! »

Pauvre Wendell. Nous avons toutes baissé les yeux, honteuses, mais extrêmement soulagées d'avoir échappé au pire.

« Vous voulez bien m'expliquer, Wendell ? a poursuivi Ariella. Hein, si on parlait de cette campagne, la plus chère qu'on ait jamais réalisée ? Où est-ce qu'on a envoyé ces sangsues de rédactrices beauté, déjà ? Vous pouvez me rafraîchir la mémoire, s'il vous plaît ?

— Tahiti. » On entendait à peine la voix de Wendell.

« Tahiti ? TAHITI ! Même moi, je n'ai jamais foutu les pieds dans ce foutu paradis ! Et elles ne pouvaient pas nous octroyer un malheureux petit encart de cinq par dix ? Qu'est-ce que vous lui avez fait, à cette rédactrice, Wendell ? Vous lui avez gerbé dessus ? Vous avez couché avec son mec ?

— Elle était tout à fait disposée à nous donner un quart de page, mais Tokyo Babe vient de lancer son contour de l'œil et c'est son éditrice qui l'a emporté parce que Tokyo Babe fait un vrai matraquage publicitaire.

— Je ne veux pas d'excuses. Si la couverture revient à quelqu'un d'autre, c'est que vous êtes une ratée, point final. Vous avez échoué, Wendell, pas parce que vous n'avez pas assez travaillé, mais parce que vous n'êtes pas parvenue à vous faire aimer assez de ces nanas. En ce sens, vous n'êtes pas une personne assez aimable. Auriez-vous pris du poids ?

— Non, je...

— Eh bien, en tout cas, IL Y A QUELQUE CHOSE QUI CLOCHE ! »

Si horrible que cela puisse paraître, Ariella avait raison. Dans le monde des relations publiques, une grande partie du jeu dépendait des rapports personnels que l'on entretenait avec « ces nanas », comme elle disait. Si une rédactrice beauté vous avait à la bonne, la marque que vous représentiez avait des chances de se retrouver sur le dessus de la pile. En revanche, lorsqu'une boîte aussi importante que Tokyo Babe menaçait de retirer une annonce publicitaire à vingt mille dollars si la rédactrice d'un magazine ne se fendait pas d'un bon gros article en sa faveur, on était quelque peu démunies.

Après l'événement principal – l'humiliation de Wendell –, nous sommes passés à autre chose. À cette étape de la RLM, Ariella se mettait à monter les marques les unes contre les autres : elle félicitait quelqu'un pour pouvoir souligner les échecs d'une autre, et adorait énerver Franklin contre Mary-Jane, la coordinatrice des sept autres marques. Puis la réunion s'est achevée, on était tranquilles pour une semaine.

Tandis que le troupeau évacuait la salle, plusieurs filles ont murmuré : « Ouf ! Elle a pas été trop dure aujourd'hui. »

Et l'intérêt, avec la RLM, c'était que les choses ne pouvaient que s'améliorer par la suite.

27

De : LuckyStarInvestigations@yahoo.ie
À : Apprentiemagicienne@yahoo.com
Objet : Moustache

Bon, ça y est, j'ai décoloré cette saloperie. Blonde peut-être, mais toujours bien présente. Je ressemble à une star (masculine) du porno allemand. Maman m'a surnommée Gunther le Râleur. Elle est absolument ravie. Des conseils ?

Ta sœur velue, Helen

P.-S. : Comment elle s'y connaît en stars du porno ??

De : Apprentiemagicienne@yahoo.com
À : LuckyStarInvestigations@yahoo.ie
Objet : Moustache

Essaie la crème dépilatoire.

De : Apprentiemagicienne@yahoo.com
À : Aidanmaddox@yahoo.com
Objet : Sur le bon chemin

On m'a enlevé aujourd'hui le plâtre que j'avais au bras. On ne dirait plus du tout mon bras : une espèce de petite chose toute piteuse et rétrécie, presque aussi poilue que les bras de Lauryn. En revanche, mon genou va bien (et il est imberbe). Même mes ongles repoussent. Ne reste plus que mon visage... Je t'aime.

Ton Anna

De : Apprentiemagicienne@yahoo.com
À : Aidanmaddox@yahoo.com
Objet : Bonjour, je m'appelle Anna

Aujourd'hui, quelqu'un a laissé sur mon bureau le calendrier des réunions des Alcooliques anonymes. De façon anonyme, bien entendu.
Je t'aime.

Anna

De : Apprentiemagicienne@yahoo.com
À : Aidanmaddox@yahoo.com
Objet : Nouvelle coupe !

J'ai supplié Sailor de ne me faire qu'un petit entretien, mais il m'a dit qu'il fallait souffrir pour être belle, alors il a sorti le grand jeu, et je me retrouve avec une coupe très stylisée tendance « balayée vers l'avant ». Seul avantage : ça cache en grande partie ma cicatrice. Mais quand j'essaierai de me coiffer toute seule à la maison, ça sera une telle catastrophe que je devrai me remettre aux chapeaux. À l'évidence, je suis victime d'un complot.
Je t'aime.

Ton Anna

Toute la semaine, je suis restée entre douze et treize heures par jour au bureau, et sans que je voie le temps passer vendredi soir est arrivé. À peine venais-je de rentrer à l'appartement et de poser mes clés que je me suis sentie agressée par une lueur clignotante, accusatrice : celle du répondeur. Fait chier. Combien de messages, cette fois ? Trois. J'ai regardé le doux visage de Dogly. « Je parie qu'ils sont tous de Leon. »

Il m'avait bombardée de messages, littéralement *harce-lée*. Jusqu'à maintenant, j'avais réussi à l'éviter. Mais j'allais devoir le rappeler. Avant peu, il déboulerait chez moi – ou, plus effrayant, il m'enverrait Dana. Pourtant, je ne pouvais pas lui parler, pas encore du moins.

J'ai allumé mon ordinateur – et mon cœur a fait un bond en constatant que j'avais deux nouveaux messages. J'ai retenu mon souffle, ivre d'espoir, le temps que la page s'affiche. Mais le premier mail était d'Helen.

De : LuckyStarInvestigations@yahoo.ie
À : Apprentiemagicienne@yahoo.com
Objet : Crème dépilatoire

Quelle puanteur ! La peau qui brûle ! Sans compter que mes poils repoussent déjà... En plus, ça gratte, et on dirait... ben, de la barbe, quoi ! ! Je me transforme en homme.

Je lui ai suggéré de se l'épiler, sa moustache. Le second mail venait de ma mère : le deuxième de sa vie. Que pouvait-il bien se passer ?

De : FamilleWalsh@eircom.net
À : Apprentiemagicienne@yahoo.com
Objet : La moustache d'Helen

Mais quelle idée tu as eue de conseiller cette crème dépilatoire à Helen ! Mon Dieu, qu'est-ce que ça pue ! Les gens qui viennent nous voir ou qui frappent à la porte y sont allés de leurs commentaires. Le jeune homme chargé de collecter l'argent du lait (très chou, au passage) m'a demandé l'autre jour – et tu ne trouveras pas l'ombre d'un mensonge dans ce qui suit : « Pfiouuuu, madame, vous venez de péter ou quoi ? » Tu y crois, toi ? Moi qui n'ai jamais pété de ma vie !
Concernant la femme et son chien, je te tiens « au jus », comme on dit dans le métier. Il y a eu plein de rebondissements. Ce matin, j'étais en planque, j'attendais. Elle arrive en général vers neuf heures dix, j'étais prête. J'ai fait semblant de sortir les poubelles, ce qui m'a semblé être une bonne ruse –, même si le jour des poubelles est lundi et que cette tâche incombe à ton père.
« Belle matinée, n'est-ce pas ? » je lui ai lancée. « Belle matinée pour faire pisser son chien sur la grille de la maison de parfaits innocents ? » je sous-entendais. D'un coup sec, elle a tiré sur la laisse de son chien en lui ordonnant : « Allez, viens, Zoe. » Nous disposons donc maintenant d'un indice. Franchement, quel nom, pour un chien ! Puis il s'est passé un truc : la femme m'a jeté un regard. Nos yeux se sont sondés, et, tu me

connais : je n'ai rien d'une personne fantasque, mais j'ai su que cette femme était le diable.

Ta mère qui t'aime

P.-S. : D'ici deux semaines, ton père et moi partons pour l'Algarve, pendant quinze jours. J'ai hâte. Ce ne sera sûrement pas aussi chouette que le Cipriani de Venise, mais ça va être très bien. Pendant notre absence, Helen va séjourner chez « Maggie et Garv », comme vous insistez tous pour les appeler. J'aurai donc certainement du mal à te tenir au courant des infractions de la femme au chien ; vu les regards qu'elle me jette, je pense que cela vaut sans doute mieux.

De l'autre côté de la pièce, le répondeur continuait à clignoter, et je culpabilisais. *Arrête-toi, arrête de me tourmenter comme ça.* J'aurais aimé pouvoir effacer les messages sans avoir à les écouter, mais la machine s'y refusait, alors j'ai appuyé sur le bouton Play avant de me diriger vers la salle de bains.

« Anna, c'est Leon. Je sais que la période est très difficile pour toi, mais pour moi aussi. J'ai besoin de te voir... »

Pour noyer le bruit de sa voix, j'ai fait couler l'eau du robinet avec tant de force que j'ai aspergé le devant de ma robe. Me reculant, j'ai compté jusqu'à vingt-trois, puis éteint le robinet ; mais j'ai entendu Leon dire : « Moi aussi je souffre, tu sais », alors d'un coup de poignet ultrarapide j'ai de nouveau fait couler l'eau, un vrai torrent, compté jusqu'à sept, ralenti le débit, entendu : « On peut s'entraider... » pour immédiatement le réaugmenter et provoquer une inondation de lavabo. C'était comme chercher une station de radio en collectant des signaux. Radio Leon.

Finalement, il s'est tu, et je suis allée dans le salon sur la pointe des pieds pour appuyer sur le bouton Effacer.

« Vous n'avez plus de nouveaux messages », m'a annoncé le répondeur.

« Merci », ai-je répondu.

De : LuckyStarInvestigations@yahoo.ie
À : Apprentiemagicienne@yahoo.com
Objet : Ma moustache

Je l'ai épilée à la cire. Pire que tout : je me retrouve avec la lèvre supérieure toute lisse, ce qui fait paraître le reste de mon visage poilu à mort ! Je ressemble à ces mecs ingérables qui ont une barbe mais pas de moustache. Fermiers afrikaners ou imams pakistanais, au choix.

P.-S. : Plus de conseils, merci.

Samedi soir, Rachel m'a invitée chez elle et Luke – une proposition que je ne pouvais pas refuser. À moins de rechercher une leçon de morale bien intentionnée.

J'ai passé un bon moment pendant deux heures, avant d'être prise d'un sentiment de panique de plus en plus familier : il fallait que je parte.

Rachel ne me laisserait pas m'en aller avant de connaître par le menu détail mon emploi du temps pour dimanche, mais j'avait tout prévu : Jacqui nous avait réservé la journée dans un spa appelé Cocoon. Elle avait dit que ça me ferait le plus grand bien.

Elle avait raison. Excepté pour les commentaires de l'aromathérapeute – j'étais la personne la plus tendue qu'elle avait jamais vue – et les plaintes de la pédicure – elle ne pouvait pas me vernir les ongles des orteils tant que mon pied s'agitait nerveusement.

Puis voilà, on était dimanche soir. J'avais survécu à un autre week-end. Mais, au lieu de me sentir soulagée, j'éprouvais un terrible désespoir. Je devais remédier à cette situation, et vite !

29

Ce que j'attendais est enfin arrivé : Aidan s'est montré. Deux semaines et demie après mon retour d'Irlande, j'étais au boulot, assise à mon bureau, travaillant dur à un tableur trimestriel, lorsqu'il est entré. La joie à sa vue m'a réchauffée autant que le soleil à son zénith – j'étais aux anges.

« Il était temps ! » me suis-je exclamée.

Il s'est assis sur un coin de mon bureau et son sourire a presque fendu son visage en deux. Il avait l'air ravi et intimidé en même temps. « Contente que je sois là ?

— Si je suis contente, Aidan ? Mais je suis comblée ! Je n'arrive même pas à y croire ! J'avais peur de ne plus jamais te revoir. » Il portait les mêmes vêtements que le jour où on s'était rencontrés. « Mais comment tu as fait pour revenir ?

— Comment ça ? Je suis passé par la porte...

— Mais, Aidan... » – je venais juste de m'en souvenir – « ... tu es mort. »

Je me suis réveillée en sursaut, sur le canapé. Les néons de la rue filtraient par la fenêtre et éclairaient la pièce d'une lueur violette. Ça chahutait, dehors : des gens criaient ; j'entendais aussi de la musique – des basses – sourdre d'une voiture – une limousine, sans doute – qui a vibré sous moi jusqu'à ce que le feu passe au vert.

J'ai fermé les yeux et me suis retrouvée dans le même rêve.

Mais Aidan ne souriait plus ; il avait l'air fâché, perplexe, et je lui ai demandé : « Personne ne t'a prévenu que tu étais mort ?

— Non.

— C'est bien ce que je craignais. Et où tu étais, tout ce temps ?

— Oh, je traînais dans le coin. Je t'ai vue en Irlande et tout...

— Ah bon ? Mais pourquoi tu n'as rien dit ?

— Tu étais avec ta famille. Je ne voulais pas déranger.

— Mais tu fais partie de la famille, maintenant. Tu es ma famille. »

Quand j'ai rouvert les yeux, il était cinq heures du matin. Derrière les volets, le ciel était déjà clair, mais le silence régnait. Il fallait que je parle à Rachel : elle seule pouvait m'aider.

« Désolée de te réveiller.

— Non, non, pas de problème, je ne dormais pas. » Sûrement un mensonge, mais peut-être pas après tout. Parfois, elle se levait à l'aube pour assister à une réunion des TA (Toxicomanes anonymes) avant d'aller bosser.

« Tout va bien ? » Elle a fait un gros effort pour réprimer un bâillement.

« On peut se voir ?

— Bien sûr. Maintenant ? Tu veux que je vienne chez toi ?

— Non. » Je mourais d'envie de quitter cet appartement.

« Chez Jenni, alors, ça te va ? » C'était un café ouvert vingt-quatre heures sur vingt-quatre. Comme Rachel avait passé des nuits à écumer la ville, elle connaissait pas mal d'endroits de ce genre. « On se retrouve là-bas dans une demi-heure. »

J'ai enfilé des vêtements et me suis précipitée dans la rue. Je ne pouvais pas tenir une minute de plus dans l'appart.

Du taxi, je l'ai vu descendre la 14e Rue, mais cette fois j'ai su que ce n'était pas lui.

Je suis arrivée chez Jenni bien avant notre rendez-vous, et j'ai commandé un *latte*.

Rachel a fini par me rejoindre. « Ça fait un bail que je n'ai pas mis les pieds ici, m'a-t-elle annoncé en jetant des regards un peu anxieux autour d'elle. J'ai des flash-back d'introspection. » Une fois assise, elle a commandé un thé vert. « Anna, ça va ? Qu'est-ce qui s'est passé ?

— J'ai rêvé d'Aidan.

— Ça fait partie de l'ordre des choses, comme d'avoir l'impression de le voir à tous les coins de rue.

— J'ai rêvé qu'il était mort. »

Silence. « C'est parce qu'il l'est, Anna.

— Je sais. »

De nouveau, un silence. « Tu n'as vraiment pas l'air de le savoir. Anna, je suis désolée, mais tu auras beau faire comme si tout était normal, tu ne changeras pas la réalité.

— Mais je ne veux pas qu'il soit mort. »

Ses yeux se sont emplis de larmes. « Évidemment ! C'était ton mari, l'homme que…

— Rachel, je t'en prie, n'en parle pas au passé. Je déteste ça. Et moi, je ne vais pas si mal. C'est pour lui que je m'inquiète : j'ai très peur qu'il se mette à flipper en découvrant ce qui est arrivé. Il va avoir la trouille, j'en suis sûre, ensuite il va s'énerver, et je ne peux même pas lui venir en aide. Rachel… » – soudain je ne supportais plus cette idée – « … Aidan est mort. Et ça ne va pas lui plaire du tout. »

29

Rachel avait le regard vide. Comme si elle ne m'écoutait pas. Puis j'ai pris conscience qu'elle était sous le choc. Mon état était-il si misérable ?

« On avait tellement de projets, ai-je poursuivi. On ne devait pas mourir avant d'avoir quatre-vingts ans, et encore. Il se faisait du souci pour moi, voulait prendre soin de moi ; s'il ne peut pas, ça le rendra taré. Et aussi... il était solide, en pleine santé, très rarement malade : ça le déstabilisera complètement, d'être mort. Comment il va faire ?

— Euh... Hem, voyons voir... » Jamais je n'avais vu Rachel hésiter auparavant : elle avait toujours une théorie sur les troubles émotionnels. « Anna, je ne sais quoi te dire. Tu as de sérieux problèmes. Vois un professionnel, un spécialiste de ce genre d'affliction. Je t'ai apporté un bouquin sur le deuil, qui pourra peut-être t'aider un peu ; mais, vraiment, consulte quelqu'un...

— Rachel, j'ai juste envie de lui parler. Je ne supporte pas de l'imaginer coincé dans un endroit horrible sans aucun moyen de me contacter. Enfin mince, il est où, hein ? Où est-ce qu'il est passé ? »

Elle écarquillait les yeux à mesure que sa consternation empirait. « Anna, franchement, je crois... »

Les types assis derrière nous partaient ; en passant près de notre table, l'un d'entre eux a semblé reconnaître Rachel.

Il avait le visage en lame de couteau, la peau grêlée d'anciennes cicatrices d'acné, des yeux marron tourmentés, de longs cheveux bruns. Il n'aurait pas déparé dans les Red Hot Chili Peppers.

« Eh, salut ! a-t-il lancé à Rachel. On se connaît... Des réunions, à St. Mark ? Rachel, c'est ça ? Moi, c'est Angelo. Toujours entre deux feux ?

— Non », a-t-elle répondu sèchement. Ce n'est vraiment pas le moment, semblait dire son regard, mais le type a insisté.

« Alors, tu vas l'épouser, l'autre, ou pas ?

— Oui. » Réponse encore plus sèche. Mais elle n'a pas résisté à l'envie de tendre sa main pour qu'il admire sa bague de fiançailles.

« Waouh, donc, tu te maries. Ben, félicitations. Il a drôlement de la chance. »

Puis son regard s'est posé sur moi. Débordant de compassion. « Oh, la pauvre petite chose... Ça va mal, hein ?

— Tu écoutais notre conversation ou quoi ? » Rachel à la rescousse.

« Non. Mais ça se voit... » – il a haussé les épaules – « ... comme le nez au milieu de la figure. » Il s'est tourné vers moi. « Un jour après l'autre, et ça ira.

— Elle est pas toxico. C'est ma sœur.

— Ça change rien. »

En chemin vers le boulot, je n'avais qu'une pensée en tête : Aidan est décédé. Je venais seulement d'en prendre conscience. Enfin, je savais qu'il était mort, mais je n'avais pas cru que ça durerait.

J'errais dans les couloirs comme un zombie, et quand Franklin m'a dit : « Bonjour Anna, comment ça va ? », j'ai eu envie de lui répondre : « Bien, sauf que mon mari est mort et qu'on était mariés depuis moins d'un an. OK, vous êtes tous au courant, mais je viens seulement de percuter. »

Ç'aurait été inutile : ils étaient tous passés à autre chose depuis longtemps.

Ce soir-là, on était en route pour dîner dehors, juste lui et moi – un choix que l'on faisait très rarement. Le restaurant était plutôt réservé aux soirées entre amis ; quand on n'était que tous les deux, en général on se pelotonnait sur le canapé et on se faisait livrer.

Le plus insupportable, c'est de penser que si on était restés à la maison ce soir-là, il serait encore en vie. En fait, on a failli ne pas sortir. Il avait réservé une table au Tamarind, et je lui avais demandé d'annuler parce qu'on avait dîné dehors deux jours auparavant pour la Saint-Valentin. Mais comme il avait l'air d'y tenir, j'ai cédé.

J'attendais donc sur le trottoir qu'il passe me prendre lorsque, alertée par des klaxons, des cris et des insultes, j'ai vu un taxi couper trois files de circulation dans ma direction. Et mon Aidan était là, le visage décomposé par la trouille, à me montrer sept doigts par la vitre. Sept sur dix. Alerte au cinglé, selon notre système de notation pour les chauffeurs de taxi.

« Sept ? ai-je articulé de loin. Bon choix ! »

Il a ri, et ça m'a fait plaisir. Depuis un ou deux jours il n'avait pas trop le moral : il avait reçu un coup de fil – le boulot – qui apparemment lui pourrissait la vie.

Le taxi a stoppé, j'ai sauté à l'intérieur, et avant même que j'aie refermé la portière, nous sommes repartis sur les chapeaux de roue nous engouffrer dans le trafic. Le démarrage en trombe m'a propulsée contre Aidan, qui a réussi à m'embrasser avant que je ne sois balancée dans la direction opposée.

Sans prévenir, le taxi a pris la 53e et nous nous sommes tous les deux écrasés contre la portière droite. J'ai cramponné Aidan. « Vraiment une conduite irréprochable, a-t-il plaisanté. Prépare-toi au grand huit. »

Bizarrement, ce n'est pas notre taxi qui a provoqué l'accident – en fait, personne ne l'a fait. Tout en progressant à vive allure dans la circulation pourtant dense, Aidan et moi étions passés à une discussion banale sur l'état de notre appartement ; sur notre propriétaire, un sale type... Nous étions absolument inconscients des événements qui se jouaient dehors, au carrefour – une femme ayant traversé la rue de façon inattendue, un chauffeur de taxi arménien a fait un écart pour ne pas la percuter, sa roue avant a glissé sur une flaque d'huile provenant d'une voiture qui, tombée en panne un peu plus tôt, avait vidé ses entrailles. Dans l'ignorance de tout de ce qui se passait, donc, j'étais en train de dire : « On pourrait repeindre le... » quand nous avons basculé dans une nouvelle dimension. Un autre taxi est venu s'encastrer dans le nôtre – avec un impact d'une violence inouïe. Son pare-chocs avant a tenté de se faire une place sur la banquette arrière – le genre de scène réservé à vos pires cauchemars. J'ai eu la tête pleine de grincements, de crissements, ensuite nous avons tourné sur nous-mêmes mais à reculons sur la route, comme sur un manège diabolique.

Le choc a été indescriptible – et l'est toujours. L'impact a brisé le bassin d'Aidan, six de ses côtes, et lui a mortellement endommagé le foie, les reins, le pancréas et la rate. J'ai tout vu – au ralenti, bien entendu : les bris de glace en myriade autour de nous pareils à une pluie d'argent, le métal éventré, le jet de sang jaillissant de la bouche d'Aidan, l'expression de surprise dans son regard. J'ignorais qu'il était en train de mourir, que vingt minutes plus tard il serait mort. J'ai simplement pensé qu'on allait en vouloir à ce sombre crétin qui roulait beaucoup trop vite et nous avait emboutis.

Dans la rue, les gens criaient. Quelqu'un a hurlé : « Dieu du Ciel ! » Des jambes et des pieds tourbillonnaient autour de moi. J'ai remarqué une paire de bottes rouges à talons aiguilles. Faut être culottée pour porter des bottes pareilles, ai-je songé, dans les vapes. J'en garde un souvenir très vif, je pourrais les reconnaître entre mille. Certains détails sont gravés en moi à jamais.

J'ai eu beaucoup de chance, de l'avis général. De la « chance », parce que c'est Aidan qui a absorbé toute la violence du choc. Son corps a arrêté la course du taxi fou, ne lui laissant plus qu'un peu de force, à peine assez pour me casser le bras et me déboîter la rotule. Bien évidemment, il y a eu des dommages collatéraux : le métal du plafond s'est vrillé, déchiré et m'a creusé une profonde entaille dans le visage ; et la portière, en se déchiquetant, m'a arraché deux ongles. Mais j'ai survécu.

Notre chauffeur, quant à lui, n'a pas eu une seule égratignure. Lorsque notre tour de manège infernal s'est enfin achevé, il est sorti du véhicule et nous a regardés par sa vitre, ou plutôt la béance qu'elle était devenue. Après un brusque mouvement de recul, il s'est penché en avant. Je me suis demandé ce qu'il faisait. Il vérifiait la pression de ses pneus ? Au bruit, j'ai compris qu'il était en train de vomir.

« L'ambulance arrive », a annoncé un homme, mais peut-être était-ce juste une voix dans ma tête. Pendant un bref instant, tout a été étrangement paisible.

Aidan et moi avons échangé un regard qui disait : Je n'arrive pas à y croire, ensuite il a dit : « Ma puce, ça va ?

— Oui. Et toi ?

— Oui. » Mais il avait une voix bizarre, elle gargouillait.

Sa chemise et sa cravate étaient maculées d'une tache de sang visqueuse et brune, et ça m'a causé de la peine car c'était une très jolie cravate, une de ses préférées à la vérité. « T'en fais pas pour la cravate, lui ai-je dit. On t'en achètera une autre.

— Tu as mal quelque part ?

— Non.» Sur le moment, je ne sentais rien. L'état de choc, en grand protecteur, peut nous permettre d'endurer l'insupportable. « Et toi ?

— Oui, un peu.» Là, j'ai compris qu'il souffrait le martyre.

Dans le lointain, des sirènes ont retenti ; elles se sont rapprochées jusqu'à être tout à côté, puis abruptement, en pleine complainte, se sont tues. *Elles sont pour nous. Je n'aurais jamais cru qu'une telle chose nous arriverait.*

Aidan a été libéré de l'amas de tôle, on s'est retrouvés dans l'ambulance et les choses ont semblé s'accélérer. Déjà nous étions à l'hôpital, sur des brancards qui dévalaient les couloirs, et, à en juger par l'attention que l'on nous portait, on devait être les gens les plus importants de ces lieux.

J'ai donné les détails de notre assurance maladie, dont je me souvenais avec une précision extrême – jusqu'à nos numéros d'adhérents. Je ne savais même pas que je les connaissais. On m'a tendu un formulaire à signer, mais je n'ai pas pu à cause de mon bras droit en piteux état ; on m'a assuré que ce n'était pas grave.

« Quel est votre lien avec le patient ? m'a-t-on demandé. Vous êtes sa femme ? son amie ?

— Les deux », a répondu Aidan, avec les mêmes gargouillis dans la voix.

Quand on l'a embarqué en salle d'opération, je ne réalisais toujours pas qu'il agonisait. Il était blessé, mais je ne concevais pas qu'on ne puisse pas le soigner.

« Soignez-le bien, ai-je dit au chirurgien, un homme de petite taille, bronzé.

— Je suis désolé, a-t-il répondu, mais il ne va probablement pas s'en sortir. »

Pardon ? J'avais sûrement mal compris. Une demi-heure auparavant, nous étions en route pour le restaurant. Et à présent ce type au teint cuivré m'annonçait qu'Aidan n'allait « probablement pas s'en sortir » ?

Il avait raison : Aidan est mort très vite, dix minutes à peine après notre arrivée à l'hôpital.

Aussitôt, la douleur a surgi dans mon bras, ma main, ma tête, mon genou. Mais la souffrance m'avait plongée dans un brouillard si épais que je me souvenais à peine de mon nom, alors essayer de comprendre qu'Aidan venait de décéder m'était impossible, autant qu'imaginer une couleur entièrement nouvelle. Rachel est arrivée avec Luke ; quelqu'un avait dû l'appeler. À sa vue, je me suis dit qu'eux aussi avaient dû avoir un accident – qu'est-ce qu'ils auraient fiché là, sinon ? – et j'ai été troublée par la coïncidence. Au moment où on m'administrait de la morphine, j'ai pensé à me renseigner sur l'autre chauffeur, celui qui nous avait emboutis.

Il s'appelait Elin. S'il avait les deux bras cassés, il ne souffrait d'aucune autre blessure. Tout le monde affirmait de façon catégorique qu'il n'était pas responsable de l'accident. D'après un paquet de témoins, il n'avait pas eu d'autre choix que de faire un écart pour éviter la femme en train de traverser, et ce n'était vraiment pas de chance que cette flaque d'huile se soit trouvée sur cette portion de la route.

De mes deux jours à l'hôpital, je ne garde que l'image d'un défilé incessant de gens. Les parents d'Aidan et Kevin, venus de Boston. Maman, papa, Helen et Maggie, d'Irlande. Dana et Leon – tellement en pleurs qu'on lui a donné des calmants à lui aussi –, Jacqui, Rachel, Luke, Ornesto, Teenie, Franklin, Marty, des collègues d'Aidan, deux agents de police qui ont pris ma déposition. Même Elin, le chauffeur de taxi, m'a rendu visite. Tremblant de partout, en larmes, les deux bras dans le plâtre, il s'est répandu en excuses, encore et encore, assis près de mon lit. En aucune façon je ne pouvais détester cet homme – il allait faire des cauchemars jusqu'à la fin de sa vie et ne s'installerait sûrement plus jamais derrière un volant. Mais prendre Elin en pitié m'a laissée perplexe : qui pouvais-je donc bien rendre responsable de la mort d'Aidan ?

Après, l'avion pour Boston. Direction : l'enterrement, qui ressemblait un peu à notre mariage, en version film d'horreur. Cette fois, j'ai avancé jusqu'à l'autel en fauteuil roulant, détaillée par des gens que je n'avais pas vus depuis une éternité. J'avais l'impression d'être dans un rêve où tout un tas de gens d'horizons différents se retrouvent inexplicablement réunis.

Puis encore un avion, à destination de l'Irlande cette fois – plus précisément du salon, où j'ai dormi –, et enfin retour à New York, où je venais à peine de réaliser tout ce qui s'était passé.

II

1

Environ une semaine après la mort de mon mari, j'étais dans le salon, en train de feuilleter le National Enquirer *– la seule lecture sur laquelle je pouvais me concentrer –, lorsqu'un papillon est entré par la fenêtre. Il était d'une beauté incroyable, avec ses ailes peintes d'un entrelacs de rouge, de bleu et de blanc. Pendant que je l'observais, émerveillée, il voletait dans la pièce, se posant tour à tour sur la radio, sur une plante en pot – comme pour me rappeler de l'arroser –, puis sur le fauteuil de mon mari. Ensuite, il s'est arrêté sur le journal que je lisais, peut-être pour demander :* « Qu'est-ce que c'est que ça, Dorothea ? » *(Il me faut souligner ici que mon défunt mari n'autorisait pas ce journal à la maison.)*

Il y avait As the World Turns *à la télé, mais le papillon voletait au-dessus de la télécommande – voulait-il un changement de programme ?* « À ta guise, ai-je déclaré. Je peux toujours essayer. »

J'ai passé plusieurs chaînes en revue, et quand je suis arrivée sur Fox Sports, *la belle créature s'est posée sur ma main, comme pour me signifier de m'arrêter là. Puis elle s'est installée sur mon épaule, et nous avons regardé l'*US Open ; *la pièce était emplie de calme, de paix. Au bout d'une demi-heure, le papillon a frémi, s'est envolé vers la fenêtre pour se* *mettre sur le rebord un moment – une façon de me faire ses adieux ? – et a finalement disparu dans le bleu du ciel. Pour moi, il ne fait aucun doute que j'ai reçu la visite de mon défunt mari. Il était venu me dire qu'il était avec moi, qu'il le serait toujours. De nombreuses personnes endeuillées ont rapporté le même genre de manifestations.*

J'ai posé mon livre, je me suis redressée en balayant des yeux le salon. Où était mon papillon ?

Cela faisait environ un mois que j'avais eu ma discussion du petit matin chez Jenni avec Rachel, et rien n'avait tellement changé. Je travaillais toujours jusqu'à pas d'heure pour un résultat médiocre, je dormais toujours sur le canapé, et Aidan était toujours mort.

Je me complaisais dans la routine que j'avais instaurée : levée à l'aube, j'appelais Aidan sur son portable, allais bosser dix heures minimum, rentrais à la maison, appelais de nouveau Aidan, m'inventais des histoires très élaborées dans lesquelles il n'était pas mort, pleurais quelques heures, m'assoupissais, me réveillais, et retour à la case départ.

Pleurer m'était d'un grand réconfort, mais j'avais du mal à trouver le temps de le faire, parce que mon visage mettait du temps à reprendre une apparence normale. Verser des larmes le matin était à éviter : ça se verrait quand j'arriverais au bureau. Idem à l'heure du déjeuner, pour les mêmes raisons. Mais le soir, c'était parfait. Toute la journée, je n'attendais que ce moment-là.

Les jours passaient, et seul me maintenait l'espoir que le lendemain serait plus facile. Mais il ne l'était jamais. La même horreur, la même incrédulité constituaient mon quotidien. C'était comme si, ayant ouvert la mauvaise porte, je me retrouvais dans un univers où tout était identique à ma vie – à part une grosse différence.

Ce matin-là, à mon habitude, je me suis réveillée dès l'aurore. Il y avait toujours une demi-seconde pendant laquelle je me demandais ce que j'avais vécu de si horrible, déjà. Puis je me rappelais.

Je me suis rallongée, avec dans les os une douleur sourde et persistante qui m'évoquait un rhumatisme ou de l'arthrite. Au début, j'avais pensé que j'avais chopé un virus, ou que des effets secondaires de l'accident se manifestaient. Mais mon docteur m'avait dit que ce que je ressentais était la « manifestation physique de ma peine ». Que tout cela était « normal ».

À la vérité, je ne ressemblais à rien : mes ongles se fendaient ; mes cheveux étaient ternes, cassants ; et, malgré l'accès illimité à tous les exfoliants et crèmes possibles et imaginables dont je disposais, ma peau continuait de se désagréger en minuscules lambeaux grisâtres.

J'ai avalé deux analgésiques, allumé la télé, mais comme rien ne m'intéressait, j'ai continué à feuilleter mon bouquin. Le titre ? *Parti pour toujours*. Super gai. Très indiqué pour remonter le moral des jeunes veuves.

J'en possédais quantité d'autres du même genre – envoyés par Claire de Londres, laissés devant ma porte par Ornesto, prêtés par Rachel, Teenie, Marty, Nell, et même l'ami étrange de Nell – et, bien que je n'aie pu me concentrer sur chacun d'eux plus d'un chapitre, j'avais remarqué que le papillon était un motif récurrent. Le mien ne s'était cependant toujours pas montré.

Mais d'abord, qui était cette femme ? Et son mari, là, qui lui interdisait de lire certains magazines ? Bon débarras, oui ! Et de toute façon, comment croire une femme qui décrivait quelque chose comme étant d'une « beauté incorrigible » ?

Cela dit, depuis que je m'étais plongée dans ce genre de littérature, je cherchais des papillons partout, ou bien des colombes, ou alors des chats, jusque-là inconnus dans le quartier. Je traquais désespérément un signe qu'Aidan était toujours avec moi, mais jusque-là je n'avais rien remarqué.

C'est souvent l'irrévocabilité de la mort que les gens ne supportent pas. Mais moi, ce qui me déchirait, c'est que j'ignorais où Aidan était parti. Il devait bien être quelque part, non ?

J'avais toujours cru que la chose la plus terrible qui puisse arriver était la disparition d'un être cher. Mais là, je connaissais pire. Si au moins Aidan avait été en prison, ou s'il s'était fait kidnapper, ou encore s'il avait pris la tangente, j'aurais pu me raccrocher à l'espoir de son possible retour.

Ma culpabilité envers lui était insupportable : alors que sa vie avait pris fin, brutalement, beaucoup trop tôt, moi, j'étais toujours là, vivante, en bonne santé ou presque, avec quantité d'opportunités offertes. Comme, lors de l'accident, son corps avait absorbé l'intégralité du choc, j'avais l'impression qu'il était mort pour que je puisse vivre, et que je lui avais escroqué le reste de sa vie. Un sentiment effroyable. Au plus profond de moi, j'étais convaincue que j'aurais mieux fait de mourir aussi, parce que j'avais trop honte de continuer à vivre alors qu'il n'était plus là.

À l'enterrement, le prêtre avait débité les inepties à la chaîne. La pire : Aidan était désormais dans un « endroit meilleur ». Foutaises ! J'avais d'ailleurs eu envie de le hurler, mais avec mes bandages, bourrée de sédatifs et cernée par les membres de ma famille, je n'avais été capable de rien.

Je n'avais jamais vraiment approché la mort avant Aidan. Il y avait bien eu le décès de mes grands-mères et grands-pères, mais on s'y attendait plus ou moins, vu leur âge : c'était dans l'ordre des choses. Aidan étant, lui, jeune, fort et beau, sa disparition était d'une folle injustice.

À la mort de mes grands-parents, j'étais trop immature ou ne me sentais pas assez concernée pour me demander s'ils étaient vraiment allés au paradis. Maintenant que j'étais obligée de penser à ce qu'il y avait après la mort, l'absence de certitude me terrifiait.

Adolescente, j'avais toujours voulu entrer en contact avec une sorte d'entité spirituelle. Pas le Dieu catholique avec lequel j'avais été élevée : bien trop ennuyeux, tout le monde avait accès à lui (à condition d'être irlandais). Mais un dieu à tout faire, un peu chamanique sur les bords – le dieu des dreamcatchers, des chakras et des jupes à frange. J'avais appris seule à lire les cartes de tarot, et je n'étais pas mauvaise. J'aimais y voir la preuve que j'étais un bon médium ; mais, avec le recul, je sais bien que c'était juste pour avoir épluché le mode d'emploi pendant des heures et appris la signification des symboles – et de toute façon, la plupart des filles se font tirer les cartes parce qu'elles veulent un petit ami. J'avais donc abandonné la cartomancie quelques années auparavant – même si je n'avais pas cessé pour autant de croire en un vague quelque chose.

Maintenant que j'étais dos au mur face à ce qui était devenu un enjeu capital, je m'apercevais que j'ignorais en quoi je croyais. Je ne croyais pas qu'Aidan était au paradis. Je ne croyais pas au paradis. Je ne croyais même pas en Dieu. Je ne croyais pas non plus ne pas croire en Dieu. Je ne pouvais me raccrocher à rien.

Je me suis préparée pour aller au bureau, j'ai appelé son portable comme tous les matins – et soudain, sous le coup de la frustration, j'ai hurlé, dans le vide : « Où es-tu ? Mais où es-tu, à la fin ? »

2

De : FamilleWalsh@eircom.net
À : Apprentiemagicienne@yahoo.com
Objet : Grosse commission !

Ma chérie,

J'espère que tout va bien. Ici, la vie est désormais un enfer, à cause de la vieille et de son chien. Après notre retour de l'Algarve, pas de signe de vie : on croyait que c'était bel et bien fini. Que nenni ! Ce matin, elle est revenue, pour mieux se venger. Elle est arrivée très tôt et a fait faire à son chien la « grosse commission ». Ton père a marché dedans en sortant acheter le journal et, comme tu sais, il n'est pas du genre à se jeter dans le feu de l'action, mais là, il a réagi. Il a dit que nous allions « tirer cette affaire au clair ». Ce qui impliquera Helen et ses « compétences ». Heureusement, étant elle aussi très agacée par cette histoire, elle est prête à enquêter « à titre gratuit ».

Ta mère qui t'aime

P.-S. : As-tu une idée de ce qui se trame ? Comme tu sais également, je ne suis pas du genre à avoir des ennemis. Tu crois que ça pourrait être la faute d'Helen ?

P.P.-S. : Nous avons eu le blues d'après vacances, en plus, surtout depuis que les coups de soleil de ton père se sont infectés, et parce que cette affaire nous a « démoralisés ». Ne le prends pas mal, mais j'espère que tu ne comptais pas venir nous rendre visite : on n'arrive déjà pas à se dérider, alors avec toi, n'en parlons pas.

De : LuckyStarInvestigations@yahoo.ie
À : Apprentiemagicienne@yahoo.com
Objet : Grand brûlé

Papa et maman sont rentrés de vacances. Papa a de vilains coups de soleil. Limite Elephant Man. Je me marre.

3

La douleur – une vraie décharge électrique – m'a réveillée, comme d'habitude, vers cinq heures du matin. Machinalement, j'ai avalé deux comprimés puis je suis restée allongée, immobile, les yeux fermés, à me persuader qu'Aidan était couché près de moi. *J'ai juste à tendre la main. Je sentirai ton corps tout chaud, encore ensommeillé, mais tu auras un début d'érection, et tu passeras tes bras et tes jambes autour de moi sans te réveiller complètement.* Le fantasme était si précis et convaincant que j'ai perçu son odeur et presque sa respiration. Alors, quand j'ai ouvert les yeux pour découvrir que je n'étais pas dans mon lit et que l'endroit où Aidan aurait dû se trouver était vide, une sorte de mugissement m'a échappé. Repliée sur moi-même, j'ai serré Dogly contre mon buste et tenté de chasser la souffrance en me berçant. En vain. J'ai allumé la télé. *Dallas.* Deux épisodes à la suite. Qui l'eût cru ?

Dernier générique juste après sept heures. Assez tard pour que je me lève. J'essayais de ne pas me présenter au travail avant huit heures ; mais, certains jours, rester au lit bien réveillée m'insupportait, et j'étais derrière mon bureau à six heures et demie.

M'occuper non-stop, travailler dur pour tenter d'empiler les journées, c'était la solution. Je m'abîmais parfois dans le boulot au point de me retrouver dans un autre monde, où, l'imagination prenant le dessus, je n'étais plus moi. Pour un instant.

Je me suis forcée à aller prendre une douche, puis j'ai composé le numéro de portable d'Aidan. C'est là que ça s'est produit. J'étais recroquevillée sur le fauteuil, me réjouissant à l'avance d'entendre sa voix – mais, au lieu de son message, j'ai eu droit à un bip long et strident. Est-ce que je m'étais trompée de numéro ? Déjà, j'avais un funeste pressentiment ; mes mains tremblaient tellement que j'arrivais à peine à appuyer sur les touches. J'ai retenu ma respiration et prié pour que tout aille bien. J'ai attendu sa voix, mais de nouveau le bip s'est mis en marche : sa ligne avait été coupée.

Parce que je n'avais pas payé la facture.

À l'exception du loyer, je n'avais honoré aucune facture. Leon et moi étions censés discuter de ma situation financière, mais il avait été incapable de retenir ses larmes assez longtemps pour qu'on y parvienne.

Dans un accès de panique, j'ai composé son numéro de bureau, mais quelqu'un d'autre – naturellement – a décroché. « Andrew Russell à l'appareil. » J'ai raccroché. Merde.

Merde merde merde.

J'avais des vertiges. L'impression que j'allais m'évanouir. « Comment je suis censée entrer en contact avec toi, maintenant, hein ? » ai-je demandé au vide autour de moi.

Je dépendais entièrement de ces conversations biquotidiennes. Bien sûr, on ne discutait pas vraiment, mais le son de sa voix m'avait permis de croire à moitié qu'un lien subsistait entre nous.

En l'espace d'une seconde, le besoin de lui parler a été tel que, soudain trempée de sueur, j'ai dû me ruer aux toilettes pour vomir.

Dix minutes, peut-être quinze, se sont écoulées sans que je puisse me relever et décoller ma tête de la céramique.

J'aurais donné n'importe quoi, même accepté de mourir, pour lui parler ne serait-ce que cinq minutes.

4

J'ai pris une seconde douche, enfilé à la va-vite une robe et une veste, mais j'étais tellement en retard que j'ai appelé Lauryn pour la prévenir que j'irais directement à mon rendez-vous de dix heures. Je devais nous approvisionner en articles censés faire la promo de Éclaire-Moi ! (Un enlumineur. Rien d'autre à en dire. Donc un lancement discret, avec petit budget.) Vu les limitations d'argent, je pensais offrir des lampes aux rédactrices beauté (en rebondissant ainsi intelligemment sur le thème de l'éclairage).

J'avais rendez-vous avec un marchand en gros qui importait des lampes originales. Certaines rappelaient des auréoles (vous les clippez à votre miroir, et votre reflet ressemble à un saint) ; d'autres, des ailes qui, greffées au dossier de votre canapé, vous font ressembler vous-même à un ange ; d'autres encore se composaient de néons rouges annonçant « Bar sélect », histoire de donner à votre salon des allures de bar à hôtesses.

Le taxi m'a déposée du mauvais côté de la rue. Tandis que j'attendais pour traverser, j'ai aperçu un homme que je connaissais et, machinalement, je lui ai adressé un signe de tête. Puis je me suis rendu compte que je ne me souvenais plus d'où je le connaissais, et j'ai eu peur d'avoir en fait dit bonjour à une célébrité.

Mais l'homme-mystère s'est arrêté pour me parler.

« Salut, petite. Alors, comment ça va ?

— Bien.

— Tu es la sœur de Rachel, pas vrai ? Je m'appelle Angelo. On s'est rencontrés un matin chez Jenni. »

Comment avais-je pu l'oublier, avec son visage si particulier en lame de couteau, ses traits tirés, ses yeux bruns, ses cheveux longs, son magnétisme à la Red Hot Chili Peppers ?

« Ça s'arrange, tes soucis ?

— Non. Pas du tout, surtout aujourd'hui.

— Tu veux prendre un café ?

— Impossible. J'ai un rendez-vous.

— Tiens, je te donne mon numéro. N'hésite pas à m'appeler si tu as envie de parler.

— Merci, mais je ne suis pas toxico, tu sais.

— Ça ne me dérange pas. Je ne t'en tiendrai pas rigueur. »

Il a gribouillé son numéro sur un bout de papier que j'ai accepté mollement. « Moi, c'est Anna.

— Anna, a-t-il répété. Prends bien soin de toi. Chouettes fringues, au fait.

— Au revoir », ai-je dit en laissant tomber le bout de papier au fond de mon sac.

Je suis allée à mon rendez-vous, mais j'étais à côté de mes pompes. Tout me passait au-dessus de la tête, et je n'avais pas l'énergie pour négocier sec avec Monsieur Lampes Fantaisie. Résultat : je suis repartie sans qu'on soit tombés d'accord.

De nouveau dans la rue, alors que je scrutais la circulation en quête d'un taxi, un type m'a tendu un tract. En général, je les jette dans la première poubelle venue, mais là, quelque chose a attiré mon attention.

DOMAINE MÉTAPSYCHIQUE

Découvrez votre avenir
Recevez des réponses de l'au-delà
Par un médium possédant le véritable don de double vue

Appelez Morna

Au-dessous figurait un numéro de téléphone, et soudain j'ai ressenti un accès d'excitation proche de l'hystérie. *Recevez des réponses de l'au-delà.* Je me suis arrêtée net au milieu du trottoir, provoquant un petit encombrement.

« Connasse, a dit quelqu'un.

— Touriste, a dit un autre (une insulte bien pire).

— Désolée. Pardon, pardon... » J'ai dégagé le passage pour aller m'isoler sur un pas de porte, et, tremblante d'espoir, j'ai composé le numéro. C'est une femme qui a répondu.

« Vous êtes bien Morna ?

— Oui.

— J'aimerais un rendez-vous.

— Vous pouvez venir maintenant ? Quelqu'un s'est désisté.

— Oui, bien sûr ! J'arrive tout de suite ! » Au diable le boulot !

Morna m'a indiqué le chemin ; l'appartement était à deux pas. Dans l'ascenseur un peu branlant, mon sang battait si fort que je me suis demandé quels étaient les symptômes de la crise cardiaque. *Oh, Aidan, et si elle arrivait à te capter, quelque part ? Et si on entrait en contact ? Si, enfin, je pouvais te parler ?*

Au bord des larmes – dues à l'excitation, l'espoir, le désespoir –, je suis arrivée devant chez Morna et j'ai sonné.

« Qui est-ce ?

— Je m'appelle Anna. Je vous ai téléphoné il y a cinq minutes. »

Après un bruit de chaînes et de clés, la porte a fini par s'ouvrir. En proie à ma folle attente, je m'étais imaginé Morna en jupe à fleurs et top brodé de perles en bois, les cheveux grisonnants en bataille, du khôl noir autour de ses yeux sages, évoluant dans un appartement à l'éclairage tamisé, avec tentures en velours rouge et abat-jour à frange.

Mais c'était une femme très ordinaire, d'une trentaine d'années, en jogging bleu marine. Un bon shampooing n'aurait pas été du luxe, et j'étais incapable de dire si ses yeux étaient sages ou non car elle évitait mon regard.

Son appartement aussi me décevait : dans un coin, une télé allumée plein pot ; des jouets d'enfants un peu partout, et une très forte odeur de toast.

Morna a baissé le son de la télé, m'a fait asseoir sur un tabouret haut au comptoir de la cuisine et m'a annoncé : « Cinquante dollars pour un quart d'heure. »

Un peu cher, mais dans l'état où j'étais, j'ai simplement répondu : « OK. »

Elle m'a tendu un jeu de tarot. « Coupez.

— Euh... au lieu de me tirer les cartes, est-ce que vous pourriez entrer en contact... » Comment devais-je le formuler ? « ... avec quelqu'un qui est mort ?

— Ça coûte davantage.

— Combien ? »

Elle m'a observée. « Cinquante de plus ? »

J'ai hésité. Pas tant pour le prix que pour la soudaine et désagréable impression de me faire avoir. L'impression que cette femme n'était pas plus médium que moi, mais un simple escroc prenant d'innocents touristes pour cible.

« Quarante, a-t-elle proposé, confirmant ce que je craignais.

— Ce n'est pas une question d'argent, ai-je lancé, de nouveau au bord des larmes. Mais si vous n'êtes pas médium, je vous en prie, dites-le-moi. C'est très important.

— Bien sûr que si, je suis médium.

— Vous êtes capable d'entrer en contact avec les morts ?

— Parfaitement. Vous voulez continuer, oui ou non ? »

Qu'est-ce que j'avais à perdre ? J'ai acquiescé.

« Bien. Alors… voyons ce que nous avons là… » Elle a pressé ses doigts contre ses tempes. « Vous êtes irlandaise, n'est-ce pas ?

— Oui. »

Elle a posé son regard aiguisé sur mes vêtements, mes cicatrices puis mon alliance.

« J'ai quelqu'un. »

Montée d'adrénaline.

« C'est une femme. »

Chute instantanée.

« Votre grand-mère.

— Laquelle ?

— Elle dit qu'elle s'appelle… Mary ? »

J'ai secoué la tête. Pas de grand-mère du nom de Mary au bataillon.

« Bridget ? »

Non de la tête.

« Bridie ?

— Non », ai-je lâché sur un ton d'excuse. Je déteste quand ils se trompent. Je suis terriblement gênée pour eux.

« Maggie ? Ann ? Maeve ? Kathleen ? Sinead ? »

Morna a énuméré tous les prénoms irlandais qu'elle connaissait, sans tomber sur un bon.

« Désolée », ai-je insisté. Mais je ne voulais pas qu'elle se décourage et me demande de partir. « Peu importe le prénom. Continuez. Qu'est-ce que vous voyez d'autre ?

— D'accord, ils ne me donnent pas toujours les bons prénoms, mais une chose est sûre : il s'agit bien de votre grand-mère. Elle dit qu'elle est très heureuse d'avoir de vos nouvelles. C'est un petit bout de bonne femme, avec un tablier à fleurs et une large jupe froncée. Elle a les cheveux gris attachés en chignon et des petites lunettes rondes.

— Je ne crois pas que ça soit ma grand-mère. Je crois plutôt que vous confondez avec *La Petite Maison dans la*

209

prairie. » Je ne voulais pas être méchante, mais, tiraillée entre espoir et déception, je n'acceptais pas cette perte de temps.

« Alors, à qui vous voulez parler ? » m'a-t-elle demandé, en réponse à mes sarcasmes.

J'ai ouvert la bouche, pris une profonde inspiration – qui s'est muée en sanglot. « À mon mari. Mon mari est mort. » Les larmes ont inondé mon visage. « Je veux lui parler. »

J'ai fouillé dans mon sac en quête d'un mouchoir tandis que, de nouveau, Morna pressait ses doigts contre ses tempes. « Je suis désolée, je ne sens rien. Mais il y a une raison à cela. »

J'ai levé la tête d'un coup. Que voulait-elle dire ?

« Vous dégagez une énergie terriblement négative, parce que quelqu'un vous a envoyé quantité de mauvaises ondes. Tous ces malheurs en découlent. »

Quoi ? « Vous voulez dire, comme une malédiction ?

— Malédiction est peut-être un peu trop fort, je n'aime pas ce mot, mais... oui... en effet, un peu comme une malédiction.

— Merde alors !

— Mais ne vous en faites pas... » Pour la première fois de la séance, elle a souri. « ... je peux vous en débarrasser.

— Vraiment ?

— Bien sûr. Je ne vous aurais pas annoncé d'aussi mauvaises nouvelles si je ne pouvais pas y remédier.

— Merci. Oh, mon Dieu ! Merci. » J'ai cru que j'allais m'évanouir de gratitude.

« On dirait bien que vous étiez destinée à venir ici aujourd'hui. »

J'ai acquiescé, mais j'en avais des sueurs froides. Et si je n'avais pas eu ce rendez-vous ce matin ? Si on ne m'avait pas tendu ce tract ? Si je l'avais jeté direct à la poubelle ?

« Alors, qu'est-ce qu'on fait ? Vous pouvez m'en débarrasser tout de suite ?

— Oui, bien sûr.

— Super ! On commence ?

— Sans problème. Mais vous devez comprendre que la suppression d'une malédiction telle que la vôtre va vous coûter une certaine somme.

— Ah ? Combien ?

— Mille dollars. »

Mille dollars ? Une gifle qui m'a sortie de ma bulle et propulsée dans la réalité. Cette femme était une arnaqueuse. Quelle action de sa part valait mille dollars ?

« Il faut le faire, Anna. Votre vie ne fera qu'empirer si vous ne vous occupez pas de ça.

— Il est certain que ma vie empirera si je jette mille dollars par les fenêtres.

— OK, cinq cents, a proposé Morna. Trois cents ? Bon, d'accord, pour deux cents dollars, je vous débarrasse de cette malédiction.

— Et pourquoi voulez-vous le faire pour deux cents dollars alors que c'était mille il y a une minute ?

— Parce que j'ai peur pour vous, ma jolie. Si on ne vous enlève pas cette saloperie de toute urgence, quelque chose d'horrible va vous arriver. »

De nouveau, la peur s'est emparée de moi. Mais que pouvait-il m'arriver ? Le pire à mes yeux avait déjà eu lieu. Et pourtant, si j'étais vraiment victime d'une malédiction ? Si c'était à cause d'elle qu'Aidan était mort ?

Suspendues entre la terreur et la suspicion, mes pensées se sont brusquement interrompues lorsque des enfants ont tapé contre la porte en demandant : « Maman ? On peut sortir maintenant ? »

Alors j'ai recouvré mes esprits et déguerpi aussi sec, dans une colère noire. J'en voulais à Morna, je m'en voulais d'être aussi stupide, j'en voulais à Aidan d'être mort et de me mettre dans une telle situation. J'ai marché, marché, et je crois que j'ai dû pleurer, parce qu'en arrivant au carrefour de Times Square une petite fille m'a montrée du doigt en constatant : « Regarde la dame, maman, elle est folle. » Cela dit, c'était peut-être à cause de mes vêtements.

En arrivant au bureau, je m'étais calmée. Je comprenais que je n'avais pas eu de chance : j'étais tombée sur un charlatan, quelqu'un qui jetait son dévolu sur les personnes vulnérables – en s'y prenant vraiment mal, parce que Dieu sait que j'étais vulnérable –, et je n'étais pourtant pas tombée dans le panneau.

Quelque part dans cette ville, il existe un vrai médium qui me fera entrer en contact avec toi. Il ne me reste plus qu'à le trouver.

5

De : FamilleWalsh@eircom.net
À : Apprentiemagicienne@yahoo.fr
Objet : Omelette norvégienne

Ma chérie,
J'espère que tu as passé un « bon » week-end. Si tu vois Rachel, dis-lui, s'il te plaît, que l'omelette norvégienne est un dessert magnifique. Les serveurs y allument des bougies à étincelles, éteignent la lumière, et l'apportent sur un grand plateau. Tu sais que je ne suis pas du genre à « pleurer comme un veau », mais quand on y a eu droit lors de notre dernière soirée au Portugal, c'était si beau que j'en ai eu les larmes aux yeux.

Maman

J'ai supposé que cette omelette norvégienne avait un rapport avec le mariage. Rachel ne se mariait qu'en mars, et déjà elles étaient en bisbille. Hors de question que je m'en mêle.

Cela dit, j'ai failli aborder le sujet ce soir-là, parce que Rachel a débarqué chez moi à l'improviste – elle tombait on ne peut plus mal : c'était l'heure de ma séance sanglots.

« Salut », ai-je lâché prudemment. J'aurais dû m'y attendre : je l'avais évitée tout le week-end.

« Anna, je m'inquiète pour toi, tu ne devrais pas travailler autant. »

C'était son principal sujet de récriminations : je me servais de mon travail comme excuse pour ne pas la voir – elle, ou quiconque. Et elle n'avait pas tort : il me devenait de plus en plus difficile de voir des gens, et maintenir une expression « normale » sur mon visage m'épuisait.

« Enfin, bosser tout le week-end, Anna ! Tu n'es pas raisonnable. »

Que pouvais-je lui répondre ? Impossible de lui dire la vérité, à savoir que j'avais consacré mon samedi et mon dimanche à passer des médiums en revue sur Internet, en demandant à Aidan de m'envoyer un signe pour m'indiquer le bon.

« Il y avait une urgence.

— Tu travailles dans les cosmétiques. Qu'est-ce qui pouvait être si urgent ?

— De toute évidence, tu n'es jamais sortie sans ton gloss.

— Oh, je te vois ven… Bref ! Écoute, je me suis déplacée parce que je n'arrive pas à te joindre par téléphone. Je veux dire "joindre" au niveau émotionnel, dans le sens d'atteindre, pas dans le sens strictement téléphonique.

— Je sais, je sais… Alors raconte : où en est l'organisation du mariage ? » Si elle ne cessait pas de me harceler, je lui sortirais : « Deux mots, Rachel. Omelette. Norvégienne. »

« Ah, m'en parle pas ! Luke et moi, on voulait juste un petit mariage. Avec les gens qu'on aime – et des gens qu'on connaît, surtout. Maman compte inviter la moitié de l'Irlande : quelques milliers de cousins au troisième degré plus tous les gens à qui elle a déjà adressé un signe de tête sur le terrain de golf.

— Peut-être qu'ils ne viendront pas. Ça fait loin, quand même…

— Hé, hé. Pourquoi tu crois qu'on se marie à New York ? Mais n'essaie pas de changer de sujet. Je te répète que je m'inquiète pour toi, Anna. Tu ne peux pas continuer ainsi, à

214

t'immerger dans ton travail en faisant comme si rien ne s'était passé. Il faut que tu sentes les choses, que tu les vives. C'est la seule façon d'aller mieux. T'as du Coca Light ?

— Aucune idée. Regarde dans le frigo... Tu as fait un truc à tes sourcils, non ?

— Je les ai colorés.

— C'est joli.

— Merci. Un coup d'essai avant le mariage, pour voir si je suis allergique. Pas envie de me retrouver avec des joues de poisson-lune le jour J.

— Alors, t'as trouvé du Coca ?

— Non. Un vrai désert, ton frigo. Anna, tu dois consulter un psy.

— Pour m'aider à acheter du Coca Light ?

— Le recours à l'humour est une technique de déviation classique. Je connais une spécialiste adorable. Très pro. Elle ne me répétera rien de ce que tu lui diras, je te le promets. Je ne lui poserai même pas de questions.

— J'irai.

— Vraiment ? Super !

— J'irai quand je me sentirai un peu mieux.

— Oh, Anna, pour l'amour du Ciel, voilà exactement ce que je te reproche ! Je te vois, là, mettre toute ton énergie dans ton boulot, en essayant d'oublier...

— Non, je n'essaie pas d'oublier ! » Cette pensée atroce était la dernière chose que je souhaitais. « J'essaie de... » Comment le formuler ? « J'essaie d'avancer assez pour pouvoir me souvenir... me souvenir sans que la douleur me crucifie. »

Et, de fait, les jours passaient. Les semaines. Les mois ! On était presque à la mi-juin et Aidan était mort en février. Mais j'avais toujours l'impression de me réveiller à peine d'un cauchemar, et d'être paralysée, dans un état de latence, entre le sommeil et la réalité – à laquelle j'aspirais sans pouvoir jamais la saisir.

« Excuse-moi, mais il y a une question que je dois te poser, m'a annoncé Rachel. Est-ce que tu as des pulsions suicidaires ?

— Non. Pourquoi ? Je devrais ?

— Hem, en fait... oui. C'est normal de penser que ça ne vaut pas la peine de continuer.

— Ben, décidément, je fais tout de travers !

— Ne dis pas ça ! As-tu une petite idée de la raison pour laquelle tu n'as pas envie de te suicider ?

— Parce que... Parce que si je mourais, je ne sais pas où j'irais, et surtout si Aidan y serait. Tant que je suis là, je me sens proche de lui. Tu vois ce que je veux dire ?

— Alors, tu as quand même envisagé de le faire ? »

Bien sûr que j'y avais songé. L'idée de mourir rôdait en permanence aux abords de ma conscience. Pas au point d'élaborer un plan, mais elle était bel et bien présente.

« Oui. Oui, il m'est arrivé d'y penser.

— Ah, tant mieux. Tant mieux. » Elle était visiblement soulagée. « Dieu merci. Bon, je vais te laisser. On n'a qu'à dîner ensemble dans la semaine.

— Je vois Leon et Dana mercredi soir, me suis-je empressée de répondre.

— Ah, très bien, ça... Moi, je ne serai pas là le week-end prochain. On essaie de se voir jeudi ? OK ? »

J'ai acquiescé.

« Bon, je me sauve, *bye*. »

Allongée sur le canapé, j'ai attendu que revienne mon envie de pleurer.

6

Devant le Diego's, Leon et Dana étaient en train de descendre de leur taxi tandis que je payais le mien. Un timing parfait. Comme souvent quand j'étais avec Aidan et qu'on sortait tous les quatre.

Il semblait y avoir un désaccord avec leur chauffeur ; ça aussi ne changeait pas.

Dana parle fort, a un avis tranché, et attire l'attention partout où elle va. Sa phrase préférée ? « C'est monstrueux » (prononcé « mooooooooonstrueux ») : beaucoup de choses le sont à ses yeux, surtout dans son boulot. Designer d'intérieur, elle pense que ses clients ont tous des goûts de chiottes.

À son côté, Leon avait l'air petit, empâté et inquiet. Peut-être parce qu'il est tout ça, en fait.

« Ne lui laisse pas de pourboire, Leon, lui a ordonné Dana. Leon. Ne. Lui. Donne. Pas. De. Pourboire. Il nous a fait faire un détour monstrueux ! »

Ignorant ses commentaires, Leon a compté et recompté ses billets.

« C'est n'importe quoi ! s'est indignée Dana. Il ne mérite pas autant ! » Mais trop tard : la main du chauffeur s'était refermée sur les billets.

Quand Leon m'a vue, son visage s'est éclairé. « Eh, salut ! »

Leon et Aidan étaient des amis d'enfance, et avec Dana et moi greffées sur leur duo, on avait formé un parfait quatuor ; on s'entendait très bien. On était fréquemment partis en week-end ensemble ; l'été précédent, on avait passé une semaine dans les Hamptons, et en janvier on était allés faire du ski en Utah.

Pour une raison que j'ignore, après mon retour de Dublin, parmi tous les gens que je connaissais, c'est Leon que j'avais mis le plus de temps à revoir. J'avais peur de constater l'ampleur de sa peine, car alors je verrais la mienne.

Mais voilà : Leon s'était montré aussi acharné à me revoir que moi à l'éviter. J'avais fini par céder quelques semaines auparavant.

« Très bien. Je réserve une table chez Clinton's Fresh Foods. »

L'idée m'avait horrifiée : il s'agissait non seulement de sortir, mais encore de recréer une de nos soirées à quatre.

« Pourquoi je ne passerais pas chez vous, plutôt ?

— Mais on va toujours au restaurant, quand on se voit pour dîner ! »

Question déni, j'étais battue.

À force de m'appeler, Leon avait aussi réussi à me faire venir chez eux pour lui tenir la main tandis qu'il pleurait en évoquant des souvenirs. Mais ce soir, pour changer un peu les choses, nous étions de sortie. Enfin, seulement au Diego's, notre restau de repli lorsque aucun nouvel établissement n'avait ouvert dans la semaine à Manhattan.

« Allez, on entre ? a proposé Leon. Je meurs de faim.

— Tu meurs toujours de faim. »

Sur le seuil attendait Diego en personne, qui s'est exclamé, ravi de nous accueillir : « Ah, bonjour ! Dites donc, ça faisait un bout de temps ! » Il a feint de ne pas remarquer ma cicatrice. « Une table pour quatre ?

— Pour quatre, oui, a répondu Leon en désignant notre table. On prend celle-ci en général. »

Diego a saisi les menus.

« Pour trois, avons-nous corrigé, Dana et moi.

— Quatre », a répété Leon. Après un silence terriblement gênant, son visage s'est fermé. « Hem, non, trois en fait.

— Trois ? a demandé Diego.

— Trois. »

Une fois à table, Leon n'a pas cessé de pleurer. « Excuse-moi, Anna, je suis désolé », répétait-il entre deux sanglots. Nous avons tout de même réussi à passer la commande.

« C'était mon meilleur ami, le meilleur pote qu'on puisse avoir.

— Elle est au courant, a dit Dana. Elle était mariée avec lui, tu te souviens ?

— Oh, Anna, je suis désolé, je sais que toi aussi tu souffres…

— Ça va, ça va… » Je ne voulais pas me prendre au jeu, voir lequel de nous deux verserait le plus de larmes. Je ne sais pas comment j'ai réussi, mais je me suis persuadée qu'il ne pleurait pas à cause d'Aidan. Il pleurait, point barre, et cela ne me concernait aucunement.

« Je donnerais n'importe quoi pour remonter le temps. Juste pour le revoir, vous comprenez ? » Il nous regardait d'un air interrogateur, le visage baigné de larmes. « Juste pour lui parler. »

Cela m'a rappelé ma recherche d'un médium. Dana en connaissait peut-être un. Dans son boulot, elle rencontre tout un tas de gens différents.

« Eh, au fait, est-ce que l'un d'entre vous connaîtrait un bon médium ? Un qui aurait bonne réputation ? »

Les larmes de Leon se sont figées un instant sur ses joues.

« Un médium ? Pour parler à Aidan ? Mon Dieu, il te manque à ce point ? » Et il a rouvert les vannes.

« Anna, les médiums, c'est de la connerie ! De la connerie, tu m'entends ? a affirmé Dana. Ils n'existent que pour prendre ton argent et profiter de toi. Un bon psy, voilà ce qu'il te faut.

— Je vois le mien trois fois par semaine, m'a informée Leon. Il dit que je fais des progrès. » Ensuite, il a pleuré jusqu'à la fin du repas, ne s'interrompant que pour commander une tarte au chocolat amer avec une boule de glace à la vanille à la place de la sauce caramel conseillée. « Sinon, le goût se perd », a-t-il précisé à Diego avec un sourire larmoyant.

7

... elle est entrée en contact avec ma mère, qui m'a confié où elle avait caché son alliance...

... j'ai enfin pu dire au revoir à mon frère et faire mon deuil...

... j'étais on ne peut plus heureuse de parler de nouveau à mon mari ! Il me manquait tellement...

Sur Internet s'étalaient des pages et des pages de témoignages semblables.

Mais comment leur faire confiance ? ai-je demandé à Aidan. *Les médiums peuvent avoir écrit eux-mêmes ces témoignages. Si ça se trouve, aucun d'entre eux ne vaut mieux que Morna. Tu ne peux pas m'envoyer un signe ? Je sais pas, moi, un papillon qui atterrirait sur le bon ?*

Mais aucun papillon n'a volé à mon secours. Il me fallait donc une recommandation personnelle. Seulement, à qui demander ? Je ne voulais pas que mon entourage me prenne pour une cinglée, ce qui arriverait pourtant. Rachel, par exemple : comme Dana, elle me dirait que tout ce dont j'avais besoin, c'était un psy. Quant à Jacqui, elle me conseillerait de sortir un peu plus, en ajoutant que je m'en porterais mieux.

Et si je me tournais vers mes collègues ? Pas Teenie – d'instinct, je savais qu'elle suivrait la ligne de Dana et

Rachel. Ni Brooke : elle serait tout bonnement horrifiée, son côté Blanche protestante l'incitant à ne croire en rien d'autre qu'en elle-même.

Les seules collègues à qui je pouvais m'adresser étaient les filles d'EarthSource – Koo ou Aroon, par exemple –, mais si je copinais trop avec elles, j'allais me faire étiqueter Alcoolique anonyme contre mon gré.

Le moral dans les chaussettes, j'ai consulté mes mails. Un seul, envoyé par Helen.

De : LuckyStarInvestigations@yahoo.ie
À : Apprentiemagicienne@yahoo.com
Objet : Au boulot !

Anna, j'ai du boulot – enfin, une vraie affaire ! Dans le crime. Depuis hier.

J'étais là à l'agence, à ne rien faire, les pieds sur le bureau, à me dire que si j'avais l'air d'un vrai détective il y aurait un peu d'action, au lieu de cette misérable histoire de « la grosse commission du chien-mystère ». Et là, comme par magie, par une manifestation de ma seule volonté – j'ai peut-être des pouvoirs spéciaux –, une voiture s'est garée devant, sur le passage piéton. Les agents chargés de la circulation du quartier étant féroces, je m'attendais à une bonne vieille bagarre. Puis j'ai constaté qu'il s'agissait d'une voiture de police banalisée. Je ne sais pas comment je l'ai su, mais je le savais. L'instinct de pro, sûrement.

Pas de vitres fumées, mais, à l'arrière, des rideaux roses nidd'abeilles, une sorte de voilage à l'italienne en plus petit. Véhicule banalisé. Deux drôles de types en sortent. Hou ! là ! là !

Grosses vestes en cuir avec, au niveau des poches, des bosses censées évoquer des revolvers – mais je parierais plutôt pour des sandwiches au fromage. Enfin bon, ça me change toujours des femmes qui déboulent en tablier dans leur voiture familiale et pleurent que leur mari ne les regarde plus...

Bref. Les deux types entrent, et l'un d'eux demande : Vous êtes bien Helen Walsh ?

Moi : On ne peut rien vous cacher !

Je sais, j'aurais dû dire : Oui, qui la demande ?

Mais je ne voulais pas passer à côté de cette affaire.

Pour l'instant, je n'ai pas le temps de te raconter, mais tout y est : criminels, pistolets, extorsion, action, paquet de fric... et c'est MOI qu'ils veulent ! Je promets d'écrire dans les moindres détails ce qui va se passer et de te l'envoyer. Ça vaut dix fois ce scénario à la noix : tellement plus excitant !
À bientôt pour un mail passionnant !

Toute cette histoire me semblait un peu tirée par les cheveux. Je me suis replongée dans mes recherches, alternant dans la barre Google des requêtes comme « Parler aux morts » et « Médiums pas escrocs ». J'ai fini par taper dans le mille.

L'ÉGLISE DE LA COMMUNICATION SPIRITUELLE

J'ai cliqué sur le nom du site – cette Église officielle semblait croire que l'on pouvait communiquer avec les morts !

Je n'en revenais pas...

Selon l'accueil du site, il y avait un service le dimanche à quatorze heures. J'ai regardé ma montre : trois heures moins le quart. Non, non, non, je venais de rater celui de cette semaine ! J'aurais bien hurlé de frustration, mais cela aurait averti de ma présence Ornesto, qui se serait précipité pour me harceler. Bref, j'irais la semaine prochaine.

L'idée de parler à Aidan m'emplissait d'espoir. J'en trépignais déjà et je me sentais prête à affronter le monde. Pour la première fois depuis la mort d'Aidan, j'avais envie de voir des gens.

Rachel était partie en week-end, alors j'ai appelé Jacqui. Directement sur son portable, parce qu'elle était toujours en vadrouille ; mais sa messagerie s'est déclenchée. À tout hasard, j'ai essayé son appartement, et elle a décroché.

« Incroyable ! Tu es chez toi ?

— Oui, je suis au lit, m'a-t-elle répondu d'une voix étouffée.

— Tu es malade ?

— Non, je pleure.

— Pourquoi ?

— Je suis tombée sur Buzz hier soir au SoHo House. Il était avec une fille qui doit être mannequin. Il a voulu me la présenter, mais il ne se souvenait plus de mon prénom.

— Bien sûr que si, il sait comment tu t'appelles. C'est du Buzz tout craché, ce genre de jeu. Il voulait juste te saper le moral.

— Oui, ben on peut dire que ça a marché ! Je passe ma journée sous la couette, stores baissés.

— Mais il fait un temps magnifique ! Tu ne devrais pas te terrer chez toi comme ça ! »

Elle a ri. « Eh, ça, c'est ma réplique !

— Allez, accompagne-moi au parc.

— Non.

— S'il te plaît.

— OK.

— Vraiment ? Quelle force de caractère...

— Non. En fait je viens de fumer ma dernière cigarette, alors il fallait que je sorte de toute façon. On se retrouve dans une demi-heure. »

Au moment où j'attrapais mes clés, le téléphone a sonné. Je suis restée à la porte, pour entendre qui c'était.

« Bonjour ma puce, a annoncé une voix de femme, Dianne, à l'appareil. »

Mme Maddox, la mère d'Aidan. Je me suis aussitôt sentie coupable : je ne l'avais pas jointe depuis l'enterrement. Elle non plus d'ailleurs. Sûrement pour la même raison : aucune de nous deux n'arrivait à accepter les faits. Pendant mon séjour en Irlande, maman l'avait appelée deux ou trois fois pour la tenir au courant de mon état de santé, mais, sans qu'on m'ait rien raconté, j'ai cru comprendre que ces échanges téléphoniques n'avaient pas été des plus courtois.

« J'ai téléphoné en Irlande, on m'a dit que vous étiez de retour à New York. Vous pourriez m'appeler ? Il faut qu'on parle de... des cendres. » Sa voix s'est brisée. Elle s'efforçait de se contenir mais des petits gémissements lui ont échappé. Brusquement, elle a raccroché.

Merde alors, il allait falloir que je la rappelle. J'aurais encore préféré qu'on me coupe une oreille.

Le parc était bondé. Je me suis trouvé un petit carré de pelouse, et Jacqui est arrivée quelques minutes plus tard – dans une robe en jean très courte, les cheveux attachés en queue-de-cheval, ses yeux rougis masqués par des lunettes-bandeau Gucci. La classe.

« Ce mec est un minable, ai-je lancé en guise d'introduction. Il a une bagnole de con et je suis sûre qu'il met du mascara.

— Mais on a rompu il y a plus de six mois. Pourquoi est-ce que ça me chamboule autant ? Je n'avais pas pensé à lui depuis une éternité. »

D'un air las, elle s'est étirée sur la pelouse, visage face au soleil.

« Pour ton prochain mec, t'envisagerais pas un papouilleur, dis-moi ? lui ai-je demandé. Au moins, il ne te proposerait jamais un plan à trois avec une prostituée.

— Ah non, ça me ferait vomir !

— Mais tous ces types sur lesquels tu jettes ton dévolu, ai-je constaté sur un ton d'impuissance, ils sont nuls ! »

Buzz était l'antithèse du papouilleur, et il était infâme.

Elle a haussé les épaules. « Que veux-tu, j'aime ce que j'aime. Je n'y peux rien... Dis donc, tu crois possible de se griller une clope ici sans se faire attaquer par des fascistes de l'air pur ? Allez, je tente le coup. » Elle s'est allumé une cigarette, a pris une longue bouffée, expiré lentement et murmuré d'un air rêveur : « De toute façon, c'était mon dernier mec.

— Arrête. Tu n'en penses pas un mot.

— Si, je t'assure ! Plus envie d'être avec quelqu'un. Ça ne m'était jamais arrivé : j'ai toujours voulu avoir un petit ami. Mais maintenant, il faudrait me payer cher ! Au début, ils sont tous trèèès sympa, alors comment on fait pour reconnaître les cons ? Regarde Buzz. À quoi j'aurais pu deviner qu'il était le plus grand connard de tous les temps ?

— Mais...

— Je vais prendre un chien, à la place. J'en ai vu de vraiment adorables qu'on appelle des labraniches, un croisement entre labrador et caniche, et je t'assure, Anna, ils sont à tomber. Ça ressemble à un petit caniche, sauf qu'ils ont le poil long et raide, avec une tête de labrador. C'est LE chien de ville. Tout le monde a son labraniche à New York.

— Ne prends pas de chien. À l'étape suivante, tu te retrouves avec quarante chats. Ne perds pas la foi. Je t'en prie.

— Trop tard. Buzz m'a trop déçue. Je crois que je ne pourrai plus jamais faire confiance à un homme. » Elle a ajouté sur un ton super sérieux : « Il m'a fait du tort » avant de se mettre soudain à rire. « On dirait Rachel, tu ne trouves pas ? Oh, ras le bol ! Si on se faisait plaisir, un peu ? Je finis ma clope, et on va se prendre une glace ?

— OK. »

Elle ne cessera jamais de m'étonner. Si j'avais ne serait-ce qu'un dixième de sa capacité à rebondir, je serais quelqu'un de très différent.

Nous sommes restées dans le parc jusqu'à ce que la chaleur du soleil diminue, puis on est rentrées chez moi et on a mangé thaï devant *Éclair de lune* en récitant presque toutes les répliques.

Comme au bon vieux temps.

D'une certaine façon.

De : LuckyStarInvestigations@yahoo.ie
À : Apprentiemagicienne@yahoo.com
Objet : Boulot !

Donc, comme je te disais, deux types entrent et l'un d'eux dit :
Vous êtes bien Helen Walsh ?
Moi : On ne peut rien vous cacher !
Anna, je te précise à ce stade que je rapporterai de nombreuses
conversations. Elles ne seront peut-être pas exactes au mot
près, mais que ce soit bien clair : si je paraphrase, je
N'EXAGÈRE RIEN.
Type nº 1 : Une de nos connaissances aimerait vous rencon-
trer. Nous avons pour instruction de vous conduire jusqu'à lui.
Montez dans la voiture.
Moi (*morte de rire*) : Primo, je ne monte pas dans une voiture
avec deux étrangers (essayez même un samedi soir, quand j'ai
quinze vodkas dans le nez : aucune chance) ; deuzio, hors de
question que je monte dans une voiture qui a des voilages à
l'italienne.
Tu te souviens, Anna, je t'avais parlé de ces affreux machins
roses aux vitres arrière.
Type nº 1 (*il lance une liasse de billets sur la table*) : Et avec
ça, vous montez dans la voiture ?
Moi : Y a combien ?
Lui (*il roule des yeux, parce que j'aurais dû deviner, vu l'épais-
seur du truc*) : Un k.
Moi : Un k ? Vous voulez dire mille euros ?
Lui : Ouais.

Hou ! là ! là ! Je peux te dire que j'ai tout compté ; il y avait bien mille euros.

Lui : Alors, vous acceptez de nous suivre ?

Moi : Ça dépend. On va où ?

Lui : Voir Mister Big.

Moi (*surexcitée*) : Mister Big ? De *Sex and the City* ?

Lui (*las*) : Cette foutue série a causé du tort aux figures du crime dans le monde entier. Le nom « Mister Big » est censé inspirer la terreur, pas incarner le raffinement et les sapes hors de prix... Bon, allez, montez dans la voiture.

Moi : Pas avant que vous m'ayez dit où on va exactement. Et ce n'est pas parce que je suis petite que vous pouvez me maltraiter. Je fais du taekwondo, vous savez. (Ben quoi ? oui, j'ai pris un cours avec maman.)

Lui : C'est vrai ? Et vous en faites où ? À Wicklow Street ? Parce que je donne des cours là-bas, mais je ne vous ai jamais vue. Bref. On vous emmène dans une salle de billard sur Gardiner Street, où l'homme le plus puissant du crime organisé de Dublin veut vous parler.

Qui pouvait résister à une invitation pareille ?

J'ai interrompu ma lecture. Tout cela était-il bien vrai ? On aurait plutôt dit la suite de son scénario. En mieux. Je lui ai répondu.

De : Apprentiemagicienne@yahoo.com
À : LuckyStarInvestigations@yahoo.ie
Objet : Mensonges ?

Helen, à propos de ce mail que tu m'as envoyé, je me demandais... est-ce que c'est vrai ? Tu n'as rien inventé ?

Réponse immédiate de l'intéressée :

Objet : Comment ça, mensonges ? !
Tout est vrai. Aussi vrai que je m'appelle Helen Walsh.

J'ai continué ma lecture.

Moi : Et sinon, vous avez un nom ?

Type n° 1 : Colin.

Moi : Et l'autre bozo, là, il a un nom ?

Lui : Non. Bozo fera l'affaire.

Moi : C'était l'idée de qui, ces rideaux roses ?

Lui : Madame Big.

Moi : Ah ! Parce qu'il y a une Madame Big ? !

Lui (*hésitant*) : Il se peut qu'il n'y en ait plus, en fait... C'est pour ça que le patron veut vous voir.

Et là, je me dis : Merde alors ! Moi qui me croyais au début d'une nouvelle carrière, on dirait que je vais encore me les geler dans des haies détrempées... Sauf que là, elles seront fréquentées par des dealers et des maquereaux... Super ! Sans compter le grand retour de la moustache.

On s'est garés devant la salle de billard miteuse, enseigne au néon orange. Colin m'a conduite dans la salle du fond, et fait asseoir sur une banquette dont le rembourrage – orange – sortait de tous les côtés. Pourquoi les sommités du crime organisé ne traînent-elles pas leurs guêtres dans des endroits chics, comme le bar du Four Seasons ?

Un petit homme propre sur lui était installé là – et il était tout sauf *big*. Fine moustache bien nette, bien taillée, un peu comme la mienne quand elle fleurit.

Lui : Helen Walsh ? Asseyez-vous. On vous sert à boire ?

Moi : Qu'est-ce que vous buvez ?

Lui : Du lait.

Moi : Berk. Je vais prendre un grasshopper.

J'aime même pas ça, en plus. Je déteste la crème de menthe, c'est comme du dentifrice à boire ; mais bon, je voulais juste me donner de l'assurance.

Lui : Kenneth, sers un grasshopper à mon amie qui vient d'arriver. Bien, Miss Walsh, parlons affaires. Tout ce qui est dit dans ces murs ne doit pas en sortir, je vous fais entièrement confiance. Vu ?

Moi : Mmmmm.

Parce que, sitôt rentrée, je raconterais tout à maman, et à toi.

Moi (*montrant Colin*) : Et lui ?

Mister Big : Rien à craindre. Colin et moi, on n'a pas de secrets l'un pour l'autre... Bien. Alors, il se passe que...

D'un coup, il a baissé la tête, mis une main devant ses yeux, comme s'il allait pleurer.

Colin : Patron, ça va ? Vous préférez qu'on remette ça à un autre moment ?

Mister Big (*il renifle, se recompose*) : Non, non, je vais bien. Miss Walsh, je veux que vous le sachiez, j'adore ma femme, Detta. Mais ces derniers temps, elle se montre... comment dire... distante, et si j'en crois mon petit doigt elle pourrait bien passer beaucoup de temps avec Racey O'Grady. Racey et moi, on poursuit chacun notre chemin depuis plusieurs années, côte à côte. Il a son domaine, j'ai le mien. L'une de mes activités inclut les services de protection...

J'ai cru qu'il parlait de sécurité, de gardes du corps et tout, mais j'ai vite compris qu'il s'agissait d'extorsion. Bizarrement, ça m'a donné mal au cœur.

Lui : Pour que vous ayez une idée de l'affaire, laissez-moi vous préciser deux-trois choses. Je n'ai rien du malotru qui se pointe chez les gens avec deux molosses armés de barres de fer. Je suis un homme d'affaires, avec des contacts au service de l'urbanisme, et des avocats, des notaires, des banques ainsi que des réseaux. Je sais tout à l'avance : un marché est conclu avant même que la première brique soit posée. Mais, au cours du dernier mois, deux entrepreneurs avec qui j'ai l'habitude de travailler m'ont dit avoir déjà contracté une assurance. Et je trouve ça très intéressant, voyez-vous, Miss Walsh, parce que très peu de gens sont au courant de ces projets. La plupart d'entre eux n'ont même pas encore obtenu l'approbation du comité d'urbanisme.

Moi : Et comment savez-vous que ce n'est pas une fuite provenant de ce comité, justement ? ou des entrepreneurs ?

Lui : Il faudrait alors que ce soit plusieurs fuites de sources différentes. Quoi qu'il en soit, tous les individus impliqués ont été... (*hésitation lourde de sens*)... interrogés. Ils n'ont rien à voir là-dedans.

Moi : Et vous pensez que c'est Racey qui marche sur vos plates-bandes ? Pourquoi lui ?

Lui : Parce que les gens interrogés me l'ont dit !

Moi : Bon, qu'est-ce qui se trame, à votre avis ?

Lui : Un homme moins parano que moi penserait que Detta me vole des infos pour les offrir à son Racey, et que tous les deux sont en train de m'arnaquer.

Moi : Et si c'est le cas ?

Lui : Ça ne vous regarde pas. Je vous demande juste de me fournir des preuves qu'ils sont bien ensemble. Je ne peux pas la suivre, et elle connaît mes hommes aussi bien que leurs voitures. Voilà pourquoi, contre l'avis de tout le monde, je fais appel à un étranger – en l'occurrence, une étrangère.

MOI : Comment avez-vous entendu parler de moi ?
Je me dis que je dois déjà être une légende vivante dans le monde des enquêtes privées dublinoises.
LUI : Par les Pages jaunes.
MOI (*un brin déçue*) : Ah. Oui.
LUI : Le truc à savoir sur Detta, c'est que cette femme a la classe.
Là, je pense aux rideaux roses : j'crois pas, non.
LUI : Detta est issue de l'aristocratie du crime organisé de Dublin. Son père était Chinner Skinner.
Il a prononcé son nom comme si je devais le connaître.
LUI : Chinner est l'homme qui a ouvert les portes de l'Irlande à l'héroïne. Nous avons tous une dette énorme envers lui. Bref, je veux dire par là que Detta n'est pas née de la dernière pluie. Vous avez une arme ?
MOI : Non.
LUI : On va vous fournir un pistolet.
Puis Mister Big s'est levé. Il était encore plus petit que ce que j'avais imaginé, vraiment très court sur pattes.
MISTER BIG : Bien. Je dois y aller. Colin vous apportera plus tard votre arme, davantage d'argent, des photos de Detta, de Racey... Une dernière chose, Miss Walsh : si vous me foirez ce coup, je serai très ennuyé. Et la dernière fois que ça m'est arrivé – quand était-ce, Colin ? Vendredi dernier ? –, j'ai crucifié l'enculé sur une table de billard.
Il m'a regardée longuement puis il a tourné les talons. Heureusement que la peur est pour moi un sentiment inconnu, parce que sinon, je t'assure, j'aurais fait pipi dans ma culotte !

Le mail d'Helen s'achevait sur cette irrésistible remarque. J'ai fait dérouler le reste de la page : c'était bien la fin. Dommage, je venais de passer un bon moment. Je savais évidemment qu'elle exagérait beaucoup, même si elle insistait sur la véracité des faits. Mais elle était tellement drôle, téméraire et pleine de vie que ces qualités avaient un peu déteint sur moi.

9

J'ai encore consulté ma montre. Quatre minutes seulement s'étaient écoulées depuis la fois précédente. Comment était-ce possible ? J'avais l'impression que cela faisait plus d'un quart d'heure.

J'arpentais l'appartement en attendant l'heure de partir pour l'Église spiritualiste. Il m'avait fallu fournir des efforts incroyables pour ne pas en parler à tout le monde – Jacqui, Rachel, Teenie, Dana. Mais j'avais trop peur qu'elles me fassent enfermer.

Pendant mes allers-retours entre la chambre et le salon, je négociais avec un dieu dans lequel je ne croyais plus. *Si Aidan se manifeste et me parle aujourd'hui, je... je... Quoi ? Je croirai en toi à nouveau. On ne peut pas dire mieux, si ?*

Tu vois ? ai-je lancé à Aidan. *Tu te rends compte, un peu, de ma promesse ? Tu vois jusqu'où je suis prête à aller ? Alors, tu ferais mieux de te montrer.*

J'ai quitté l'appart dix fois trop tôt, pris le métro puis marché, marché, l'estomac noué par l'angoisse.

Plus je me rapprochais de l'Hudson, plus le paysage devenait morne, envahi par les entrepôts et les mouettes. Entre cette partie de la ville et la 5e Avenue se trouvait un monde. Les immeubles étaient plus bas et resserrés, ramassés sur le trottoir comme s'ils avaient peur qu'on les frappe. Il faisait toujours plus frais par ici ; l'air était différent, plus vif.

Plus j'allais vers l'ouest, plus l'angoisse montait : il ne pouvait pas y avoir d'église dans un endroit pareil. *Qu'est-ce que je dois faire ?* ai-je demandé à Aidan. *Je continue à avancer ?* Je me suis sentie encore plus mal en découvrant le bâtiment en question. Rien à voir avec une église ; ça ressemblait plutôt à un entrepôt reconverti. Pas si reconverti que ça, d'ailleurs : j'avais à coup sûr commis une terrible erreur.

Mais, dans le hall, une plaque indiquait que l'Église de la communication spirituelle se trouvait au cinquième étage.

Elle existait donc.

Toujours incrédule, j'ai relu mon bout de papier. Salle 514.

Il y avait bien, juste au bout du couloir, une salle 514 ; cependant, elle était quasiment vide, excepté une dizaine de chaises disposées en cercle sur un parquet poussiéreux en piteux état.

J'étais tentée de partir. C'était tellement fou d'être venue ici... Et puis ce fichu espoir s'en est mêlé, celui de parler à Aidan. Certes, j'étais en avance ; mais à présent que j'avais fait tout ce chemin, je pouvais bien attendre pour voir si d'autres personnes arrivaient.

« Excusez-moi ? a lancé une voix. Vous êtes là pour le spiritualisme ? »

J'ai tourné la tête. Un jeune homme d'une vingtaine d'années me regardait avidement. Il a remarqué ma cicatrice sans montrer aucun signe de répulsion.

« Oui, ai-je répondu prudemment.

— Super ! C'est toujours un plaisir de voir de nouvelles têtes. Je m'appelle Nicholas.

— Anna. »

Il m'a tendu la main et, face à sa jeunesse et au piercing de son sourcil, je me suis demandé s'il me proposait une poignée de main classique ou un de ces trucs compliqués que font les jeunes, mais il m'a simplement serré la main.

« Les autres ne vont pas tarder à arriver. »

Ce Nicholas tout maigre – au jean trop grand – avait le corps noueux, des cheveux bruns en pétard, des baskets montantes rouges et un T-shirt sur lequel on pouvait lire « N'AYEZ PAS PEUR. N'AYEZ PEUR DE RIEN ». Il portait au poignet plusieurs bracelets tissés, au moins trois gros anneaux d'argent, et avait l'avant-bras tatoué – un symbole en sanscrit qui signifiait un truc du genre « Le seul mot est l'amour » ou « L'amour est la réponse ».

Il avait l'air normal – dans l'allure comme dans la voix... D'un coup, je me suis dit : Mais pourquoi il ne serait pas normal ? Moi, j'étais ici sans être anormale – seulement en deuil et désespérée.

Maintenant que j'avais quelqu'un sous la main, les questions se bousculaient dans ma tête.

« Nicholas... euh... vous êtes déjà venu ici ?

— Oui.

— Et la personne qui canalise... euh...

— Leisl.

— Oui, Leisl. Est-ce qu'elle communique vraiment avec... » Je ne voulais pas dire « avec les morts ». « ... avec le monde des esprits ?

— Oui. » Il avait l'air surpris. « Bien sûr.

— Elle délivre des messages de gens... de l'au-delà ?

— Oui, elle possède un don incroyable. Mon père est mort il y a deux ans, et, grâce à Leisl, je lui ai bien plus parlé durant ces deux dernières années que de son vivant. On s'entend beaucoup mieux depuis qu'il est décédé. »

D'un coup, j'ai ressenti une impatience que je n'avais jamais éprouvée.

« Mon mari est mort, ai-je lâché. J'ai très envie de lui parler.

— Je comprends, a assuré Nicholas. Mais Leisl n'est pas une opératrice téléphonique, hein ? Si la personne en

235

question ne désire pas être contactée, elle ne peut pas la pourchasser, ni la harceler.

— Je suis allée voir une autre femme.» Je parlais à toute vitesse. «Elle se prétendait médium, mais c'était une escroquerie. Elle a dit que j'étais victime d'une malédiction et qu'elle pouvait m'en débarrasser en échange de mille dollars.

— Ah... il faut faire super gaffe...» Nicholas a secoué la tête d'un air piteux. «Il existe dans cette ville un tas d'arnaqueurs qui profitent de la faiblesse des gens. Leisl ne demande que l'argent pour payer le loyer. Tiens, quand on parle du loup...»

Venait d'apparaître une petite femme aux jambes arquées, les bras chargés de sacs de courses – et, dans l'un d'eux, un plat de lasagnes surgelées pour une personne avait formé des gouttelettes de condensation. Leisl avait les cheveux frisés, mais ses boucles semblaient de travers : un accident de permanente, sans doute.

Nicholas a fait les présentations. «Voici Anna. Son mari a passé l'arme à gauche.»

Aussitôt, Leisl a posé ses sacs par terre et m'a serrée fort contre elle, attirant mon visage dans son cou de sorte que j'ai eu du mal à respirer à travers la jungle de sa chevelure. «Ça va aller, ma douce.

— Merci, ai-je bredouillé la bouche pleine de cheveux, au bord des larmes devant tant de gentillesse.

— Mackenzie arrive», a-t-elle annoncé en desserrant son étreinte.

Je me suis retournée pour apercevoir une fille qui traversait le couloir comme s'il s'agissait d'un podium de défilé. Une princesse de Park Avenue au brushing bien lisse, sac à main Dior, sandales compensées au talon si haut que la plupart des gens se fouleraient la cheville en marchant avec.

«Elle vient ici ? ai-je demandé.

— Elle vient toutes les semaines.»

D'après son apparence, elle n'avait rien à faire à New York. Elle aurait dû être en vacances dans une demeure de style colonial dans les Hamptons jusqu'au début de septembre. J'ai repris confiance. Si Mackenzie pouvait s'offrir le meilleur médium (à condition que le meilleur soit le plus cher), mais qu'elle choisissait de venir ici, c'était très bon signe.

Derrière elle marchait d'un pas lourd un type qui devait faire ses deux mètres ; il portait un costume de croque-mort et avait le teint verdâtre. « Et voici Fred, notre mort-vivant à nous, m'a murmuré Nicholas. Allez, aide-nous à installer la pièce. »

Leisl avait mis une cassette de violoncelle qui donnait le frisson, et elle allumait des bougies tandis que les gens entraient.

Une fille au visage rond, mal fagotée, sans doute plus jeune que moi mais donnant l'impression d'avoir complètement abandonné ; un monsieur plus âgé, petit et soigné, aux cheveux gominés ; quelques femmes d'un certain âge aux tics nerveux et pantalons à taille élastique.

À l'arrivée d'un autre homme, Nicholas m'a attrapée par le bras. « Ah, Mitch... Sa femme y est restée elle aussi. Vous devez avoir plein de choses en commun. Viens faire sa connaissance. »

Il m'a tirée à travers la pièce. « Mitch, je te présente Anna. Son mari est mort – quand ça ? Il y a quelques mois ? Elle s'est fait arnaquer par une médium à la noix selon laquelle elle était victime d'une malédiction. J'ai pensé que tu pourrais l'aider, peut-être lui parler de Neris Hemming. »

Lorsque mon regard a croisé celui de Mitch, j'ai eu l'impression d'avoir touché une clôture électrique : bzzzzz, la connexion était établie. Lui comprenait, et il était bien le seul. Au-delà de ses yeux, je percevais son âme morne et abandonnée, et reconnaissais ce que je voyais.

10

Tout le monde était assis et donnait la main à ses voisins. Pour ma part, placée entre une dame qui portait des sandales en pneu et le monsieur gominé, j'étais bien contente de ne pas avoir à tenir celle de Fred, le mort-vivant. Nous n'étions que douze, en comptant Leisl ; mais avec la lueur vacillante des bougies et le gémissement du violoncelle en fond sonore, l'atmosphère était bonne. Les morts ne devraient pas hésiter à se montrer.

Leisl a fait un petit discours d'intro, m'a souhaité la bienvenue, puis a parlé de respiration profonde, de concentration, et conclu qu'elle espérait voir l'« esprit » fournir ce que chacun désirait. Ensuite, nous avons eu le droit de nous lâcher les mains.

Le silence est tombé sur l'assistance. Et a duré. Duré. Toujours pas un mot. Je me suis mise à bouillir de frustration. Mais quand donc cette putain de séance allait-elle commencer ? J'ai ouvert un œil pour observer les visages éclairés à la bougie. Constatant que Mitch me regardait, j'ai aussitôt refermé les paupières.

D'un coup, Leisl s'est mise à parler, me faisant sursauter.

« J'ai un homme de grande taille... » Mes yeux se sont rouverts. Je mourais d'envie de lever la main, comme à l'école, en disant : « Moi ! Moi ! »

« Un homme très grand, large d'épaules, aux cheveux bruns. » Coup dur. Rien pour moi.

« On dirait ma mère », a remarqué Fred d'une voix lente. Leisl a semblé s'agiter quelques secondes. « Fred, je suis désolée. Oui, il s'agit bien de ta maman. Elle veut que je te recommande de bien faire attention dans le métro. Elle dit que tu es trop distrait, tu pourrais glisser.

— C'est tout ? a demandé Fred après un silence.

— C'est tout.

— Merci, maman.

— J'ai le père de Nicholas, à présent. » Leisl s'est tournée vers Nicholas. « Il me dit – désolée, mais ce sont ses mots – qu'il en a ras le bol de ton attitude.

— Ah, tiens, ça change, a constaté Nicholas avec un large sourire.

— La situation à ton travail pose problème ? » Nicholas a acquiescé.

« Ton père dit que tu rejettes la faute sur ton collègue, mais que tu dois prendre tes responsabilités concernant ce qui est arrivé. »

Nicholas s'est étiré, puis gratté la poitrine d'un air pensif. « Peut-être, ouais, il doit avoir raison. Merci, papa. »

Un autre silence s'est ensuivi. Ensuite, quelqu'un s'est manifesté pour la dame aux sandales en pneu – qui s'appelait Barb – et lui a recommandé d'inclure l'huile de colza dans son régime.

« C'est déjà fait, a répondu Barb, irritée.

— *Davantage* d'huile de colza, s'est empressée de préciser Leisl.

— Ah. OK. »

Une autre dame plus âgée a été contactée par son mari, qui lui disait de « continuer à faire le bien autour d'elle » ; la mère de la jeune femme mal fagotée est venue lui assurer que tout allait fonctionner pour le mieux ; quelqu'un a conseillé à

Juan, le gominé, de vivre plus dans le présent ; et la femme de Mitch lui a déclaré qu'elle était heureuse de l'avoir vu sourire un peu plus souvent cette semaine.

Que des platitudes vides de sens, vaguement spirituelles. Du réconfort, certes, mais de toute évidence rien qui provenait de l'au-delà.

Du foutage de gueule, étais-je en train de songer, juste au moment où Leisl m'a annoncé : « Anna, j'ai quelqu'un pour toi. »

Un brasier m'a consumée de l'intérieur ; j'ai failli vomir, m'évanouir, faire le tour de la pièce en courant. *Merci Aidan, merci, merci !*

« C'est une femme. » *Merde.* « Une femme assez âgée, elle parle très fort. » Leisl a semblé quelque peu désemparée. « Elle crie presque. Et elle tape de sa canne par terre pour se faire entendre. »

Doux Jésus ! Ça ressemblait à grand-mère Maguire ! Elle faisait exactement cela quand elle venait passer quelques jours à la maison et qu'elle avait envie d'aller aux toilettes – elle tapait sur le parquet avec sa canne pour que quelqu'un monte l'aider, tandis qu'en bas on tirait à la courte paille pour savoir qui s'y collerait. Elle me terrorisait. Elle terrorisait toute la famille. Surtout lorsqu'elle n'avait pas demandé à aller aux toilettes depuis un petit bout de temps.

« Elle dit que c'est à propos de ton chien. »

Il m'a fallu un moment avant de bredouiller : « Je n'ai pas de chien. Enfin, j'en ai bien un en peluche, mais pas un vrai.

— Tu envisages d'en prendre un. »

Ah bon ? « Non, pas du tout. »

Mackenzie s'en est mêlée. « Moi, j'ai un chien, ça doit être pour moi !

— OK. » Leisl s'est tournée vers elle. « L'esprit dit que ce chien a besoin de faire plus d'exercice, il grossit à vue d'œil.

— Mais je le sors tous les jours ! Enfin pas moi, sa nounou. Jamais je n'aurais un chien trop gros ! »

Leisl semblait suspicieuse. Elle a jeté un œil à l'assemblée. Quelqu'un d'autre aurait un chien en mal d'exercice ?

Pas de preneur.

Foutaises, j'ai pensé. On se fout vraiment de nous, ici !

D'un coup, la porte s'est ouverte, la lumière s'est allumée et quatre ou cinq personnes sont entrées. Il était temps pour nous de libérer la salle.

« Bien, à la semaine prochaine », nous a lancé Leisl, tandis que notre groupe mettait des billets dans un bol, se levait ou soufflait sur les bougies.

11

Une fois dans le couloir, ma déception était si grande que je n'ai pu la cacher.

« Alors ? » m'a demandé Nicholas.

Le cou un peu rigide, j'ai secoué la tête. Non.

« Non, hein, a-t-il admis un peu tristement, j'imagine que ça n'a pas trop marché pour toi. »

Leisl est sortie en courant et m'a saisie par le bras. « Je suis désolée, ma douce ; j'avais vraiment envie de capter quelque chose de bon te concernant, mais je ne contrôle jamais ce qui se présente à moi...

— Et si on essayait... Euh... Vous seriez disponible pour une séance individuelle ? » En l'absence de tous ces parents décédés des membres de l'Église qui parlaient d'huile de colza et autres bêtises à l'oreille de Leisl, peut-être qu'Aidan aurait l'occasion de se manifester ?

Leisl a secoué la tête, pleine de regret. « Les séances individuelles ne marchent pas avec moi. J'ai besoin de l'énergie de groupe. » Ne serait-ce que pour cette réponse, je l'ai respectée. Je lui faisais presque confiance.

« Mais parfois, il m'arrive d'obtenir un message de façon complètement inattendue – par exemple quand je suis devant ma télé en train de regarder *Larry et son nombril*. Si jamais ça se produit pour vous, je vous le ferai passer.

— Merci, je... »

Je n'ai pas eu le temps de finir parce que sans crier gare, son corps s'est raidi et ses yeux se sont mis à papillonner. « Oh... là, je sens quelque chose pour vous. Eh bien, qui l'eût cru ? »

Mes genoux se sont liquéfiés.

« Je vois un petit garçon, un blondinet. Il porte un chapeau. C'est ton fils ? Non, non, pas ton fils... Ton neveu ?

— Mon neveu, oui, JJ. Mais il est vivant...

— N'empêche, il compte pour toi. »

Merci de me dire ce que je sais déjà !

« Il va prendre encore plus d'importance. »

Qu'est-ce que ça voulait dire ? Maggie allait mourir, et j'allais devoir épouser Garv et devenir la belle-mère de JJ et Holly ?

« Désolée, ma douce, j'ignore ce que ça signifie précisément, je ne fais que transmettre le message. » Là-dessus, Leisl a disparu au fond du couloir avec son plat de lasagnes, les jambes tellement arquées qu'on aurait pu croire à une imitation de Charlie Chaplin.

« Qu'est-ce que c'était ? a demandé Nicholas.

— Mon neveu, d'après elle.

— Et pas ton mari ?

— Non.

— OK. Attends, je vais chercher Mitch. »

Le Mitch en question était en pleine discussion avec Barb, la femme aux sandales en pneu qui était vraiment cool si l'on considérait ses soixante ans bien sonnés : en plus de ses sandales branchées, elle avait un grand sac fourre-tout qu'on aurait dit tricoté avec des bandes magnétiques.

« Mitch va te parler de Neris Hemming, a ajouté Nicholas. Elle fait pas mal d'émissions à la télé, et elle a même aidé la police à retrouver l'assassin d'une petite fille. Elle est tellement douée qu'elle s'est adressée à Mitch avec la voix de sa femme... Mitch ! Hé, tu peux venir s'il te plaît ?

— Allez-y, Mitch, allez les rejoindre, a lancé Barb d'une voix rocailleuse. Je vais sortir fumer une cigarette... Qui l'eût cru ? J'ai marché aux côtés de Martin Luther King dans sa campagne pour les droits civils, j'ai mené les combats justes dans la libération des femmes, et me voici à présent obligée de me cacher comme une malotrue pour aller fumer ma cigarette ! Comment ai-je pu tourner aussi mal ? » Elle s'est mise à rire. « Bon, à la semaine prochaine, les enfants. »

Mitch nous a rejoints.

« Vas-y, m'a dit Nicholas, raconte-lui tout. »

J'ai dégluti avec difficulté. « Mon mari est mort et si je suis venue ici aujourd'hui, c'était dans l'espoir d'entrer en contact avec lui. Je voulais lui parler. Savoir où il se trouve. » Ma gorge s'est serrée. « Voir s'il va bien. »

Mitch comprenait le moindre de mes mots, je le voyais.

« Je lui ai raconté que tu avais vu Neris Hemming, lui a expliqué Nicholas. Elle a capté ta femme, elle a parlé avec sa voix, pas vrai ? »

Mitch a souri en réponse à l'enthousiasme de Nicholas. « Elle n'a pas parlé avec sa voix, mais, oui, j'ai vraiment échangé avec Trish, c'était bien elle. J'ai vu une flopée de médiums, et ça n'a marché qu'avec Neris Hemming. »

Mon cœur battait à tout rompre, j'avais la gorge sèche.

« Vous avez un numéro où la joindre ?

— Bien sûr. » Il a sorti un agenda. « Mais elle est très demandée. Il vous faudra sûrement attendre longtemps avant de pouvoir la rencontrer.

— Tant pis.

— Et... ce n'est pas donné non plus. Attention, ça va faire mal : deux mille dollars pour une demi-heure. »

J'étais sous le choc : ce prix était prohibitif, et l'état de mes finances catastrophique. Aidan n'avait pas d'assurance-vie

– moi non plus d'ailleurs : d'une part, aucun de nous deux n'avait eu l'intention de mourir ; de l'autre, notre loyer était si élevé que payer la part d'Aidan en plus de la mienne bouffait la quasi-totalité de mon salaire. On avait commencé à économiser pour s'acheter une maison, cependant cet argent était bloqué sur un compte bizarre pendant encore un an. Enfin, j'utilisais mes cartes de crédit sans me soucier le moins du monde de mes dettes grandissantes. Mais je me fichais royalement de ce qu'il m'en coûterait si je les aggravais encore pour cette Neris Hemming.

Complètement déconcerté, Mitch fouillait dans son agenda. «Je ne le trouve pas. J'aurais pourtant juré qu'il était là. Ça m'arrive sans cesse, je n'arrête pas de perdre des trucs... »

Idem pour moi. Très souvent, je pensais avoir dans mon sac à main des objets qui n'y étaient pas. Ce Mitch et moi étions vraiment sur la même longueur d'onde.

«Mais je vais le retrouver, a affirmé Mitch. Il doit être quelque part chez moi. Je vous l'apporte la semaine prochaine, ça vous va ?

— Et si je vous donnais mon numéro, pour que vous m'appeliez quand vous aurez remis la main dessus ?

— D'accord. » Il a pris ma carte.

«Je peux vous poser une question ? Pourquoi est-ce que vous continuez à venir ici après avoir rencontré quelqu'un d'aussi doué que Neris Hemming ? »

Les yeux perdus dans le lointain, il a paru réfléchir. «Après avoir parlé à Trish via Neris, j'ai réussi à voir les choses différemment. Et puis, ma foi, j'aime bien venir ici. Leisl est douée, à sa manière. Elle ne tombe pas dans le mille chaque semaine, mais en moyenne elle s'en sort très bien. Et les gens que je côtoie ici comprennent ce que j'endure – à l'inverse de tout mon entourage, pour qui je devrais être remis, depuis le temps. Alors, quand je viens dans cette salle, je peux être moi-même. » Il a rangé ma carte dans son porte-feuille. « Je vous appellerai.

— Oui, s'il vous plaît », ai-je répondu.

Parce que je n'avais aucune intention de remettre les pieds ici.

12

Mais, un peu plus tard, une fois à la maison, je me suis demandé si Leisl n'avait pas raté son coup de peu. L'« esprit » ou la « voix » qu'elle avait évoqué ressemblait en effet à grand-mère Maguire. Ensuite, la connexion avec les chiens : certes, c'était sorti de sa bouche de façon un peu embrouillée, avec cette histoire de chien qui prenait du poids. N'empêche, grand-mère Maguire avait eu des lévriers. Enfin, la mention d'un petit neveu blond avec un chapeau... Tout le monde ne possédait pas forcément un tel spécimen dans sa famille.

Légèrement angoissée, je me suis mise à penser à JJ. Et si Leisl m'avait envoyé un avertissement ? La peur s'est installée en moi, jusqu'à ce que je n'aie plus d'autre choix que d'appeler pour voir si mon neveu allait bien — même s'il était une heure du matin en Irlande.

C'est Garv qui a décroché.

« Je te réveille ? ai-je murmuré.

— Oui, a-t-il répondu tout bas.

— Je suis sincèrement désolée, Garv, mais est-ce que tu peux me rendre un service, s'il te plaît ? Est-ce que tu peux aller vérifier si JJ va bien ?

— Comment ça, s'il va bien ?

— S'il est vivant... s'il respire.

— OK. Ne quitte pas. »

Même sans la mort d'Aidan, Garv se serait plié à ma volonté. Sa gentillesse était infinie.

Il a posé le combiné, et j'ai entendu Maggie chuchoter : « Qui est-ce ?

— Anna. Elle veut que j'aille voir si JJ va bien.

— Pourquoi ?

— Parce que. »

Trente secondes plus tard, il était de retour. « Il va bien.

— Désolée de vous avoir réveillés.

— Ne t'excuse pas. »

J'ai raccroché, me sentant un peu idiote. Voilà pour Leisl. Mais sitôt le combiné reposé, j'ai ressenti le besoin violent de parler à Aidan.

En massacrant les touches de mon clavier, j'ai cherché le nom de Neris Hemming sur Internet. Elle disposait d'un site personnel, sur lequel figuraient des centaines de témoignages, tous plus reconnaissants les uns que les autres. Un article mentionnait les trois livres qu'elle avait écrits – je n'étais pas au courant – et la tournée qu'elle s'apprêtait à faire, avec vingt-sept villes-étapes. Elle passait par exemple par Cleveland en Ohio, ou par Portland dans l'Oregon, mais à mon grand désarroi New York ne figurait pas sur la liste.

La ville la plus proche était Raleigh, en Caroline du Nord. J'irai, ai-je songé, résolue à me porter à sa rencontre. Je poserai une journée de congé et prendrai l'avion pour Raleigh. Puis je me suis aperçue que les places étaient intégralement vendues, et, de nouveau, je me suis sentie malheureuse comme les pierres.

Il fallait absolument que je prenne rendez-vous avec elle pour une séance individuelle, mais, après avoir cliqué sur tous les liens possibles, j'ai compris qu'il n'y avait aucun moyen de la joindre via son site. J'avais impérativement besoin de son numéro, et je ne pouvais compter que sur Mitch.

13

J'essayais de me rappeler s'il nous était arrivé de nous disputer, Aidan et moi. Nous avions forcément eu des différends. Je ne devais pas tomber dans le piège qui consistait à faire de lui un saint, juste parce qu'il était mort. Il était primordial que je me souvienne de lui tel qu'il avait vraiment été. Cela dit, je n'avais pas le moindre souvenir d'une grosse dispute – pas de cris, pas de larmes, pas d'assiettes qui volent.

On avait eu des frictions, comme tout le monde : je piquais régulièrement des crises de jalousie à cause de Janie, et lui se foutait en pétard au seul nom de Shane. Mais cela n'allait pas plus loin, et même notre plus grosse dispute avait éclaté pour une raison stupide : on parlait de lieux de vacances, et j'ai dit que je n'étais pas fan des douches en extérieur. Quand il m'a demandé pourquoi, je lui ai raconté l'histoire de Claire qui s'était douchée dehors lors d'un safari au Botswana, et avait surpris un babouin en train de l'observer tout en s'administrant une bonne petite branlette.

« Jamais une telle chose n'arriverait, a commenté Aidan. Elle a dû inventer.

— Elle n'a rien inventé du tout. Si Claire dit que c'est arrivé, c'est arrivé, point final. Elle n'est pas comme Helen. »

(Mais je n'en étais pas si sûre. Enjoliver une histoire était tout à fait dans ses cordes.)

« Un babouin n'aurait pas réagi de cette façon face à une femme, a insisté Aidan. Ça n'aurait pu se produire qu'en présence d'un babouin femelle.

— Un babouin femelle ne prendrait pas de douche.

— Tu vois très bien ce que je veux dire. »

Puis la conversation a dégénéré, et des absurdités du genre « Veux-tu insinuer que ma sœur ne plairait pas à un babouin ? » ont fusé. Mais, bon, on avait eu l'un et l'autre une semaine de boulot difficile ; les nerfs à fleur de peau, on aurait sauté sur n'importe quel prétexte pour s'engueuler.

En toute honnêteté, ça n'a jamais été pire.

J'avais reçu un autre mail d'Helen à propos de son nouveau boulot.

De : LuckyStarInvestigations@yahoo.ie
À : Apprentiemagicienne@yahoo.com
Objet : Le boulot !

Colin m'a apporté un flingue – lourd, excitant. Imagine un peu : moi ! un flingue !
J'avais un tas de questions à lui poser. La plus importante : comment s'appelle Mister Big en vrai ?
COLIN : Harry Gilliam.
MOI : Est-ce que vous croyez vraiment qu'il se passe quelque chose entre Madame Big et ce Racey O'Grady ?
COLIN : C'est tout à fait possible. Et alors, Harry sera très en colère : il est fou de Detta. Detta Big est une lady, et Harry a toujours pensé qu'elle était trop bien pour lui. Bref. Il faut qu'on bouge, là.
MOI : On va où ?
LUI : À un club de tir.
MOI : Pour quoi faire ?
LUI : Pour vous apprendre à vous servir d'une arme.
MOI : Oh, ça doit pas être bien sorcier. Suffit de viser et d'appuyer sur la détente, non ?
LUI (*fatigué*) : Allez, on y va.

Alors on s'est rendus dans une sorte de bunker, sur les collines de Dublin ; y avait des types pleins de poussière qui avaient l'air d'entraîner leur propre milice dans leur jardin.
Je me suis pas mal débrouillée. J'ai touché la cible plusieurs fois, mais dis donc, qu'est-ce que ça fait mal à l'épaule !

P.-S. : Ne t'inquiète pas pour moi. Je sais que tu es un peu flippée au sujet de la mort et tout en ce moment, mais je te promets que *a)* je ne me ferai pas tirer dessus ; et que *b)* je ne tirerai sur personne.

Cette histoire de flingue ne me rassurait pas trop, en effet, mais sa promesse m'a soulagée. Jusqu'à ce que je lise la toute dernière ligne.

P.P.-S. : Sauf peut-être sur des gens très méchants.

Quoi qu'il en soit, je n'ai pu m'empêcher de rire. Il était sûrement absurde de la prendre au sérieux – Dieu seul savait à quel point cette histoire était enjolivée. Sinon pure fantaisie.

14

Lundi matin. Ce qui impliquait une Réunion du Lundi Matin. Et voilà Franklin qui arrivait, tapant dans ses mains pour réunir son cheptel.

En nous dirigeant vers la salle du conseil, Teenie m'a prise par le bras.

« Un pas en avant, a-t-elle dit en imitant Lauryn. Qui n'a pas eu sa dose d'humiliation ?

— Venez vous faire descendre devant vos collègues ! »

Facile pour nous de faire les malignes : on ne craignait pas grand-chose.

Pour ma part, j'obtenais une bonne couverture dans les journaux et magazines. Pas de coups d'éclat, mais aux RLM, j'avais toujours à montrer deux ou trois trucs qui étaient sortis dans le week-end. Peut-être que les rédactrices beauté avaient pitié de moi, avec mon visage balafré et mon mari mort. En tout cas, je peux vous assurer que je n'en jouais pas, car ça pouvait très vite se retourner contre moi : j'aurais pu être perçue comme le foyer d'infection de Candy Grrrl, avec mon manque de chance et mes cicatrices.

En temps normal, je l'ai dit, la réunion terminée, le sentiment général est que le reste de la semaine sera forcément meilleur. Mais ce jour-là, non : on lançait notre crème Œil pour Œil. Cent cinquante kits Œil pour Œil allaient être assemblés et emballés pour être envoyés à tous les journaux et magazines dès le lendemain. Le timing était crucial : on ne pouvait pas les expédier le lundi, ni le surlendemain ; il fallait que ce soit le lendemain. Pourquoi ? Parce que Lauryn expérimentait une nouvelle tactique. Au lieu de faire un lancement habituel – c'est-à-dire informer des mois à l'avance les éditrices de la sortie d'un produit –, on essayait le contraire. Lauryn avait établi l'emploi du temps à la minute près, de façon que Œil pour Œil débarque dans les rédactions en plein bouclage, juste avant l'envoi chez l'imprimeur. L'idée était d'éblouir les journalistes avec un produit tout frais, tout nouveau, afin qu'elles virent un autre produit et parlent de nous à la place. C'était très risqué, mais Lauryn avait insisté pour tenter le coup.

Cela pouvait marcher, le concept étant entièrement nouveau. En effet, trois produits différents fonctionnaient en tandem pour booster leur efficacité (à ce qu'il paraît) : Videz vos Poches (un gel frais décongestionnant antipoches), Œil de Lynx (un crayon anticernes réflecteur de lumière) et Pas de Faux Plis (une mousse aérienne antirides).

Or, il y avait un léger problème : les produits ne nous étaient pas encore parvenus d'Indianapolis. Ils étaient en route. Oui, oui, ils arrivaient. Ils seraient à bon port à onze heures au plus tard. Lauryn a passé un coup de fil hystérique, et obtenu la garantie que le routier, présentement en Pennsylvanie, serait en bas de l'immeuble à treize heures sans faute.

À treize heures, toujours rien. Quatorze heures, non plus. Quinze... Seize... Le chauffeur avait dû se perdre en entrant dans Manhattan.

« Péquenaud de mes deux ! a hurlé Lauryn. C'est délirant ! » Elle a raccroché violemment le combiné, puis son regard est tombé sur moi. D'une certaine façon, tout cela était ma faute : on avait travaillé d'arrache-pied sur ce projet

253

parce que j'avais eu l'audace d'être victime d'un accident de voiture et de m'absenter pendant deux mois.

Il était cinq heures passées lorsqu'on nous a livré les cartons dans la salle du conseil. Tout le monde avait les yeux rivés à la moquette car chacun pensait à la même chose : qui allait rester tard – très tard – et s'y coller ?

Brooke se rendait à un gala de charité destiné à sauver Dieu sait quoi : des baleines, Venise, les éléphants à trois pattes... Teenie avait ses cours du soir (et ce n'était pas son boulot de toute façon) et Lauryn avait probablement prévu un dîner avec entrée-plat-dessert.

Restait moi. Moi toute seule.

On s'était tellement habitué à ce que je sois là jusqu'à pas d'heure que personne n'a songé à me demander si j'avais des projets – et ce soir-là, en fait, je devais voir Rachel.

« Ça ne dérange personne si je passe un coup de fil en vitesse ? Histoire d'annuler la soirée avec ma sœur ? »

Mon sarcasme a provoqué des échanges de regards surpris. De temps à autre, des accès de colère inattendus me submergeaient, me faisant bouillir intérieurement et proférer des mots imprégnés de rage.

« Euh... Non, bien sûr, vas-y », m'a dit Lauryn.

Teenie m'a aidée à ouvrir les cartons et aligner les produits sur la table ; Brooke, quant à elle, avait déjà glissé cent cinquante communiqués de presse dans cent cinquante enveloppes à bulles, bien qu'elle ait passé la moitié de l'après-midi dehors parce que sa tante Genevieve (qui n'était pas sa vraie tante, mais une richissime amie de sa mère) était en ville et avait commandé un déjeuner pour elle dans un salon privé du Pierre.

Puis je me suis retrouvée toute seule. L'immeuble était calme, on n'entendait que le ronron des ordinateurs. J'ai détaillé d'un coup d'œil le bazar qui régnait dans la salle du conseil et ressenti une terrible envie de m'apitoyer sur mon sort.

Je parie que la façon dont ils me traitent ici te fout en rogne.

D'abord, j'ai tapissé l'intérieur des enveloppes avec des feuilles de lamé argenté, ce qui m'a pris plus longtemps que d'habitude à cause de mes ongles. Ensuite, je me suis transformée en tapis roulant humain. À un bout de la table, je collais une étiquette sur l'enveloppe ; je faisais quelques pas pour y mettre un Videz vos Poches, un Œil de Lynx et un Pas de Faux Plis ; j'ajoutais une poignée d'étoiles argentées minuscules en pluie sur le tout, fermais l'enveloppe, la jetais dans le coin de la salle, et je retournais au début de la chaîne.

J'ai adopté un rythme de croisière. C'était très apaisant finalement, et j'ai dû pleurer un bon bout de temps avant de prendre conscience des larmes qui roulaient sur mes joues. Ce n'était pas tant une crise de larmes qu'une fuite – elles sortaient de moi sans que je produise le moindre effort, j'étais parfaitement calme. J'ai pleuré pendant toute l'exécution de mon travail à la chaîne, et à part la bavure d'encre sur l'adresse du magazine *Femme*, aucun accident à déplorer.

J'ai fini à minuit. Mais les cent cinquante enveloppes au grand complet attendaient d'être postées le lendemain matin.

15

De : LuckyStarInvestigations@yahoo.ie
À : Apprentiemagicienne@yahoo.com
Objet : Boulot !

Premier jour de planque pour surveiller Detta Big. Cachée dans la haie derrière le jardin de sa grande maison de Stillorgan, les jumelles rivées sur sa chambre.

Elle a la cinquantaine, un popotin bien rebondi, des gros nichons, un décolleté tanné, des cheveux blonds bouclés mi-longs.

À dix heures moins dix, elle a enfilé son manteau. De l'action, enfin ! Sauf qu'elle allait... à l'église ! Je me suis assise au fond, j'ai attendu la fin de la messe en me disant qu'au moins je n'étais pas le cul dans une haie.

Après elle a acheté le journal, un paquet de Benson & Hedges et un rouleau de bonbons à la menthe (extra-forts). Elle est rentrée chez elle, et j'ai repris mon poste dans la haie. Elle a mis la bouilloire sur le feu, fait du thé, et s'est assise devant la télé, cigarette à la main et yeux dans le vide. À une heure, elle s'est levée, et j'ai pensé : Chic, on va sortir ! Mais non : elle s'est juste préparé un bol de soupe et un toast, avant d'aller s'asseoir devant la télé, une cigarette à la main, les yeux dans le vide. Vers quatre heures, elle s'est de nouveau levée. Enfin ! Mais pas pour sortir – pour passer simplement l'aspirateur. Et après ça, tu ne devineras jamais... Detta est retournée dans sa cuisine, a mis la bouilloire sur le feu, fait du thé, s'est assise devant la télé, une cigarette à la main, les yeux dans le vide. Grands dieux, j'espère que la journée de demain sera plus excitante...

De : FamilleWalsh@eircom.net
À : Apprentiemagicienne@yahoo.com
Objet : Crime organisé

Ma chérie,

Nous sommes dans de sales draps. Helen ne se soucie plus de notre problème « domestique » depuis qu'elle est absorbée par son nouveau boulot. Elle nous prend de haut parce qu'elle fricote avec des criminels de renom. Si on m'avait dit, après tous les sacrifices que nous avons faits pour votre éducation, que ma fille cadette me traiterait de la sorte, je ne vous aurais jamais envoyées à l'école, aucune de vous. Quoi de plus blessant qu'un enfant ingrat ? Elle raconte que la femme sous sa surveillance, l'épouse du « seigneur de la pègre », porte de très jolis vêtements pour une personne de son âge. Est-ce que c'est vrai ? Et que sa maison est bien tenue ? Et qu'elle fait son ménage elle-même ? Est-ce vraiment le cas, ou Helen cherche-t-elle simplement à m'énerver ?

J'ai essayé de me servir de son appareil photo, mais c'est un « numérique », et ni ton père ni moi n'avons réussi à le faire fonctionner. Comment sommes-nous censés prendre la vieille femme au chien la main dans le sac ? Elle est encore venue lundi, toujours le même manège. Si tu parles à Helen, veux-tu bien tenter de la persuader de nous venir en aide ? Je sais que tu es « en deuil », mais toi, elle t'écoutera peut-être.

Ta mère qui t'aime

16

L'éclair rouge m'a prise par surprise. Du sang. J'avais mes règles. Pour la première fois depuis l'accident.

J'avais à peine remarqué leur absence ; je ne m'étais pas inquiétée parce que, tout au fond de moi, je savais que c'était dû à mon état de choc et à ma tristesse. Je n'avais pas une seule seconde cru être enceinte, mais à présent, submergée de chagrin, je me rendais compte qu'un autre morceau d'Aidan était parti.

Je n'aurai jamais d'enfant de toi. On n'aurait pas dû attendre. On aurait dû se lancer tout de suite. Mais comment aurait-on pu deviner ?

On en avait même parlé. Un matin, peu de temps après notre mariage, j'étais en train de m'habiller tandis qu'Aidan traînait au lit, torse nu, les mains croisées derrière la nuque.

« Anna, il se passe un truc bizarre.

— Quoi ? Des extraterrestres atterrissent sur le toit de l'immeuble d'en face ?

— Non. Écoute. Depuis que j'ai trois ans, les Red Sox de Boston sont l'amour de ma vie. Mais plus maintenant. Parce que maintenant, c'est toi. Ils sont toujours importants à mes yeux, je continue de les aimer, mais je ne suis plus amoureux d'eux. Pendant tout ce temps, je n'ai jamais voulu avoir d'enfant. À présent, si, j'en veux. J'en veux avec toi. Je veux une version miniature de toi.

— Et moi, je voudrais une version miniature de toi. Mais, Aidan, je te rappelle que tous les membres de ma famille sont tarés, et un vilain gène azimuté pourrait faire sauter les plombs de notre bébé n'importe quand.

— Mais c'est super, comme ça on se marrera bien. Et puis il faut bien penser à Dogly, un peu. Dogly a besoin de la présence d'un enfant... Anna, je suis sérieux.

— À propos de Dogly ?

— Non, à propos d'avoir un enfant. Dès que possible. Qu'est-ce que tu en penses ? »

J'en pensais que ça me plaisait. « Mais pas tout de suite. Bientôt, très bientôt. Dans un an ou deux. Quand on aura un endroit décent où habiter. »

De : FamilleWalsh@eircom.net
À : Apprentiemagicienne@yahoo.com
Objet : Ça ne peut plus durer

Ma chérie,
J'espère que tu vas bien. J'ignore si ça te remontera le moral ou non, mais sache qu'ici aussi les choses sont au plus mal. Ce matin, nous avons de nouveau constaté que le chien s'était oublié devant la maison – et autant te dire que ce n'était pas du pipi. Par chance, ton père n'a pas marché dedans, mais le laitier si. Il a été très contrarié (surtout que nos rapports avec lui sont tendus depuis l'époque où nous avions décidé de ne plus consommer de produits laitiers, à cause de ce stupide régime qu'Helen voulait nous faire suivre et qui a duré cinq minutes – le temps qu'il lui a fallu pour réaliser que les glaces sont des produits laitiers). Cette fois, ç'a été extrêmement dur de le persuader de revenir.

Ta mère qui t'aime

17

Toute la semaine, j'ai été au supplice : j'attendais que Mitch me joigne pour me donner le numéro de Neris Hemming, mais les jours passaient et pas de nouvelles. Alors j'ai pris une décision : s'il n'avait pas appelé avant dimanche, je retournerais à l'Église spiritualiste. Cela m'a aidée à me sentir moins paniquée et impuissante. Puis je me suis rappelé que c'était le week-end du 4-Juillet – et s'il était parti ? Alors j'ai de nouveau paniqué.

Au bureau, la semaine s'était mal passée. J'étais particulièrement de mauvais poil, et bien qu'officiellement mon genou se porte mieux j'étais devenue très maladroite, comme si un côté de mon corps était plus lourd que l'autre. Je me cognais sans cesse aux objets ; j'avais renversé une tasse de café sur le bureau de Lauryn, fait tomber dans la salle de conseil, pendant une réunion, le tableau blanc – qui dans sa chute avait atteint Franklin aux couilles.

Mais ces accidents n'étaient rien comparés au désastre de la campagne Œil pour Œil : en raison de mes larmes qui avaient fait baver l'encre de l'adresse du magazine *Femme*, le colis nous avait été retourné le mardi après-midi ; nous avions donc raté notre coup en ce qui concernait ce numéro-là. Lauryn n'avait pas décoléré. Tous les matins, quand je sortais de l'ascenseur, j'avais à peine un pied sur la moquette qu'elle se précipitait pour me hurler dans les oreilles : « Tu as une idée du nombre d'exemplaires auquel se vend ce magazine ? Hein ? Tu sais combien de femmes lisent *Femme* ? »

Puis Franklin venait joindre ses cris plaintifs aux siens : « Sans ses *cojones*, un homme n'est rien ! »

Le vendredi soir, lorsque je suis allée dans la maison de la presse de mon quartier acheter mes provisions pour ma séances de sanglots, j'ai enfin compris pourquoi j'avais été tellement en boule : je crevais de chaleur. On était dans ce magasin comme dans un four.

« Qu'est-ce qu'il fait chaud ! » ai-je lancé au vendeur.

Je n'attendais pas de réponse parce que je ne pensais pas qu'il parlait notre langue, mais il a approuvé : « Chaud ! Oui ! Canicule depuis longtemps ! »

Depuis longtemps ? Comment ça ?

Perplexe, je me suis lentement dirigée vers l'appartement, avec mon sachet de bonbons. Cette histoire de canicule ne me disait rien qui vaille. Je m'étais tellement repliée sur moi-même que je ne l'avais pas remarquée.

Une question horrible s'est insinuée en moi : pendant toute cette semaine, attifée avec des vêtements complètement inadaptés à la canicule, est-ce que j'avais... transpiré ?

Après une nuit d'environ trois heures de sommeil, je me suis réveillée en sueur le samedi. Merde, c'était donc vrai : nous étions en pleine canicule. C'était l'été. Crise de panique.

Je ne veux pas qu'on soit en été ! L'été est bien trop éloigné du jour où tu es mort.

Le temps soigne tous les maux, dit-on. Mais moi, je ne voulais pas guérir, parce qu'à mes yeux ça revenait à abandonner Aidan.

Écrasée par la température, j'étais incapable de bouger. Il fallait installer notre appareil de clim, mais c'était un truc énorme, plus gros qu'une télé. L'automne précédent, Aidan l'avait remisé dans le salon sur une étagère en hauteur. Un sentiment d'horreur m'a dévastée. *Tu n'es pas là pour le descendre.*

Ces drôles de moments où j'oubliais sa mort pour une fraction de seconde étaient une terrible erreur, parce que je devais ensuite me remémorer tout. Et le choc m'atteignait avec toujours autant de violence.

Opprimée par la chaleur et le chagrin, j'ai fini par lui dire : *OK, je ne mourrai pas de chagrin ; mais pour ce qui est de la chaleur, c'est moins sûr...* Alors je me suis forcée à me lever pour aller chercher cette clim. Elle était sur l'étagère la plus haute : même debout sur une chaise, je ne pourrais pas l'atteindre. De toute façon elle était bien trop lourde pour moi.

Ornesto allait devoir me filer un coup de main. Je savais qu'il était chez lui : ça faisait dix minutes qu'il chantait *Diamonds are Forever* à pleins poumons.

Il a ouvert la porte, vêtu d'une salopette-short en lamé doré et de chaussures Birkenstock à fleurs.

« Ravissant.

— Viens, entre. On va chanter. »

J'ai secoué la tête. « J'ai besoin d'un homme. »

Il a écarquillé les yeux. « Mais où est-ce qu'on va en trouver un ?

— Il va falloir que tu fasses l'affaire.

— Hmm, je ne suis pas sûr de pouvoir... Qu'est-ce qu'il aurait à faire, cet homme ?

— Soulever ma clim d'une étagère très haute et la porter jusqu'à la fenêtre.

— Tu sais quoi ? On va demander à Bubba.

— Bubba ?

— Ou un nom de ce genre. Un grand type. Qui s'habille mal. Alors il se fichera pas mal de transpirer dans ses sapes. Allez, suis-moi. »

Nous sommes montés d'un étage et Ornesto a frappé à l'appartement numéro dix. « Qui est-ce ? a tonné une grosse voix.

— Anna, du numéro six, et Ornesto, du numéro huit, avons-nous lancé en proie à une crise de fou rire inattendue.

— Et on peut savoir ce que vous voulez ? M'inviter à une garden-party ? » Cela nous a donné une bonne excuse pour rire.

« Non, monsieur. Je me demandais simplement si vous pouviez m'aider à bouger mon appareil de climatisation. »

Derrière la porte est apparu un homme d'une cinquantaine d'années. « Alors, on a besoin de muscles ?

— Euh... oui.

— Ça fait bien longtemps qu'une femme ne m'a pas dit ça. Bien... je prends mes clés. »

Nous sommes descendus chez moi, où l'affaire a été réglée en un rien de temps. Enfin, une brise fraîche s'est mise à souffler dans l'appartement.

Je me suis confondue en remerciements auprès de notre homme. « Monsieur, je vous offre une bière ?

— Eugene. » Il m'a tendu la main.

« Anna.

— J'accepte volontiers votre bière. »

Par chance, il y en avait une au frais. Une seule. Dieu seul savait depuis combien de temps.

« Qu'est-ce qui est arrivé au type qui vivait ici ? a demandé Eugene. Il a déménagé ?

— Non. C'était mon mari. »

J'ai marqué une pause. Je n'arrivais pas à prononcer le mot : il était tabou. Tout le monde compatissait à mon « drame », à cette « perte cruelle », mais personne ne disait « mort », ce qui me donnait parfois envie de crier : « En fait, Aidan est mort. Il est mort. Mort, mort, mort, mort, mort, MORT. Voilà. Simple mot, inutile d'en avoir peur. » Mais je me taisais ; ce n'était pas leur faute. On ne nous apprend pas à composer avec la mort, bien qu'elle n'épargne personne, et que ce soit dans la vie la seule chose dont nous dépendions.

J'ai respiré à fond avant de lâcher le mot sur le sol de la cuisine. « Il est mort.

— Oh, pauvre petite, je suis désolé. Ma femme est morte elle aussi. Ça va bientôt faire cinq ans que je suis veuf. »

Mon Dieu. Je n'y avais jamais songé en ces termes. « Je suis veuve. » Je me suis mise à rire.

Si étrange que cela puisse paraître, c'était la première fois que j'employais ce terme pour me décrire. L'image que j'avais des veuves ? Des vieilles toutes rabougries aux mains noueuses et en mantille noire. Mon seul point commun avec elles était la mantille, sauf que la mienne était rose.

J'ai ri, encore et encore, jusqu'à ce que des larmes roulent sur mes joues.

Eugene m'a prise dans ses bras, puis Ornesto a passé les siens autour de nous. « Ça s'arrange, ne vous inquiétez pas, m'a assuré Eugene. Je vous promets que ça finit par aller mieux. »

De : LuckyStarInvestigations@yahoo.ie
À : Apprentiemagicienne@yahoo.com
Objet : Boulot !

J'ai honte de te l'avouer, Anna, mais suivre Detta Big est le job le plus chiant que j'aie jamais fait. Toujours la même routine. Tous les matins, à dix heures moins dix, elle va à la messe. Tous-les-ma-tins. Je n'en reviens pas. Cette femme est issue d'une dynastie de criminels, elle trempe jusqu'au cou dans des affaires d'extorsion et Dieu sait quoi d'autre, et elle va à la messe tous les matins. Ensuite, elle achète les journaux, et son paquet de Benson & Hedges. Puis elle rentre chez elle, met la bouilloire sur le feu, fait du thé et s'assoit devant la télé, une cigarette à la main, les yeux dans le vide.
Un matin, elle est passée à la presse ET à la pharmacie (pour acheter des pansements antiverrues) ; j'ai bien cru mourir d'une crise cardiaque.
Un après-midi, elle a pris sa voiture, je priais pour qu'elle ait rendez-vous avec Racey O'Grady. Mais elle allait chez sa pédicure (elle a manifestement un problème de verrues) ; ensuite : maison, bouilloire, thé, cigarette, yeux dans le vide.
Un autre après-midi, elle s'est baladée sur la jetée. Elle marche vite, malgré ses verrues. Arrivée au bout, elle s'est assise sur le banc, s'est allumé une cigarette, les yeux dans le vide, avant de faire le chemin du retour.
Je pense qu'elle doit bien jouer aux cartes, que c'est une bonne feinteuse. Elle a plein de petites rides autour de la bouche, avec toutes ces clopes. Elle passe une grande partie de son temps à rectifier le contour de ses lèvres au crayon. Elle doit aussi

adorer le soleil, à en juger par la peau tannée de son décolleté. Mais ne me fais pas dire ce que je n'ai pas dit : c'est une femme très attirante pour son âge.

P.-S. : Comment ça va, sinon ? J'ai pensé à un truc qui va te réconforter : au moins, Aidan ne t'a pas quittée pour une autre. Moi, je préférerais encore que mon mari meure plutôt qu'il me trompe. Cela dit, s'il me trompait, je le tuerais, alors finalement ça reviendrait au même.

De la part d'une autre personne, ces lignes auraient paru sans pitié. Mais il s'agissait d'Helen. Je savais qu'elle m'exprimait sa plus profonde compassion.

19

Toujours pas de nouvelles de Mitch dimanche matin, je me suis donc résignée à retourner à l'Église spiritualiste. Une fois de plus, je suis arrivée beaucoup trop en avance.

Les autres n'allaient pas tarder à se montrer. Une idée m'a soudain vrillé les entrailles : et si Mitch ne venait pas aujourd'hui ?

Et si je n'obtenais jamais le numéro de Neris Hemming ? Impensable. Il fallait qu'il vienne et il me fallait ce numéro.

Dans une autre salle avait lieu une audition de théâtre.

« Bien, vous êtes la dernière, m'a déclaré un type en me regardant vite fait de la tête aux pieds. Vous me donnez votre photo d'identité ?

— Je n'ai pas de photo d'identité. »

Il a soupiré. « Personne ne vous a dit d'en apporter une ?

— Non. » On ne m'avait rien dit de tel.

« Qu'est-ce qui vous est arrivé au visage ?

— Accident de voiture.

— OK. Bon, c'est à vous. »

Il semblait y avoir un malentendu : ce type me prenait pour une comédienne.

On m'a fait entrer dans la pièce et tendu un texte. Après tout, pourquoi pas ? D'une certaine manière, il était plus facile de plonger que de se lancer dans des explications. J'ai parcouru la page, ça m'avait tout l'air d'un mélodrame larmoyant, du sous-Tennessee Williams. Le titre : *Le soleil ne se lève jamais.*

À une table sur tréteaux étaient assis deux barbus, que l'on m'a présentés comme étant le producteur et le directeur de casting.

« OK. Je vous résume l'intrigue, a repris le type. L'histoire de deux sœurs, qui manquent cruellement de pot. Leur père vient de clamser, et les laisse dans ses dettes jusqu'au cou. Il faut absolument que l'une d'elles trouve un mari pour les sauver de la misère. Mais Miss Martine, la plus jolie, se met à picoler. Vous êtes Miss Martine, et moi Miss Edna – la sœur que personne ne remarque. »

Edna et moi étions censées nous trouver sur un porche figuré par des cartons, et nous éventer à cause de la chaleur. J'ai lu les répliques de Martine et à la vérité je m'en suis pas mal sortie, surtout lorsqu'elle dit : « Mais je suis fatiguée, tellement fatiguée ! »

« Bien ! Très bien, a remarqué le type, l'air surpris.

— Oui, très bon, ont surenchéri les barbus.

— Où est-ce qu'on peut vous joindre ? »

Je lui ai tendu une de mes cartes professionnelles.

« Ah ! Super, la carte ! Bon, il faut qu'on bouge. Y a tout un tas de tarés qui se réunissent ici le dimanche après-midi. Ils ne devraient pas tarder à arriver... Mais si vous voulez, jetez donc un œil au spectacle ! »

Le visage en feu, j'ai gardé le silence.

Comme la semaine précédente, Nicholas est arrivé le premier. Son T-shirt disait cette fois « PLUTÔT LA MORT QUE LE DÉSHONNEUR ».

« Ah, tu es revenue ! Génial ! »

Son accueil m'a tellement touchée que je n'ai pas eu le cœur de lui avouer qu'à la minute où Mitch m'aurait donné le numéro de Neris Hemming je me volatiliserais.

« Est-ce que Mitch vient toutes les semaines ?

— Oui, quasiment. Comme nous autres. »

J'ai profité de ce que nous étions seuls pour satisfaire ma curiosité. « Dis-moi, pour quelle raison Mackenzie assiste à ces séances ? Qui essaie-t-elle de contacter ?

— Elle est à la recherche d'un héritage perdu, un testament qui léguerait une somme énorme à son côté de la famille. Le temps lui est compté. Elle est en train d'entamer ses dix derniers millions de dollars.

— Je ne te crois pas.

— Qu'est-ce que tu ne crois pas ?

— Tout. Je n'en crois pas un mot.

— Crois. Essaie. C'est drôle. » Il a souri. « Regarde-moi, je crois aux trucs les plus fous, et je m'éclate.

— Comme quoi, par exemple ?

— L'acupuncture, l'aromathérapie, les gens qui se font kidnapper par des extraterrestres, les affaires étouffées par le gouvernement, le pouvoir de la méditation, le fait qu'Elvis soit en vie et bosse dans un Taco Bell dans le Dakota du Nord... Un peu tout, quoi. Tiens, on va faire un test : tu lances un truc, et je suis sûr que c'est un truc auquel je crois.

— Hmm... la réincarnation ?

— Oui.

— Que c'est la CIA qui a assassiné JFK ?

— Oui.

— Que les pyramides ont été construites par des petits hommes verts ?

— Oui. »

Soudain, Leisl est apparue au bout du couloir. Elle s'est illuminée comme l'avenue des Champs-Élysées lorsqu'elle m'a vue. « Anna, je suis tellement contente que tu sois venue !

J'espère que tu obtiendras un message plus intéressant, cette fois. »

Puis ç'a été au tour de Steffi, la fille mal fagotée, de sourire timidement en disant qu'elle était ravie de me voir – tout comme Carmela, une des femmes au pantalon à taille élastique, ainsi que la sublime Mackenzie. Même Fred le mort-vivant a exprimé son plaisir en me retrouvant.

J'étais bien sûr très touchée par leur accueil, mais... où était Mitch ?

Les autres arrivaient : Juan le gominé, d'autres femmes plus âgées, Barb... tous, sauf lui.

On a installé la pièce et allumé les bougies avant de prendre place. J'envisageais de demander à Nicholas s'il avait un numéro où joindre Mitch lorsque la porte s'est ouverte.

C'était lui.

« Tu as failli être en retard, a constaté Leisl.

— Mille excuses. » Il a parcouru des yeux l'assemblée, et son regard s'est arrêté sur moi. « Anna, désolé de ne pas vous avoir appelée. J'ai perdu votre carte. Pas très organisé, ces temps-ci... Mais je vous ai apporté le numéro. »

Il m'a tendu un bout de papier, que j'ai déplié aussitôt pour scruter les chiffres inscrits dessus, ces dix précieux chiffres qui me mèneraient à Aidan. Bien ! Je pouvais me tirer.

Mais je n'ai pas bougé d'un pouce. Ils étaient tous tellement gentils que ç'aurait été impoli. Et maintenant que j'étais là et que le violoncelle gémissait de toutes ses forces, je me disais qu'après tout quelque chose allait peut-être se produire. *Et si tu décidais aujourd'hui de te manifester, au moment précis où je file chez ma pédicure ? Les boules, non ?*

20

Le premier message était destiné à Mitch.

« Trish est ici, a annoncé Leisl, les yeux fermés. Elle ressemble à un ange aujourd'hui. Ce qu'elle est jolie ! Si seulement tu pouvais la voir... Mitch, elle me demande de te dire que tout va s'arranger. Elle dit qu'elle sera toujours à tes côtés, mais qu'il est temps pour toi de passer à autre chose. »

Mitch semblait l'homme le plus désemparé sur Terre.

« Comment ?

— Cela se fera très simplement, si tu acceptes d'avancer.

— Oui, eh ben, je n'accepte pas. Trish... » – c'était saisissant, cette manière de s'adresser à elle directement –, « ... je refuse de passer à autre chose parce que je ne veux pas t'abandonner. »

Le silence est tombé sur la pièce, et nous avons tous croisé ou décroisé les jambes, pas très à l'aise. Au bout d'un moment, Leisl a repris la parole.

« Barb, qui est Phoebe ?

— Phoebe ! Ah ben ça alors ! C'était une de mes amantes, on se partageait aussi un homme, un peintre très connu que je ne peux pas nommer ici... Elle était mariée avec lui, il me baisait, puis on s'est toutes les deux débarrassées de lui pour se mettre ensemble. Pendant un certain temps. Hé, hé. Alors, ma petite Phoebe, quoi de neuf ?

— Ça ne va pas vous plaire.

— Comment le savez-vous ?

— OK, a soupiré Leisl. Je suis désolée, Barb, mais Phoebe veut vous dire que son mari n'était pas amoureux de vous, c'était purement sexuel.

— Comment ça, "purement sexuel" ? Pour moi, il n'y a que le sexe !

— Bien, passons à autre chose », a lancé Leisl rapidement.

Je n'en revenais pas. Un règlement de compte depuis l'au-delà ! Je n'avais rien à faire ici : j'étais normale, saine d'esprit, alors que tous ces gens étaient tarés.

« J'ai un homme... du nom de Frazer. Ça dit quelque chose à quelqu'un ?

— Moi ! » s'est écriée Mackenzie au moment où Leisl ajoutait : « Mackenzie, c'est pour toi. Il dit être ton oncle.

— Grand-oncle, en fait. Alors, oncle Frazer, il est passé où, ce testament qui a mystérieusement disparu ? »

Leisl a tendu l'oreille un instant avant de répondre : « Il dit qu'il n'existe aucun testament.

— Mais si, forcément ! Il le faut ! »

Leisl a secoué la tête. « Il a l'air très sûr de lui.

— Mais s'il n'y a pas de testament, où est-ce que je vais prendre l'argent ?

— Il te conseille de chercher du travail. » Une pause. « Ou un riche mari. Oh, mais c'est scandaleux ! »

Mackenzie avait le rouge aux joues. « Dites-lui qu'il n'est qu'un pauvre arsouille ignare. Et trouvez-moi la grand-tante Morag, elle, elle saura ! »

Leisl a refermé les yeux.

« Passez-moi la grand-tante Morag ! » a hurlé Mackenzie à Leisl comme si elle était sa secrétaire attitrée.

« Il est parti, et personne d'autre ne se présente pour toi.

— Foutaises !

— Chut ! est intervenu Juan. Un peu de respect... »

Mackenzie a porté une main à sa bouche. « Oh... je suis désolée. Sincèrement. Excusez-moi, Leisl. »

Mais Leisl s'était figée, les yeux fermés. Elle ne les a rouverts que pour annoncer, toujours très calme :

« Anna... quelqu'un veut te parler. »

Mon front s'est instantanément couvert de sueur.

« C'est un homme... »

Paupières closes, j'ai crispé les poings. *S'il vous plaît, mon Dieu, s'il vous plaît...*

« ... mais pas ton mari. C'est ton grand-père. »

Encore les grands-parents !

« Il dit qu'il s'appelle Mick... »

Mes fesses ! Je n'avais aucun grand-père avec ce prénom. Quoique... minute... et le père de maman, le pauvre mari de grand-mère Maguire ? Comment il s'appelait, déjà ? Je ne me souvenais pas de lui parce que...

« ... tu ne l'as jamais connu. Il dit qu'il est mort peu après ta naissance. »

Mes poils se sont hérissés, un frisson m'a parcouru le long de la colonne. « Exact. Oh, mon Dieu ! Est-ce qu'il a rencontré Aidan ? Là-haut ? Enfin, quel que soit l'endroit où ils se trouvent ? »

Leisl a froncé les sourcils et pressé ses doigts contre ses tempes. « Je suis désolée, Anna, quelqu'un d'autre arrive – une femme –, je perds ton grand-père. »

J'ai eu envie de bondir sur elle en hurlant : « Mais retiens-le, bon sang ! Qu'il m'explique où est Aidan ! Je t'en prie ! »

« Vraiment désolée, Anna, il est parti. La femme à la canne est de retour – la femme en colère de la semaine dernière, qui parlait de ton chien. »

Grand-mère Maguire ? Je n'avais aucune envie de discuter avec cette vieille bique. C'était sûrement elle qui avait fait fuir grand-père Mick. Les mots m'ont échappé : « Dis-lui d'aller se faire foutre. »

Leisl a sourcillé, à deux reprises. « Elle dit qu'elle a un message pour toi.

— Oui ?

— Elle dit : "Va te faire foutre toi-même." »

J'étais sans voix.

« Eh bien... » Leisl avait l'air perturbée.

L'atmosphère dans la salle était pesante.

« Je suis terriblement navrée, a repris Leisl. Cette séance est très bizarre. C'est un lieu d'amour, ici, en général, mais aujourd'hui je sens beaucoup d'énergie négative, beaucoup de colère. Souhaitez-vous qu'on en reste là ? »

Nous avons décidé de continuer, et la fin des messages – du père de Nicholas, de la mère de Steffi et du mari de Fran – n'a pas prêté à polémique.

Après la séance, je suis allée parler à Mitch.

« Merci beaucoup pour le numéro. Ça ne vous... Ça ne te dérangerait pas de me parler de ta séance avec Neris ? Par exemple, qu'est-ce qui t'a convaincu que c'était bien réel ?

— Elle a évoqué des choses très intimes, dont personne d'autre n'aurait pu être au courant. Trish et moi, on s'était donné des petits surnoms... » Il a souri, un peu gêné. « ... et Neris me les a répétés. »

Ça semblait en effet assez convaincant.

« Est-ce que Trish a dit où elle se trouvait ? » Mon obsession : où était Aidan ?

« Je lui ai demandé, et elle m'a répondu qu'elle ne pouvait pas le décrire, que je ne comprendrais pas. Elle a ajouté que la question n'était pas de savoir où elle était, mais ce qu'elle était devenue. Et aussi qu'elle était toujours avec moi. Je lui ai demandé si elle avait peur, elle m'a répondu que non. Elle a dit qu'elle était triste pour moi, mais heureuse là où elle était. Et qu'elle savait que c'était dur pour moi, mais que je ne devais pas considérer sa vie comme interrompue, plutôt comme comblée.

— Qu'est-ce qui est arrivé à Trish ?

— Comment elle est morte ? D'une rupture d'anévrisme. Un vendredi soir, elle est rentrée du travail comme d'habitude – elle était professeur, d'anglais. Vers sept heures, elle m'a dit qu'elle avait la nausée, et des sortes de vertiges. À huit heures, elle était dans le coma. À une heure et demie du matin, en unité de soins intensifs, elle est décédée. » Il a marqué une pause. Comme Aidan, Trish était morte jeune et brutalement. Pas étonnant que je me sente si proche de Mitch.

« Personne n'aurait pu y faire quoi que ce soit. Tous les examens médicaux possibles et imaginables n'auraient rien révélé. Je n'arrive toujours pas à y croire. » Il semblait encore sous le choc. « Ça s'est passé si vite... trop vite pour que j'y croie, tu vois ? »

Je comprenais. « C'était il y a combien de temps ?

— Presque dix mois. En fait, ça fera dix mois mardi prochain. Bref. Bon, je vais faire un peu de sport. »

Il avait l'air d'en faire plus qu'« un peu » : on sentait une force concentrée dans ses épaules et le haut de son corps, comme s'il soulevait des haltères. C'était peut-être sa façon à lui de tenir le coup.

« Je te souhaite bonne chance avec Neris, a-t-il conclu. À la semaine prochaine. »

21

Sitôt arrivée chez moi, j'ai composé le numéro de Neris Hemming, mais un message de répondeur m'a dit de rappeler aux horaires de bureau, à savoir du lundi au vendredi, de neuf heures à dix-huit heures. J'ai raccroché violemment, et, en proie à une montée acide de colère, j'ai gémi : « Oh, Aidan ! »

Une crise de larmes a suivi ; je me tordais de frustration, déchirée entre mon impuissance et ce terrible besoin de lui.

Au bout de quelques minutes, je me suis essuyé le visage en murmurant humblement : « Je suis désolée. »

J'ai répété : « Je suis désolée » à toutes les photos d'Aidan dans l'appartement. Ce n'était pas sa faute si Neris Hemming ne travaillait pas le dimanche. Et puisque ce lundi était férié, elle serait sûrement absente ce jour-là aussi.

Je lui téléphonerais du bureau mardi. J'étais tellement terrifiée à l'idée de perdre son numéro que je l'ai écrit dans plusieurs endroits, tous plus improbables les uns que les autres – juste au cas où on me cambriolerait pour me voler précisément ce numéro.

Que faire, à présent ?

Je me suis préparée à appeler les parents d'Aidan. Dianne avait essayé de me joindre en mon absence.

« Oh, Anna, a-t-elle soupiré sitôt décroché.

— Dianne… comment allez-vous ?

— Je suis au plus mal, Anna. Je n'ai pas du tout le moral. J'étais en train de penser à Thanksgiving.

— Mais nous ne sommes qu'en juillet…

— Je n'ai pas envie de le fêter, cette année. J'envisage de partir, de prendre des vacances toute seule, d'aller dans un pays où cette fête n'existe pas. C'est l'occasion de réunir la famille, et je ne le supporterai pas si je reste ici. »

Doucement, elle a commencé à sangloter. « Perdre un enfant est une douleur incommensurable et insoutenable, vous savez. Vous, vous rencontrerez quelqu'un d'autre, Anna, mais moi, on ne me rendra jamais mon enfant. »

Cette tendance était apparue depuis quelques coups de fil : un concours de chagrin. Qui a le plus de légitimité à se dire anéantie ? La mère ou l'épouse ?

« Je ne rencontrerai personne d'autre, ai-je répondu.

— Mais vous le pouvez, Anna, voilà ce que je voulais dire : vous le *pouvez*.

— Et comment se porte M. Maddox ? » Pour moi, c'était quelqu'un qui n'avait pas de prénom.

« Il s'en sort à sa manière habituelle : en se noyant dans le travail. Un gamin de trois ans m'apporterait plus de soutien…

— Bon, Dianne, je vais vous laisser. Prenez bien soin de vous. Nous parlerons des cendres une autre fois. » On n'avait toujours pas réglé cette question.

« Oui, d'accord, on verra… »

Ouf ! Débarrassée pour une semaine supplémentaire. Légère et libérée, j'ai téléphoné à ma mère, afin de vérifier si j'avais bien un grand-père prénommé Mick. Mais, si c'était le cas, est-ce que ça ferait pour autant de Leisl une vraie médium ? Elle captait des messages pour les autres, cependant elle connaissait tout de leur histoire : elle savait ce qu'ils voulaient entendre.

À l'inverse, elle avait peu d'informations sur moi. Mais était-ce si dur à trouver, une famille irlandaise dont un membre s'appelait Mick ? Avait-elle eu de la chance ? Évidemment, savoir que je ne l'avais jamais rencontré était plus difficile à expliquer... Une autre coïncidence ?

« Allô ?

— C'est Anna.

— Anna, ma chérie ! Que se passe-t-il ?

— Rien. J'appelais juste pour bavarder un peu.

— Pour bavarder ?

— Mais oui. Pourquoi, qu'est-ce qui cloche ?

— Mais tout le monde sait qu'on regarde *Inspecteur Barnaby*, à cette heure-ci, le dimanche soir. Personne ne nous téléphone !

— Désolée, je n'étais pas au courant. Je rappellerai plus tard.

— Non non, voyons, pas question. On a déjà vu cet épisode, de toute façon. Alors, qu'est-ce qui t'amène ?

— Euh... OK. Tu te souviens du mari de grand-mère Maguire ? »

Un silence. « Tu veux dire mon père ?

— Oui ! Désolée, maman, oui. Comment il s'appelait ? Michael ? Mick ? »

Un autre silence. « Pourquoi est-ce que tu me demandes ça ? Qu'est-ce que tu mijotes ?

— Rien. Alors, c'est Mick ? Oui ou non ?

— Oui », a-t-elle lâché avec réticence.

Oh, mon Dieu ! Leisl devait bien tenir une piste.

« Et je ne l'ai jamais connu, pas vrai ? Il est mort à ma naissance ?

— Deux mois après. »

J'ai de nouveau eu un frisson. C'était trop gros pour une coïncidence, un simple coup de chance. Mais alors, si elle pouvait vraiment communiquer avec les morts, pourquoi est-ce qu'Aidan ne se manifestait pas ?

« Qu'est-ce qui se passe ? a insisté ma mère sur un ton suspicieux.

— Oh rien, rien... »

22

Grâce à un chapelet de vilains mensonges – j'avais dit à Rachel que j'allais chez Teenie, à Teenie que je passais la journée avec Jacqui et à Jacqui que je voyais Rachel –, j'ai réussi à éviter les réjouissances de notre fête nationale (barbecues en terrasse et autres feux d'artifice) et à passer une journée plutôt agréable, sous ma clim, à regarder des rediffusions de *Shérif fais-moi peur*, *Code Quantum* et *MASH*.

J'aimais bien rester dans notre appartement, j'adorais ça, même. C'est là que je me sentais le plus proche d'Aidan. Après nos fiançailles, on s'était mis en quête d'un logement. Après des semaines de recherches infructueuses, on a remarqué, un soir, la photo d'un « loft clair avec beaux volumes » en vitrine d'une agence immobilière. Dans un quartier qui nous plaisait et – détail d'importance – dans nos moyens.

On a décidé de le visiter le lendemain. Pour nous, ça y était, on allait avoir un chez-nous ! On était tellement sûrs de notre coup qu'on a apporté deux mois de loyer.

Mais à notre arrivée, neuf autres couples nous avaient devancés. Du coup, il y avait à peine assez de place pour nous tous, et on devait faire la queue ou se mettre sur la pointe des pieds pour apercevoir la douche, jeter un œil dans les rangements, tandis que l'agent immobilier observait ce petit manège

d'un air amusé. Au bout d'un moment, il a tapé dans ses mains.
« Bien ! Tout le monde a fait son tour ? »

Un chœur de « Oui ».

« Chacun est sous le charme, n'est-ce pas ? »

De nouveau, tout le monde a approuvé.

« Très bien. Alors, comme vous m'êtes aussi sympathiques les uns que les autres, voici comment nous allons procéder. Je vais retourner à mon bureau, et les premiers à m'apporter trois mois de loyer en cash seront les heureux locataires. »

Tout le monde s'est figé. Il ne parlait pas sérieusement ! Sauf que... si. Déjà, deux ou trois hommes se battaient pour gagner la sortie.

Aidan et moi, nous nous sommes dévisagés, pétrifiés d'horreur : tout cela était absolument écœurant. Et en une fraction de seconde, j'ai vu ce qui allait suivre : Aidan était prêt se jeter dans la mêlée, pas parce qu'il en avait envie, mais pour moi. Avant qu'il ne s'élance vers la porte, j'ai posé une main sur son torse pour lui bloquer le passage. « Je préférerais encore vivre dans le Bronx.

— Très bien, mon lieutenant. »

Dans l'intervalle, l'appartement s'était vidé. Nous étions seuls avec l'agent immobilier, pendant que les autres menaient leur quête désespérée d'un taxi, dévalaient les marches du métro ou resquillaient dans la queue aux machines, quand ils ne couraient pas carrément jusqu'à l'agence.

« Eh ! Vous feriez mieux de vous bouger ! Vous ne voulez pas de cet appartement ? »

Aidan a soutenu son regard un long moment avant de lui répondre sur un ton de pitié : « Pas à ce point, non. »

Mais, une fois dans la rue, j'ai commencé à regretter d'avoir eu des principes. Parce que j'ai soudain réalisé que nous n'avions pas obtenu cet appartement. (Dans ma tête, on avait déjà emménagé et acheté un ficus.)

Aidan a serré fort ma main. « Tu es déçue, hein ? Mais on va finir par l'avoir, cet appart.

— Je sais, je sais. »

Cela me réconfortait qu'Aidan et moi on ait les mêmes valeurs, et ni l'un ni l'autre un « instinct de tueur ».

Mais il fallait quand même qu'on se trouve un endroit où vivre.

« Cherchons encore, ai-je dit.

— Non, soyons juste un peu plus intelligents, m'a répondu Aidan. J'ai un plan. »

Son idée ? La prochaine fois que cette agence immobilière organiserait la visite d'un appartement dans nos moyens, on se présenterait « armés », c'est-à-dire avec trois mois de loyer en poche et une voiture au bas de l'immeuble. « On fera en sorte que le type nous remarque, surtout moi. Et quand on verra approcher la fin de la visite, je ferai comme si je recevais un appel sur mon portable et je m'éclipserai en douce. Dès que je suis sorti, hop, je cours à la voiture et file à son bureau.

— Mais quand il y arrivera, toi, tu seras là et pas moi. Est-ce qu'on n'est pas censés arriver en couple ?

— Attends… je réfléchis… Je sais ! Je lui dirai que tu es infirmière, et que tu as dû t'arrêter devant chez Macy pour secourir un homme qui venait de faire un arrêt cardiaque. Ouais, c'est ça. Il va nous le filer, cet appart !

— J'espère que tu n'es pas en train de contracter l'instinct de tueur ?

— Juste pour cette fois. Pour voir si ça marche. »

Et ça a marché.

Pas tout à fait de la façon dont nous l'avions espéré, mais qu'importe ? L'agent a dit à Aidan : « Je sais que vous avez triché, et que vous mentez. N'empêche, votre culot me plaît. L'appartement est à vous. »

23

« Allô ? Bureau de Neris Hemming.

— Ah enfin, ça y est ! Je n'arrive pas à croire que quelqu'un a décroché ! » Hyperexcitée, j'étais un vrai moulin à paroles. « Voyez-vous, je suis au bureau, là, et j'essaie de vous joindre depuis des heures, mais c'est votre message que...

— Puis-je avoir votre nom ?

— Anna Walsh. »

Je délirais, bien sûr, mais je m'étais presque convaincue que quand elle entendrait mon nom elle s'écrierait : « Ah oui, Anna Walsh ! », puis qu'elle feuilletterait son carnet contenant les messages que les morts lui laissaient avant d'ajouter : « Il y a quelque chose pour vous, de la part d'Aidan Maddox. Il me demande de vous dire qu'il est désolé d'avoir disparu aussi brutalement, mais qu'il est toujours à vos côtés, et impatient de vous parler. »

« Alors... A-n-n-a W-a-l-s-h. » Je l'entendais tapoter sur son clavier.

« Vous n'êtes pas Neris Hemming, si ?

— Non, je suis son assistante. Et je ne suis absolument pas médium. Numéro de téléphone et adresse mail, s'il vous plaît. »

Je lui ai tout fourni, et elle a répété pour vérifier avant de déclarer : « Bien, nous vous contacterons. » Mais je ne voulais pas que ce coup de fil prenne fin.

« Vous savez, mon mari est mort. » Des larmes ont roulé sur mes joues, et j'ai baissé la tête pour me cacher de Lauryn.

« Oui, mon chou, je sais.

— Vous pensez vraiment que Neris pourra faire quelque chose pour moi ?

— Comme je vous l'ai dit, mon chou, nous prendrons contact avec vous.

— Oui, mais...

— J'ai été ravie de vous parler. »

Clic.

À cet instant, Franklin a déboulé en tapant dans ses mains pour rameuter ses troupes. Réunion du Lundi Matin, bien que ce fût mardi.

Et là, surprise. Ariella m'a demandé, depuis l'autre bout de la table : « Alors, Anna, qu'avez-vous à me dire ? »

Merde. J'avais été efficace, mais apparemment pas assez pour échapper à sa vigilance.

Heureusement, mes longues heures passées au bureau ces derniers temps avaient été payantes, et j'ai pu lui donner une réponse décente. « Mon projet le plus important en ce moment est la participation de Candy Grrrl au Super Samedi dans les Hamptons. »

Le Super Samedi ? Un gala de charité où se pressaient un tas de gens friqués et de célébrités. Simple lieu de vente pour designers tel que Donna Karan au départ, il était devenu, au fil des ans, un événement majeur dans la région. Les gens qui voulaient venir devaient s'acquitter d'un droit d'entrée de plusieurs centaines de dollars. Mais, une fois à l'intérieur, on avait accès à des vêtements de créateurs pour une bouchée de pain ; il y avait aussi des cadeaux publicitaires, des tombolas, et on repartait avec un sac plein à craquer de trucs pas croyables.

« Notre stand est deux fois plus grand que l'année dernière. Nous offrons des sacs de plage Candy Grrrl, et, la cerise sur le gâteau, c'est que j'ai persuadé Candace de faire le déplacement pour procéder elle-même aux changements de look. Sa présence devrait attirer beaucoup de monde. »

Ariella n'a rien trouvé à redire, alors elle s'est tournée vers Wendell. « Vous aussi, vous êtes sur le Super Samedi ? Vous m'avez dégoté un maquilleur connu dans le monde entier pour votre stand ?

— Le Dr De Groot devrait passer. »

Le Dr De Groot était le spécialiste dermato de la marque Visage. Ce type avait une tête très bizarre – voire effrayante –, à croire qu'il testait ses inventions sur lui, du peeling chimique aux injections de Restylane : peau luisante, traits tirés, figés et de travers. Oui, je sais, j'étais mal placée pour l'ouvrir, avec mes cicatrices, mais, franchement, quiconque verrait cet homme n'utiliserait plus jamais les produits Visage.

« Le fantôme de l'Opéra ? a sifflé Ariella. Essayez de lui enfiler un sac sur la tête avant son apparition en public. »

Elle a semblé s'enfoncer un peu dans son fauteuil. Il n'y avait personne à qui s'en prendre : tout le monde avait été trop bon. « Allez, fichez-moi le camp ! J'ai une tonne de choses à faire. »

Quand je suis arrivée à la maison, le mail tant attendu m'était parvenu.

De : MédiumProductions@yahoo.com
À : Apprentiemagicienne@yahoo.com
Objet : Neris Hemming

Nous avons bien enregistré votre demande d'entretien personnel avec Neris Hemming. En raison de son emploi du temps surchargé, Mme Hemming ne sera pas disponible avant plusieurs mois. Son bureau vous contactera pour vous donner rendez-vous : la séance durera une demi-heure et aura lieu par téléphone. Les honoraires de Mme Hemming se montent à deux mille cinq cents dollars. Nous acceptons les principales cartes de crédit.

Les prix avaient sacrément augmenté depuis que Mitch avait eu son rendez-vous. Mais peu importait. J'étais enchantée qu'ils m'aient répondu. Si seulement j'avais pu lui parler dès maintenant !

De : Apprentiemagicienne@yahoo.com
À : MédiumProductions@yahoo.com
Objet : Plusieurs mois ?

Ça fait combien de mois exactement, « plusieurs mois » ?

Ben oui, c'est beaucoup trop vague, « plusieurs mois ». Il faut que je commence à prévoir la séance, à faire le décompte des jours qui me séparent du moment où je pourrai te parler.

De : MédiumProductions@yahoo.com
À : Apprentiemagicienne@yahoo.com
Objet : Plusieurs mois ?

Entre dix et douze semaines – mais ceci est une estimation, en aucun cas une garantie. Veuillez prendre cette information en considération avant d'engager toute poursuite judiciaire.

Quoi ? Les gens faisaient des procès parce qu'ils ne parlaient pas à Neris Hemming dans le délai qu'on leur avait promis ? Mais, au vu de mon propre désespoir, je comprenais que certains pètent les plombs s'ils s'étaient préparés à parler à leur défunt(e) cher(ère) et tendre à une date précise, et si au jour J on les laissait tomber.

En pièce jointe figurait également un contrat détaillant une multitude de clauses de non-responsabilité. Le tout formulé dans un jargon compliqué ; en gros, l'idée était que si vous n'entendiez pas de Neris ce que vous vouliez, vous ne pouviez en aucune façon l'en tenir pour responsable ; et bien qu'elle ait toute latitude pour annuler le rendez-vous quand ça lui chantait, si vous vous n'étiez pas disponible à l'heure dite le jour J, vous perdiez votre argent.

24

Vendredi 9 juillet : mon anniversaire. Histoire d'ajouter un fardeau au poids des ans, au lieu de me laisser pleurer tranquillement chez moi, on me forçait à « passer une supersoirée dehors » pour mes trente-trois ans.

Rachel avait voulu s'assurer que mon premier anniversaire sans Aidan serait tout ce qu'il y a de plus chouette : un chouette restau et de chouettes cadeaux avec des gens chouettes qui m'aimaient. Autrement dit, un cauchemar sans nom.

Je l'ai suppliée de tout annuler. Je lui ai rappelé à quel point il m'était déjà pénible de voir des gens ; si en plus j'étais le centre d'intérêt de la soirée… Mais elle s'est montrée inflexible.

Je suis rentrée tard du bureau. Il me restait dix minutes avant que Jacqui passe me prendre, et j'étais tout sauf prête. Je ne savais même pas par où commencer. D'un coup, une sorte de décharge électrique m'a parcouru le bras, les côtes, pour aller exploser dans mes jambes, jusque dans la moelle. Toujours ces douleurs de type arthritique, mais depuis quelque temps elles redoublaient d'intensité. Une fois de plus, le médecin avait assuré que c'était « normal », et participait du processus de deuil.

On a sonné à la porte. Jacqui était en avance. Et merde. En m'observant des pieds à la tête, elle m'a dit : « Ah, bien, tu es prête. »

En fait, j'étais toujours en tenue de travail (jupe danseuse rose, veste rose, collants en résille sans pied, et ballerines brodées à fleurs), mais comme ce que je porte au bureau ressemble plus à des tenues de sortie que ce que la plupart des gens portent en soirée, j'ai décidé que ça ferait l'affaire.

Tandis que le taxi évoluait dans la circulation du vendredi soir, je ne pensais qu'à Aidan. *Je suis en chemin, je vais te rejoindre. Tu seras là ce soir, tu te seras rendu au restaurant directement du boulot. Tu porteras ton costume bleu, tu auras enlevé ta cravate ; et quand tu nous apercevras, Jacqui et moi, tu me feras un clin d'œil pour me dire : OK, je sais que tu dois saluer tout le monde avant moi et qu'on ne peut pas se faire des mamours ici, mais attends un peu qu'on arrive à la maison...*

« ... Hein ? »

Jacqui venait de me poser une question.

« Une bonne crème solaire, a-t-elle répété. Indice vingt, au moins. Tu pourras m'en avoir une ?

— Oui, bien sûr. Tout ce que tu veux. »

Puis j'ai essayé de reprendre le fil de ma rêverie. *On parlera à nos amis, on sera très polis ; mais tu feras quelque chose d'imperceptible et d'intime, que moi seule remarquerai – peut-être que tu effleureras ma paume de ton pouce au passage, ou alors...*

Jacqui m'avait encore parlé, et, l'espace d'un instant, j'ai senti la colère monter en moi. J'adorais passer ma vie dans ma tête, il me devenait de plus en plus dur de supporter les gens. Au beau milieu de mes fantasmes, ils finissaient toujours par dire quelque chose qui me plongeait dans leur version de la réalité – celle où Aidan était mort.

« Désolée, tu peux répéter ?

— On est arrivées.

— Ah oui, tiens. »

Flanquée de Jacqui comme si j'étais une prisonnière en permission, je suis entrée dans La Vie en Seine, où toute une foule m'attendait : Rachel, Luke, Joey, Gaz, Shake, Teenie, Leon, Dana, sa sœur Natalie, Marty (l'ancien colocataire d'Aidan), Nell – mais pas son étrange ami, Dieu merci. Ils étaient debout, en train de siroter du champagne dans des flûtes, et lorsqu'ils m'ont vue, ils ont fait semblant de ne pas être mortifiés, de se réjouir. Quelqu'un a lancé : « Ah, voici la reine de la soirée. » Un autre m'a tendu une flûte ; j'ai essayé de la siffler d'un trait, mais ces saloperies sont tellement étroites qu'il m'a fallu renverser la tête en arrière, et le verre, collé à mon visage, m'a laissé une marque ronde sur les joues et le nez.

Tous souriaient et me regardaient – ils se montraient ou trop enthousiastes ou trop inquiets à mon sujet, personne n'agissait normalement – et je n'avais rien à dire. C'était pire, bien pire que ce que j'avais imaginé.

« Bon, et si on passait à table ? » a proposé Rachel.

J'avais mal aux joues à force de m'obliger à sourire. J'ai repris du champagne – pas sûre que c'était mon verre, mais il fallait que je boive –, et j'en ai avalé le plus possible sans que ma flûte fasse ventouse avec mon visage, cette fois. Jusque-là, j'avais évité l'alcool de peur de trop l'aimer, et il semblait bien que j'avais eu raison.

Comme j'essuyais les gouttes de mon menton, j'ai découvert qu'un serveur me tendait patiemment un menu. « Oh, pardon, merci », ai-je murmuré en m'intimant d'agir normalement.

Jacqui m'expliquait qu'elle avait un mal fou à dégoter un labraniche : il y en avait peu, on les achetait au marché noir, et certains avaient même fait l'objet de kidnappings pour être revendus. Je m'efforçais de l'écouter, mais juste en face d'elle Joey chantait *Uptown Girl*, en changeant les vraies paroles pour des méchancetés sur Jacqui.

Il était très désagréable – rien d'inhabituel, mais là, il y mettait vraiment du cœur... et, d'ordinaire, il n'y avait pas moyen de le faire chanter. Soudain, j'ai compris : mon Dieu, il en pinçait pour Jacqui !

Depuis quand durait cette mascarade ?

Jacqui l'ignorait royalement, mais j'étais tellement à fleur de peau que j'ai fini par craquer. « Joey, tu veux bien la boucler ?

— Hein ? Oh, désolé. »

Je ne m'en sortais pas si mal : tout le monde était obligé d'être sympa avec moi. Et comme j'ignorais combien de temps ça allait durer, autant en profiter.

« C'est ma voix, hein ? m'a demandé Joey. Je sais, j'ai pas du tout l'oreille musicale. Depuis toujours. Quand on demande aux gens quel superpouvoir ils aimeraient avoir, ils répondent : "Le don d'être invisible." Moi, je voudrais savoir chanter. »

Une superbe jeune femme à la table voisine a attiré mon attention. Très New York dans son style – élégante avec son tailleur, ses cheveux lisses et brillants. Elle souriait et faisait la conversation à l'homme assis face à elle – qui avait l'air chiant comme la pluie –, agitant ses mains manucurées pour appuyer ses propos. Je regardais son buste se soulever et s'affaisser à chaque respiration. Et une autre. Et une autre. Encore. Encore une. Et une autre. Et une autre. Respirer. Rester en vie. Un jour, elle ne respirerait plus. Un jour, il lui arriverait quelque chose, et sa poitrine cesserait de se soulever et de s'affaisser. Elle serait morte. Je pensais à toute cette vie qui coulait en elle, sous sa peau – à ses poumons qui s'ouvraient, à son cœur qui pompait le sang, ce sang qui circulait ; à ce qui fait que ça marche, et que ça s'arrête...

Lentement, je me suis aperçue que tout le monde me regardait.

« Euh... Anna, ça va ? m'a demandé Rachel.

— Hmm...

— Ça fait des heures que tu dévisages cette femme. » Mon Dieu. J'étais en roue libre. Que dire ?

« Oui, heu... Je me demandais si le Botox était passé par là. »

Tout le monde s'est tourné pour regarder.

« C'est évident. »

Alors je me suis sentie lamentable. Non seulement parce que cette femme n'avait jamais eu recours au Botox – elle avait un visage très expressif –, mais surtout parce que j'étais bonne à enfermer.

Gaz a posé sa main sur mon épaule. « Et si on te commandait quelque chose de plus sérieux ? » J'étais d'accord. Quand on m'a apporté mon martini, Gaz m'a affirmé : « Tout va bien. Tu t'en sors comme un chef.

— Tu sais quoi, Gaz ? » J'ai pris une gorgée d'alcool qui m'a instantanément réchauffée. « Je ne suis pas d'accord avec toi. J'ai cette... impression... bizarre... de regarder le monde par le mauvais bout de la lorgnette. Tu as déjà ressenti ça ? Non, non, ne me réponds pas ; tu diras oui juste par gentillesse. Je t'explique l'effet que ça fait ? Eh bien, la plupart du temps – pas juste ce soir, bien que ce soir ça soit gratiné –, j'ai l'impression que quelqu'un a trifouillé le prisme par lequel je vois le monde, et du coup les gens ont l'air très très loin. Tu comprends ce que je veux dire ? »

J'ai pris une autre lampée de martini. « Les seuls moments où je me sens à peu près normale, c'est quand je travaille, parce que là je ne suis pas vraiment moi : je joue un rôle. Tu veux savoir à quoi je pensais pendant que je regardais cette femme ? Je pensais qu'un jour on y passera tous, Gaz. Tous morts. Elle, moi, Rachel, Luke... toi, Gaz, oui, toi aussi. Je n'insiste pas sur toi, Gaz ; ne va pas croire ça, tu sais que je t'adore. Je dis juste qu'un jour tu seras mort. Et ça ne sera peut-être pas dans quarante ans, ou quel que soit le nombre d'années que tu aies imaginé vivre. Parce que, Gaz, ça peut arriver comme ça ! » J'ai essayé de claquer des doigts, sans succès. Est-ce que j'avais déjà un coup dans le nez ? « C'est pas pour être morbide, Gaz, mais c'est la vérité. Tiens, prends Aidan par exemple : il est mort, et il était plus jeune que toi. De deux ans, au moins. Si lui il est mort, alors on peut tous y passer, toi y compris. Mais je dis pas ça pour être morbide, Gaz... »

Je garde un vague souvenir de son visage désespéré tandis que je glosais sans fin. Je m'observais, comme si je flottais hors de mon corps, mais je ne pouvais rien faire pour m'arrêter. « J'ai trente-trois ans, Gaz, trente-trois ans aujourd'hui, tu m'entends ? et mon mari est mort, et je vais reprendre un martini parce que si tu peux pas boire un martini quand ton mari est mort, quand est-ce que tu le peux, hein ? »

J'ai continué dans cette veine pendant un bon moment. Dans mon brouillard éthylique, je percevais vaguement les regards lourds de sens qu'échangeaient Gaz et Rachel. Puis elle s'est levée d'un coup. « Anna, je viens m'asseoir à côté de toi. Je n'ai pas encore eu l'occasion de discuter avec toi ce soir ! » Et là, j'ai compris que j'étais un objet de pitié et que les gens étaient prêts à payer pour ne pas être assis près de moi.

« Désolée, Gaz, ai-je murmuré en lui prenant la main. C'est plus fort que moi.

— Eh, ça va. Inutile de t'excuser. » Il m'a gentiment déposé un baiser sur le front, mais il est parti sans demander son reste. Deux secondes plus tard il était au bar, éclusant cul sec un liquide couleur d'ambre. Son verre a heurté le comptoir en bois poli, il a fait un signe d'urgence au barman, le verre s'est de nouveau empli du liquide ambré pour finir dans son gosier, de nouveau en un seul trait.

Nul besoin de me le préciser : le liquide en question était du Jack Daniel's.

25

Le samedi matin, j'ai émergé avec une gueule de bois terrible. Je tremblais, je pleurais, j'avais mal partout. Les douleurs arthritiques étaient encore plus intenses que d'habitude ; et les décharges électriques secouaient tout mon squelette. Et j'avais la langue épaisse... Jamais je n'avais eu aussi soif.

Les habitudes ont la vie dure. J'avais envie de pousser du coude Aidan en lui disant : « Si tu te lèves pour aller me chercher du Coca Light, je serai ton amie pour la vie. »

Les images de la soirée qui me revenaient par flashes – en tête à tête avec des gens subissant tour à tour mon monologue inarticulé sur la mort – me faisaient mourir de honte.

La honte l'a brièvement cédé à un désir d'insolence. Après tout, j'avais bien dit à Rachel que je ne supportais plus la présence des gens, je l'avais prévenue ! Mais la honte a repris le dessus, et je n'avais personne pour m'assurer que je n'avais pas trop bu la veille, que je ne m'étais pas rendue ridicule...

Aidan était tellement gentil avec moi, quand j'avais la gueule de bois !

« Si seulement tu étais là, ai-je déclaré au vide autour de moi. Tu me manques. Si tu savais ce que tu me manques... »

Depuis sa mort, jamais je ne m'étais sentie aussi seule, et le souvenir de ce que je faisais il y avait un an jour pour jour m'était presque insupportable. J'avais eu un anniversaire génial.

Quelques semaines avant la date, il m'avait demandé ce qui me ferait plaisir, et j'avais répondu : « J'aimerais qu'on parte. Fais-moi la surprise, mais il faut que l'endroit n'ait rien à voir avec les cosmétiques. Oh, dernière chose : je ne veux pas m'éloigner trop de New York. Je ne supporte pas les embouteillages du samedi soir.

— Bien reçu. Exécution des ordres. »

Le jour J, il est passé me prendre au bureau en limousine (de taille normale, pas XXL, Dieu merci !), et il faisait tellement de mystère autour de notre destination qu'il m'a bandé les yeux. Nous avons roulé pendant une éternité, on devait être au moins dans le New Jersey. D'un coup, j'ai craint qu'il ne m'emmène à Atlantic City, et j'ai enfoncé mes ongles dans son avant-bras.

« On arrive, bébé, on arrive. »

Mais lorsqu'il m'a enlevé le bandeau, j'ai vu qu'on était toujours à New York – à une vingtaine de rues de notre appartement, devant un hôtel de SoHo très en vue, avec spa et restaurant affichant une liste d'attente de trois mois, à moins d'être client de l'hôtel, auquel cas vous aviez la priorité. J'avais organisé un lancement de produit dans cet endroit quatre mois auparavant, et je n'avai pas tari d'éloges sur sa beauté. Depuis, je rêvais d'y passer une nuit, mais comment aurais-je osé alors que j'habitais à cinq minutes ?

« C'est pile l'endroit où je voulais aller ! lui ai-je déclaré en descendant de la voiture. Je m'en rends compte à l'instant.

— Ravi de te l'entendre dire. » Sa voix était douce, mais j'ai bien vu qu'il en explosait presque de fierté.

On avait dîné dans l'excellent restaurant, puis passé les deux jours suivants au lit, n'émergeant de nos draps en soie que pour un raid chez Prada (j'avais choisi d'éviter le spa, au cas où ils essaieraient de me vendre des produits). Des moments tout simplement magiques.

Et maintenant, regarde ce qu'on est devenus...

Si ivre que j'aie été la veille, j'avais perçu l'ambiance autour de la table. Elle est au plus mal, s'étaient-ils tous dit. C'est de pire en pire. Bizarre, d'ailleurs, parce qu'au bout de cinq mois on pouvait s'attendre à un mieux...

Et peut-être n'avaient-ils pas tort ? Leon, lui, avait fait des progrès considérables. Il était plus jovial, et capable de passer du temps en ma compagnie sans verser une larme. Mais lui n'avait pas tout perdu : il avait toujours Dana à ses côtés.

Un autre souvenir de la soirée m'est apparu : je parlais à Shake du prochain concours d'air guitar.

«Joue, je lui avais dit. Donne tout ce que tu as. Vibre de tout ton être, Shake. Parce que tu peux mourir demain. Ou même ce soir, qui sait ? »

Sa chevelure et lui avaient acquiescé vigoureusement au début, mais ils se sont fait la belle dès que j'ai mentionné la possible imminence de leur disparition.

Rachel m'avait fait passer de grappe en grappe, avant que je ne ruine le moral de tout le monde. Je me suis néanmoins demandé si je n'avais pas créé une petite crise de panique parce qu'après le dîner, tandis que nous tergiversions pour savoir où aller ensuite, les Real Men, ivres morts, le poing en l'air, criaient qu'ils avaient toute la nuit encore, et qu'ils allaient jouer au Scrabble jusqu'à l'aube. Même le gentil Leon penchait la tête en arrière et criait dans l'immensité du ciel. Tous manifestaient un désir frénétique de profiter de la vie.

«Je leur ai fait peur, ai-je constaté à voix haute. Aidan, je leur ai fait peur. » Soudain, ça m'a semblé drôle, et réconfortant. Il en était autant responsable que moi. « On leur a fait peur. »

Il était encore trop tôt pour appeler qui que ce soit, alors je me suis recouchée – un fait extrêmement rare, il faudrait que j'essaie de picoler plus souvent – et, à mon second réveil, je me sentais mieux. J'ai allumé l'ordinateur.

De : FamilleWalsh@eircom.net
À : Apprentiemagicienne@yahoo.com
Objet : Bon anniversaire !

Ma chérie,
J'espère que tu vas bien et que tu as bien profité de ta « fête »
d'anniversaire. Je me souviens de cette journée il y a trente-
trois ans. Une autre fille, on s'est dit. Tu nous manques. On a
mangé un gâteau au chocolat en ton honneur.

Ta mère qui t'aime

P.-S. : Si tu vois Rachel, pourrais-tu lui dire s'il te plaît
qu'aucune de mes sœurs – je dis bien AUCUNE – n'a entendu
parler de petits pois range-tout ?
P.P.-S. : Est-ce vrai que Joey a le béguin pour Jacqui ? Mon
petit doigt (Luke) m'a dit qu'il y avait eu de l'« électricité » entre
eux à ta fête d'anniversaire hier soir. Joey lui aurait volé un
de ses A au Scrabble, l'aurait mis dans son pantalon, et aurait
déclaré à Jacqui que si elle voulait le récupérer, elle savait où
chercher. Tout ça est-il vrai ? Je me demande si Luke me
faisait « marcher ».
P.P.P.-S. : C'était juste dans son pantalon ou carrément dans
son caleçon ? Parce que dans le cas du caleçon, j'espère qu'il a
lavé la lettre après. C'est un vrai nid à germes, là-dedans ! On
ne sait jamais sur quoi on peut tomber. Surtout avec Joey – un
garçon très « actif ».

*Oh mon Dieu, Aidan, il semblerait qu'on ait raté quelque
chose !*
Je me suis décidée à appeler Rachel.
« Maman m'a envoyé un mail.
— Ah oui ? À propos des pois range-tout ? Parce que...
— Non, au sujet de Joey et...
— Dieu du Ciel, il a été impossible ! Il écrivait des mots
du genre "sexe", ou "chaude", en faisant des œillades à
Jacqui. Depuis quand est-ce qu'elle lui plaît ?
— Je l'ignore. Franchement, aucune idée. Maman dit qu'il
a mis un de ses A dans son calecif...
— C'est faux.

— Alors, pourquoi elle dit que...

— C'était un J. Et un J, ça vaut huit points.

— Et après, qu'est-ce qui s'est passé ?

— Il lui a déclaré que si elle voulait le récupérer, elle savait où chercher. Donc elle a retroussé sa manche, farfouillé un petit moment, et récupéré sa lettre. »

De : Apprentiemagicienne@yahoo.com
À : FamilleWalsh@eircom.net
Objet : Bonne pioche ?

Non, Joey n'a pas volé un A à Jacqui pour le mettre dans son pantalon avant de lui déclarer que si elle voulait le récupérer, elle savait où chercher. Il lui a volé un J pour le mettre dans son pantalon avant de lui déclarer que si elle voulait le récupérer, elle savait où chercher.
Bises.

Anna

P.-S. : C'était dans son caleçon, pas juste dans son pantalon.
P.P.-S. : Oui, elle est allée la chercher, sa lettre.
P.P.P.-S. : Je ne sais pas si elle l'a lavée.

De : FamilleWalsh@eircom.net
À : Apprentiemagicienne@yahoo.com
Objet : Bonne pioche ?

Ton père est contrarié. Il a lu ton dernier mail, pensant que c'était pour lui (bien que personne ne lui écrive jamais). Il dit qu'il ne pourra plus jamais regarder Jacqui en face. Il n'est plus lui-même, et cette histoire de chien n'arrange rien.

Ta mère qui t'aime

P.-S. : Alors, elle a vraiment plongé sa main dedans et récupéré sa lettre ? On ne l'en croirait pas capable, à la voir. Tout comme moi, dans une « autre vie », j'avais l'habitude de manipuler des « abats » de dinde, et, crois-moi, tout le monde n'est pas taillé pour ça.
P.P.-S. : Je viens de penser à un «jeu de mots » : vu l'endroit où était le J, ça aurait pu être une case « lettre compte double » !

J'ai pris le combiné. Il fallait absolument que je parle à Jacqui. C'était incroyable ! Elle et Joey ? Mais je n'ai eu que son répondeur.

« Où es-tu ? Au lit avec Joey ? Non, sûrement pas, impossible ! Appelle-moi ! »

J'ai laissé le même message sur son portable, puis me suis mise à faire les cent pas dans le salon, en me rongeant les ongles. L'occasion pour moi d'une grande découverte : j'avais dix ongles à mâcher. Pendant que je n'y prêtais plus attention, les deux manquants avaient repoussé.

À cinq heures de l'après-midi, Jacqui a enfin donné signe de vie.

« Où es-tu ? lui ai-je demandé.

— Au lit. » Voix ensommeillée et sexy.

« Dans le lit de qui ?

— Le mien.

— Seule ? »

Elle a ri. « Oui !

— Vraiment ?

— Puisque je te le dis !

— Et tu as passé la nuit seule ?

— Oui.

— Et la journée ?

— Oui. »

L'air de rien, j'ai lancé : « Tu t'es bien amusée hier soir ?

— Ouais. »

Encore plus l'air de rien, j'ai ajouté : « Tu n'as jamais pensé que Joey ressemblait un peu à Bon Jovi ? » Ce qui a provoqué un grand éclat de rire – mais, chose intéressante, pas de réponse.

« Je te retrouve chez toi », a-t-elle fini par lâcher.

Elle est arrivée en pantacourt blanc (Donna Karan), micro-T-shirt blanc (Armani), et avec un sac Balenciaga en cuir métallisé qui devait coûter approximativement un mois de loyer (cadeau d'un client reconnaissant). Ses cheveux emmêlés avaient un air « saut du lit » et elle semblait porter encore le maquillage de la veille, mais sur elle ça n'avait rien de vulgaire : en coulant un peu, son mascara lui faisait un regard sombre et aguichant. Elle ressemblait donc, si une telle chose est possible, à une planche à repasser super sexy.

Je me suis empressée de le lui dire. Oui, même la comparaison avec la planche à repasser, parce que sinon c'est elle qui l'aurait fait.

Elle a écarté mon compliment. « Ouais... En vêtements, passe encore ; mais quand on me voit en culotte et soutif pour la première fois, le choc !

— Et qui va te voir en culotte et soutif pour la première fois ?

— Personne.

— Tu es sûre ?

— Absolument.

— OK. Allons manger une pizza.

— Oui, bonne idée ! » Petite hésitation. « Seulement, il faut d'abord que je passe chez Rachel et Luke. J'ai laissé quelque chose chez eux hier soir.

— Quoi ? T'as oublié ta tête ?

— Non. Mon portable. »

Mais quand nous sommes arrivées chez Rachel et Luke, qui donc était affalé sur le canapé, pieds contre le mur en briques ? Un certain Joey.

« Tu savais qu'il était là ? ai-je demandé à Jacqui.

— Non. »

En la voyant, Joey s'est immédiatement redressé et passé la main dans les cheveux, manifestement désireux de se donner une contenance. « Eh Jacqui ! Salut ! Tu as oublié ton portable hier soir. Je t'ai appelée. Tu as eu mon message ? Je disais que je pouvais te le rapporter si tu voulais. »

301

J'ai lancé un regard à Jacqui. Donc, elle savait bien qu'il serait là. Mais elle a évité mon regard.

« Tiens, le voilà. » Joey s'est levé et a saisi le téléphone de Jacqui, posé sur une étagère. C'était très divertissant de le voir s'essayer à la gentillesse.

« Merci. » Elle a pris l'appareil en le regardant à peine. « Anna et moi, on va manger une pizza. Ceux qui veulent se joindre à nous sont les bienvenus.

— Oui, et après la pizza, ai-je renchéri, on pourrait peut-être faire une partie de Scrabble ? »

Au mot « Scrabble », quelque chose de marrant s'est passé – comme si Jacqui et Joey avaient été parcourus par le même frisson électrique.

« Non, pas de Scrabble ce soir, a décrété Rachel, j'ai besoin d'une bonne nuit de sommeil pour récupérer. »

Jacqui et moi avons partagé un taxi pour rentrer. Ni elle ni moi ne pipions mot. Elle a fini par se lancer. « Allez, vas-y. Je sais que tu veux me dire quelque chose.

— Juste une question : ma mère m'a raconté que tu as mis la main dans le caleçon de Joey pour récupérer ta lettre et...

— Hé ! Ho ! On se calme, là ! Comment ta mère est au courant d'un truc pareil ?

— Par Luke, je crois. Mais peu importe : elle sait toujours tout, de toute façon. Ce qui m'intéresse, en revanche, c'est de savoir si c'était... agréable ? »

Elle a réfléchi. « Très agréable.

— Très agréable ? Rien d'autre ?

— Oui, très agréable.

— Et, heu... plutôt ramollo ou... tu vois ?

— Assez ramollo au début. Très contracté à la fin... C'est qu'il m'a fallu un petit moment pour la trouver, cette lettre... ! »

Elle m'a lancé un sourire coquin.

« Peut-être une option sérieuse, alors...

— Comment ça ?

— Ton problème avec les mecs, en général, c'est qu'ils sont très sympa au début, mais se révèlent de vrais trous du cul au bout de quelque temps. Avec Joey, au moins, tu sais où tu mets les pieds : c'est un chieur, un râleur, et il ne s'en est jamais caché.

— Peut-être, Anna, seulement je ne pense pas que l'on puisse considérer ça comme un atout. »

26

« Aidan ? Tu crois que je devrais aller à l'Église spirituelle aujourd'hui ou pas ? »

Pas de réponse. Rien ne s'est passé. Il a simplement continué à me sourire depuis cette photo encadrée, figé dans un passé lointain.

« Bien. Apparemment, tu veux que j'y aille. »

Avant, il fallait que je m'excuse auprès de Rachel, car vu la chaleur étouffante elle voulait aller à la plage. Je lui ai déclaré que je passais la journée dans un spa, ce qui a semblé la ravir.

« Mais la prochaine fois, tiens-moi au courant, ou parles-en à Jacqui, on t'accompagnera.

— OK ! Génial ! » ai-je affirmé, soulagée de m'en tirer encore pour cette fois.

Nicholas attendait déjà dans le couloir. Cette semaine, son T-shirt disait « JE NE CROIS QU'EN MON PIEU ». Il lisait un livre intitulé *Le Mystère Sirius*, et j'ai commis l'erreur de lui demander de quoi ça parlait.

« Il y a cinq mille ans, des extraterrestres amphibies sont venus sur Terre et ont enseigné les secrets de l'univers aux Dogons, une tribu d'Afrique de l'Ouest. Ces secrets incluaient l'existence d'une constellation jumelle de celle de Sirius – une étoile si dense qu'elle est en fait invisible...

— Merci ! OK ! Je vois l'idée ! Bon, est-ce que tu crois que la princesse Diana bosse dans un restaurant routier du Nouveau-Mexique ?

— Oui. Et je crois également que la famille royale l'a fait assassiner. Tu vois, je suis un excellent croyant. Un vrai.

— Roosevelt était au courant pour Pearl Harbor mais n'a pas réagi parce qu'il voulait l'entrée en guerre des États-Unis ?

— Oui.

— Personne n'est jamais allé sur la Lune ?

— Non. »

Fred le mort-vivant est arrivé, le pas lourd, en costume noir malgré la chaleur. Barb le suivait.

« On meurt de chaud ! »

Elle s'est laissée tomber sur le banc à côté de moi, cuisses écartées, en agitant sa jupe vigoureusement. « Bien, aérons là-dessous... Il fait une chaleur à ne pas porter de culotte ! »

J'ai commencé à avoir le tournis. C'est à ça que m'avait réduite la mort d'Aidan ? À côtoyer des tarés ?

Mais étaient-ils vraiment tarés ? ou juste en quête de réponses, de repères ? et aussi d'argent, dans le cas de Mackenzie ?

« Barb, ai-je commencé la voix un peu aiguë, qu'est-ce qui vous amène ici chaque dimanche ?

— Tous les gens intéressants de ma connaissance sont morts. Overdoses, suicides, meurtres, que sais-je ! » Elle énonçait ça comme si les gens ne savaient plus mourir de nos jours. « Et je n'ai pas les moyens de m'offrir ne serait-ce que deux secondes du temps de Neris Hemming.

— Vous aimeriez lui parler ?

— Oh, que oui ! Elle est la meilleure, dans son domaine. » Ça m'a mis du baume au cœur. Si Barb, avec sa voix rocailleuse et son naturel maussade, assurait que Neris Hemming était la meilleure, ça devait être vrai. « Et elle seule peut vous faire entrer en contact avec votre mari.

— Tu l'as appelée ? m'a lancé Mitch, qui venait d'arriver.

— Son assistante m'a dit que je pourrais lui parler dans dix à douze semaines.

— Waouh ! Super. »

Tout le monde s'accordait à trouver ça génial. Leisl est arrivée et la séance a débuté. Grand-tante Morag est venue confirmer à Mackenzie l'absence de testament. Le père de Nicholas s'est manifesté pour lui donner des conseils sur son travail – il avait l'air de quelqu'un de bien, vraiment. Gentil. Inquiet pour son fils. Puis la femme de Juan le gominé lui a demandé de mieux manger. Le mari de Carmela lui a conseillé de changer la chaudière : elle pouvait s'avérer dangereuse.

« Barb, j'ai ici quelqu'un qui veut te parler, a annoncé Leisl. Est-ce que ça pourrait être... quelque chose comme Wolfman ?

— Wolfman ? Oh, Wolfgang ! Mon mari. Enfin, l'un d'entre eux. Qu'est-ce qu'il veut ? Il vient encore mendier ?

— Il dit... euh... Est-ce que ça te parle ? Il dit de ne pas vendre le tableau, qu'il va prendre de la valeur.

— Ça fait des années qu'il me le serine ! Mais il faut bien que je vive, moi ! »

À la fin de l'heure, personne ne s'était présenté pour moi, mais, toujours euphorique d'avoir été en contact avec Neris Hemming, cela ne me dérangeait pas.

J'ai salué tout le monde avant de me diriger vers l'ascenseur, en suivant le flot des apprenties danseuses du ventre, mais quelqu'un m'a appelée. C'était Mitch.

« Hé, Anna... Je me demandais si tu avais quelque chose de prévu dans l'immédiat ? »

J'ai secoué la tête.

« Tu veux faire un truc ?

— Comme quoi ?

— Je sais pas trop. Prendre un café ?

— Non, je ne veux pas prendre de café. » Depuis peu, en boire me donnait envie de vomir. Je commençais à craindre le pire : devoir avaler des thés à base de plantes, et courir le risque de devenir une de ces personnes au calme agressif qui ingurgitent des litres d'infusion à la menthe poivrée et à la camomille.

Mitch n'a pas sourcillé. Au mieux, son regard était celui d'un homme ayant tout perdu. Qu'on refuse de prendre un café avec lui ne le touchait pas.

« Si on allait au zoo, plutôt ? » Impossible de savoir ce qui m'était passé par la tête.

« Au zoo ?

— Oui.

— L'endroit avec les animaux ?

— Oui. Il y en a un dans Central Park.

— OK. »

Le zoo était bondé, de couples tendrement enlacés, de familles avec poussette et enfants qui gambadaient une glace à la main. Mitch et moi, les rescapés, ne faisions pas trop tache dans le tableau ; on ne pouvait voir la différence qu'en nous regardant de près.

Dans la Forêt Tropicale, j'ai perdu de vue Mitch. Comme je le cherchais du regard, je me suis aperçue que j'ignorais à quoi il ressemblait précisément.

« Je suis là. » En me retournant, je me suis retrouvée les yeux dans ces deux puits d'une noirceur sans fond. J'ai tenté d'enregistrer deux ou trois autres détails de son physique pour plus tard : cheveux très courts, T-shirt bleu foncé – pas vraiment une caractéristique en soi, je vous l'accorde – et il devait être un peu plus âgé que moi, pas loin de quarante ans.

« On avance ? »

Ça me convenait tout à fait. Je n'avais pas la force de me concentrer sur quoi que ce soit. Nous nous sommes retrouvés au Cercle Polaire.

« Trish adorait les ours blancs. Je passais mon temps à lui dire que ce sont des petits vicieux, mais je reconnais qu'ils sont mignons. Et toi, quel est ton animal préféré ? »

Bonne question. Je n'étais même pas sûre d'en avoir un.

« Le pingouin. » Pourquoi pas, en effet ? « Il fait tellement d'efforts ! Ça doit être dur d'être un pingouin : tu peux pas voler, tu peux à peine marcher…

— Mais tu peux nager.

— Ah oui, tiens ! J'avais oublié.

— Et l'animal préféré d'Aidan, qu'est-ce que c'était ?

— Les éléphants. Mais il n'y en a pas ici. On n'en trouve qu'au zoo du Bronx.

— Bon, allez, on bouge ? Qu'est-ce qu'on a, après ? »

J'ai regardé mon plan. Zut, les pingouins ! Il allait falloir que je m'extasie devant leur joli petit costard noir et blanc. J'ai fait de mon mieux, puis Mitch a proposé qu'on avance. On ne se parlait guère. Ça ne me dérangeait pas, mais je ne savais pas grand-chose sur lui – à vrai dire, seulement que sa femme était morte.

« Tu travailles, sinon ? » Ma question est arrivée comme un cheveu sur la soupe.

« Oui. »

On a continué à marcher sans qu'il ajoute quoi que ce soit. Après quelques minutes de silence, il s'est arrêté net et s'est même mis à rire. « Ah, je devais peut-être te dire quel est mon boulot ? C'était le sens de ta question, en fait ; tu ne voulais pas juste savoir si j'étais au chômage.

— Euh... eh bien, oui, mais je... Enfin, si tu ne veux pas en parler...

— Bien sûr que si, ça ne m'ennuie pas du tout. Quand on rencontre quelqu'un, on lui demande couramment son métier... Dis donc, pas surprenant qu'on ne m'invite plus à dîner, ou aux soirées : je suis complètement à côté de la plaque !

— Non, ne dis pas ça. Moi, je ne me rappelais pas que les pingouins pouvaient nager.

— Je crée et j'installe des systèmes domotiques. Je peux t'en parler autant que tu veux, mais c'est assez technique.

— Non, ça va aller, merci. Eh, on a raté les Territoires Tempérés : singes des neiges, pandas rouges, papillons, canards...

— Canards ?

— Oui, canards. Impossible de rater ça. Allez, viens. »

Demi-tour, donc. Nous avons admiré les animaux des Territoires Tempérés sans grand enthousiasme, avons pris la décision d'éviter le parc pour enfants, et soudain le paysage nous a semblé familier : on était revenus au point de départ, en décrivant une grande boucle.

« C'est bon ? a demandé Mitch. On a fini ? » Comme si ç'avait été une corvée.

« On dirait que oui.

— Alors, je vais aller faire du sport. À dimanche prochain ?

— OK. »

Comme j'attendais qu'il disparaisse pour partir à mon tour, j'ai regardé les gens normaux affluer au zoo en me posant des questions sur Mitch. Comment était-il avant ? Comment serait-il plus tard ? Le Mitch que je voyais n'était pas le vrai, j'en avais bien conscience. Tout ce qu'il montrait de lui pour l'instant était son deuil. Comme moi : je n'étais pas la vraie Anna.

Une pensée m'a frappée : peut-être ne serais-je jamais plus la vraie Anna ? Car la seule chose susceptible de recoller les morceaux, de leur redonner leur apparence d'avant aurait été qu'Aidan ne soit pas mort, et c'était impossible. Est-ce que j'allais passer ma vie à retenir mon souffle et à attendre que les morceaux se réassemblent normalement ?

27

Avant de gagner mon bureau, j'ai fait un crochet par les toilettes, où quelqu'un s'était réfugié pour pleurer toutes les larmes de son corps au-dessus du lavabo. Nous étions lundi matin, voir une fille pleurer n'avait donc rien d'étonnant. Mais j'ai été surprise de constater que la fille en question était Brooke Edison.

« Brooke ! Qu'est-ce qui t'arrive ? »

Je n'en revenais pas. Moi qui croyais l'étalage de toute émotion quasiment interdit aux WASP !

« Oh, Anna... J'ai eu une petite prise de bec avec mon père. »

Pas possible ! Brooke Edison avait des « prises de bec » avec son père ? Je l'admets : j'ai trouvé ça assez réjouissant. Il était réconfortant de penser que les autres aussi avaient des problèmes. Peut-être Brooke était-elle plus normale que je ne voulais le croire.

« On a vu cette robe Givenchy dans un magasin...

— Couture ou prêt-à-porter ?

— Ohhhh... » Elle avait l'air de ne pas avoir compris la question. « Couture, j'imagine. Et... et...

— Et il n'a pas voulu te l'acheter », ai-je ajouté en sortant de mon sac en forme de maison un paquet de mouchoirs. Ils étaient imprimés de motifs en forme de chaussure, ce qui m'a étonnée. Il fallait que je fasse gaffe : cette loufoquerie vestimentaire était en train de s'infiltrer dans toutes les strates de ma vie.

« Non, a-t-elle répliqué, les yeux écarquillés. Non, pas du tout ! Il voulait me l'offrir, mais je lui ai dit que j'avais suffisamment de robes magnifiques dans ma penderie... »

Incapable de prononcer un mot, je me suis contentée de la regarder, perplexe.

« ... et aussi qu'il y avait tellement de pauvres dans le monde ! Vraiment, je n'avais pas besoin d'une nouvelle robe. Mais il a insisté en disant qu'il ne voyait pas ce qu'il y avait de mal à vouloir que sa petite fille soit la plus belle. » Les larmes ont jailli de nouveau. « Mon papa, c'est mon meilleur ami, tu comprends ? »

Pas vraiment. J'ai quand même hoché la tête.

« Alors, pour moi, c'est horrible quand on se dispute !

— Bon, il faut que j'y aille. Tiens, garde les mouchoirs. »

Les riches vivent réellement dans un monde à part. Eux aussi ils sont tarés.

De : FamilleWalsh@eircom.net
À : Apprentiemagicienne@yahoo.com
Objet : Mise à jour

Il n'y en a pas. Pas de fichue mise à jour. Helen passe son temps dans les buissons devant la maison Big. Quant à nous, nous subissons toujours l'outrage du caca de chien – deux fois cette semaine. Je vais à Knock samedi, il y a longtemps que je n'ai pas fait de pèlerinage, et je sens que j'en ai besoin à cause de tout ce « venin » que l'on déverse sur moi. Je prierai pour toi, pour que le Bon Dieu t'apporte la paix.

Ta mère qui t'aime

P.-S. : Est-ce que Jacqui a fait le rapprochement avec, euh, Bon Von Jodi ?

P.P.-S. : Veux-tu dire à Rachel que si elle veut porter du crème, grand bien lui en fasse ? C'est son mariage. Je pense pour ma part que la couleur crème fait toujours pas très « net » pour une robe de mariée. Mais ça n'engage que moi.

J'ai écouté mes messages. « Salut, Anna. Kevin à l'appareil. Je suis en ville pour affaires. »

C'était le frère d'Aidan. Mon cœur s'est serré.

Pauvre Kevin ! Je l'adorais, mais je n'avais pas le courage de l'affronter. Et puis, je ne le connaissais pas tellement. Qu'est-ce qu'on se dirait ? « Ça me fait de la peine que tu aies perdu ton frère », « Merci, et moi, ça me fait de la peine que tu aies perdu ton mari » ?

Parler à Mme Maddox tous les week-ends au téléphone était déjà assez dur sans avoir à passer toute une soirée en compagnie de Kevin.

« Je reste jusqu'à vendredi, j'ai une chambre au W. On pourrait peut-être se rencontrer, pour dîner ou je ne sais pas... ? Appelle-moi. »

J'ai lancé un regard impuissant au répondeur. *Ne m'en veux pas, Aidan, mais je n'ai pas d'autre choix que d'ignorer ton frère, même si c'est vexant.*

J'avais également un mail d'Helen, auquel j'ai répondu par une question succincte.

De : Apprentiemagicienne@yahoo.com
À : LuckyStarInvestigations@yahoo.ie
Objet : Colin

Dis-moi, Helen, de quoi il a l'air, ce Colin ?

De : LuckyStarInvestigations@yahoo.ie
À : Apprentiemagicienne@yahoo.com
Objet : Colin

Grand, charpenté, cheveux bruns, sexy. Pas mal. Surtout quand il met son flingue à la ceinture de son jean (vue sur ses abdos sexy, et plein de place pour y glisser la main...).

Toute la différence entre Helen et moi : moi, j'aurais simplement peur qu'avec un flingue à la ceinture il se tire accidentellement une balle dans les parties.

Et là, tu vas me demander : Est-ce qu'il me plaît ? Oui. Mais parfois, il envisage d'abandonner cette mauvaise vie, de reprendre le droit chemin, et alors je me dis qu'il manque sérieusement de couilles. Surhomme plein d'hormones ou nabot castré ? Je n'arrive pas à me décider.

28

« Rachel, il faut que tu ailles à la plage, parce que si tu n'as pas ta dose de soleil, tu peux faire une dépression et "péter les plombs en sniffant Dieu sait quoi", comme le dit Helen avec délicatesse.

— Oui, mais...

— Et moi, je ne peux pas y aller à cause de ma cicatrice. » Là, elle était neutralisée.

« Je suis désolée, a-t-elle lâché, pleine de culpabilité.

— Aucune importance, t'inquiète. »

Voilà. Je pouvais aller rejoindre les spiritualistes. Très vite, c'était devenu ma routine du dimanche. J'aimais les gens que j'y croisais ; ils étaient très aimables, et pour eux je n'étais pas Anna et son Drame – ou peut-être que si, mais ils avaient tous subi un drame dans leur vie et donc, là-bas, je n'étais pas différente.

Personne n'était au courant – surtout pas Rachel et Jacqui, elles n'auraient pas compris. Elles auraient peut-être même tenté de m'empêcher d'y aller. Par chance, Rachel me lâchait les baskets car la canicule ne faiblissait pas, et Jacqui avait des horaires tellement fantaisistes qu'elle m'appelait rarement le dimanche. Quant à Leon et Dana, ils ne me proposaient de sortir que le soir, dans des restaurants branchés.

Tout le groupe était là, assis sur les bancs dans le couloir. Nicholas m'a vue. « Cool ! Voilà Miss Annie ! » Son T-shirt disait « WINONA EST INNOCENTE ».

Mitch s'est redressé pour me regarder. « Salut, Miss. » Il a allongé la jambe pour me toucher du bout du pied. « Eh bien, comment s'est passée ta semaine ?

— Bof... Et toi ?

— Pareil. »

Nous avons pris place dans le cercle, le violoncelle a amorcé sa complainte et plusieurs personnes ont eu des messages, mais encore rien pour moi.

Puis Leisl m'a lancé : « Anna... Je vois de nouveau le petit blondinet... Son prénom commence par un J ?

— Il s'appelle JJ.

— Il a très envie de te parler.

— Mais il est vivant ! Il peut me parler quand ça lui chante ! »

Après la séance, j'ai coincé Leisl. « Pourquoi est-ce que je recevrais des messages de mon neveu, qui est en vie, ou de mon horrible grand-mère – mais pas d'Aidan ?

— Je n'ai pas de réponse, Anna. »

Derrière sa frange, son regard était plus doux que jamais.

J'ai filé vers la sortie en me demandant si Mitch allait me suivre.

Il m'a rattrapée avant que j'atteigne l'ascenseur.

« Eh, Anna, tu as un truc prévu, là ?

— Non.

— Tu veux faire quelque chose ?

— Comme quoi ? » J'étais curieuse d'entendre ce qu'il aurait trouvé.

« Le MoMA, ça te tente ? »

Pourquoi pas ? Trois ans que je vivais à New York, et je n'y avais jamais mis les pieds.

Passer du temps en compagnie de Mitch avait presque tous les avantages de la solitude – par exemple, ne pas être obligée de sourire en continu au cas où mon visage le mettrait mal à l'aise – sans l'inconvénient d'être seule. On passait de tableau en tableau au pas de course, échangeant à peine quelques mots. Par moments, on était dans des salles différentes, mais reliés par un fil invisible.

Après avoir fait tout le tour, Mitch a regardé sa montre.

« Dis donc ! » Il avait l'air content, il a presque souri. « Ça nous a pris deux heures ! La journée va bientôt finir. Bonne semaine, Anna. On se voit dimanche prochain. »

« Anna, réponds. Je sais que tu es là. Je suis en bas de chez toi. Il faut que je te parle. »

C'était Jacqui. J'ai décroché. « Qu'est-ce qui se passe ?

— Fais-moi entrer. »

J'ai appuyé sur le bouton de l'interphone, puis ses pas ont résonné dans la cage d'escalier. Elle a déboulé dans l'appartement avec un air de détresse sur le visage.

« Quoi ? Quelqu'un est mort ? » C'était devenu mon principal souci.

Du coup, elle s'est arrêtée net. « Hem, non. » Son expression a changé. « Non... moins grave que ça – les affaires courantes, quoi. »

D'un coup, j'ai senti qu'elle me détestait. Ce qui l'amenait ici était de la plus haute importance à ses yeux, mais je minimisais tout avec la mort de mon mari : niveau tuile, personne ne m'arrivait à la cheville.

« Désolée, Jacqui. Vraiment. Viens t'asseoir et...

— Non, moi je suis désolée. Je ne voulais pas te faire peur...

— Bon, OK, alors on est quittes. Raconte plutôt ce qui t'amène. »

Elle s'est assise sur le canapé, penchée en avant, les avant-bras posés sur les cuisses, genoux serrés, yeux dans le vague. Enfin, elle s'est lancée. Un mot. « Joey. »

Au moins, je pouvais enfin le dire à maman.

« Ou plutôt, comme je l'appelle, Grincheux. » Elle a poussé un gros soupir. « J'arrive juste de chez lui, là.

— Ah ? Et qu'est-ce que vous faisiez ?

— On a joué au Scrabble. Je ne le regardais même pas, mais du coin de l'œil, d'un coup, ça m'a frappée, je me suis dit qu'il ressemblait à... qu'il ressemblait à Jon Bon Jovi ! »

De honte, elle a enfoui son visage dans ses mains.

« Allez, calme-toi, continue... Jon Bon Jovi, donc.

— Oui, et je sais ce que ça signifie. J'ai constaté ce phénomène chez d'autres femmes. Elles disent qu'un type a des airs de Jon Bon Jovi, qu'elles ne l'avaient jamais remarqué, et la seconde d'après elles ont le béguin pour lui ! Je ne veux pas que ça m'arrive ! Parce que je le trouve bête. Et méchant. Et grincheux !

— Tu n'es pas obligée d'avoir le béguin pour lui. Il suffit de le vouloir.

— C'est aussi simple ?

— Oui ! »

Enfin, on allait bien voir.

« Allô, maman ?

— Laquelle de vous est au bout du fil ?

— Anna.

— Du nouveau entre Jacqui et Joey ?

— Oui ! Je t'appelle pour ça.

— Ah ! Vas-y, dis-moi tout.

— Elle trouve qu'il ressemble à Jon Bon Jovi.

— Ah, alors ça y est : c'est fichu. Elle va tomber dans le panneau.

— Mais non, Jacqui est quand même plus coriace...

— Bon, et sinon, est-ce qu'elle s'est dégoté son chien, là, le labraniche ou je ne sais quoi ?

— Non. » Selon elle, acheter une ogive nucléaire aurait été plus facile. Mais comment maman était-elle au courant pour le chien ?

« Ce n'est pas plus mal. La pauvre bête n'aurait pas eu droit à beaucoup d'attention, maintenant qu'elle en pince pour Joey.

— Elle n'en pince pas pour Joey.

— Si. Elle ne le sait pas encore, voilà tout. »

29

Deux jours plus tard, par le plus pur des hasards – enfin, pas si pur que ça puisque je regardais de plus en plus souvent la chaîne spirituelle –, j'ai vu Neris Hemming à la télévision ! Et pas dans la retransmission d'un de ses « spectacles » : pour un profil complet ! Elle devait avoir environ trente-huit ans, avait des cheveux mi-longs bouclés et portait une robe tablier bleue ; blottie dans un fauteuil, elle répondait aux questions d'un interviewer invisible.

« J'ai toujours eu ce don de voir et d'entendre "les autres", disait-elle d'une voix douce. J'ai toujours eu des amis que personne d'autre ne pouvait voir. Et je savais que des événements allaient se produire à l'avance... Ça mettait ma mère dans une colère noire...

— Mais il s'est passé quelque chose qui a fait changer votre mère d'avis, l'a interrompue l'interviewer. Pouvez-vous nous en parler ? »

Neris a fermé les yeux, comme pour mieux se souvenir. « C'était une matinée ordinaire. Je venais de sortir de la douche, je me séchais avec une serviette, et puis... c'est assez dur à décrire, mais une sorte de brume s'est levée autour de moi, et je n'étais plus dans la salle de bains. J'étais ailleurs. Dehors. Sur l'autoroute. Je voyais le bitume, percevais sa chaleur sous mes pieds. À une dizaine de mètres, un énorme camion était en feu, il dégageait une chaleur incroyable. Je sentais l'essence, et une autre odeur, horrible. Il y avait aussi beaucoup de voitures en feu sur l'autoroute, et bien pire : des corps gisaient un peu partout. Ils avaient une forme bizarre. Tout était affreux ! Et d'un coup, j'ai été de retour dans la salle de bains, ma serviette à la main.

» Je ne comprenais pas ce qui m'arrivait. J'avais l'impression de perdre la tête et j'étais terrorisée. J'ai appelé ma mère, lui ai raconté ce que je venais de vivre, et elle s'est inquiétée.

— Elle vous a crue ?

— Pas du tout ! Elle pensait que j'inventais, que je délirais. Elle voulait m'emmener à l'hôpital. Et moi, j'ai refusé d'aller travailler ce jour-là. J'avais mal au cœur, je suis retournée me coucher. Plus tard, dans la soirée, j'ai allumé la télévision. La chaîne d'info diffusait un flash spécial : un horrible accident venait de se produire sur l'autoroute. Ça correspondait exactement à la vision que j'avais eue : un gros camion-citerne transportant des produits chimiques avait explosé, des voitures avaient pris feu, il y avait plusieurs morts... Je n'en revenais pas. Je me demandais vraiment si j'étais devenue folle.

— Mais ce n'était pas le cas ? »

Neris a secoué la tête. « Non. Aussitôt, le téléphone a sonné. Ma mère, qui m'a dit : "Neris, il faut qu'on parle". »

J'étais au courant de toute cette histoire, je l'avais lue dans ses bouquins, mais l'entendre de sa propre bouche m'a subjuguée.

La suite aussi, je la connaissais : sa mère avait cessé de la traiter de tarée, et a commencé à réserver des salles pour les performances de sa fille. Toute sa famille travaillait pour elle, à présent : son père était son chauffeur, sa petite sœur s'occupait également des réservations ; et si son ex-mari ne bossait pas pour elle, il lui faisait un procès et lui réclamait des millions de dollars – ce qui était presque aussi bien, au niveau pub.

« Les gens me disent souvent qu'ils adoreraient être médiums, mais en réalité ce chemin est très ardu. C'est en effet un don, mais aussi, comme je dis souvent, un cadeau empoisonné. »

Puis on nous a montré un extrait d'une de ses performances en direct. Neris se trouvait sur une scène immense, seule, elle avait l'air toute petite. « J'ai ici... On m'envoie un message pour... Est-ce qu'il y a une Vanessa dans le public ? »

Une caméra s'est mise à parcourir les innombrables rangées, et quelque part vers le fond de la salle une dame assez corpulente a levé la main. Elle a articulé quelque chose, mais Neris lui a lancé : « Attendez une minute, on va vous apporter un micro. »

Une assistante s'est frayé un chemin entre les sièges. Lorsque le micro est parvenu à la dame, Neris lui a demandé : « Pouvez-vous nous confirmer votre prénom ? Vous vous appelez bien Vanessa ?

— Oui, je m'appelle Vanessa.

— Vanessa, Scottie voulait juste vous dire bonjour. Est-ce que ce nom vous évoque quoi que ce soit ? »

Instantanément, des larmes ont roulé sur les joues de Vanessa, tandis qu'elle bredouillait quelques mots.

« Redites-moi ça ?

— C'était mon fils.

— Exact, et il veut que vous le sachiez : il n'a pas souffert. » Neris a posé une main près de son oreille et a ajouté : « Il me demande de vous dire que vous aviez raison, au sujet de cette moto. Ça vous parle ?

— Oui. » Vanessa a baissé la tête. « Je lui répétais qu'il conduisait cet engin trop vite.

— Eh bien, maintenant il s'en rend compte. Il me charge de vous dire : "Maman, c'est toi qui avais raison." »

Malgré tout, Vanessa a paru sourire derrière son rideau de larmes.

« Ça va aller ? lui a demandé Neris.

— Oui, merci. Merci infiniment.

— Non, merci à vous d'avoir partagé votre histoire. Si vous pouviez juste redonner le micro à... »

Vanessa, qui tenait toujours le micro fermement, l'a lâché avec réticence.

Retour au plateau télé, où Neris, toujours blottie dans son fauteuil, expliquait : « Les personnes qui viennent assister à mes performances cherchent pour la plupart à obtenir des messages de proches qui ont disparu. Elles sont dans un état de souffrance extrême, et j'ai une responsabilité envers elles. Mais parfois... » – là, elle a émis un petit rire – « ... si trop d'esprits, trop de voix essaient de m'atteindre en même temps, je leur dis : "Eh, doucement, on se calme. Prenez un ticket, chacun son tour !" »

Cette femme me fascinait. Avec elle, tout cela paraissait si simple, si possible ! Et son humilité me touchait. Si quelqu'un pouvait me mettre en contact avec Aidan, pas de doute, c'était elle.

La scène suivante nous montrait les gens sortant de la salle et s'agglutinant dans l'entrée. « Je n'ai pas honte de l'avouer, je ne croyais absolument pas en cette femme, déclarait quelqu'un. Mais je dois admettre que j'avais tort. » « Incroyable ! s'exclamait une autre. Tout simplement in-croyable ! » Puis une femme a raconté : « J'ai reçu un message de mon mari. Je suis tellement heureuse de savoir qu'il va bien ! Merci, Neris Hemming. »

Ce témoignage m'a mise dans tous mes états. Je brûlais d'impatience à l'idée que j'allais disposer de cette Neris Hemming pour moi toute seule pendant une demi-heure. Une demi-heure pour parler à Aidan.

De : FamilleWalsh@eircom.net
À : Apprentiemagicienne@yahoo.com
Objet : Crucifixion

Ma chérie,

J'espère que tu vas bien. J'ai passé pour ma part une semaine horrible : Helen a bu l'eau bénite que j'avais rapportée de Knock, et que j'avais promise à Nuala Freeman. Nuala a semblé bien contrariée quand je le lui ai raconté. Et comment lui en vouloir ? Elle m'avait rapporté un DVD « pirate » de *La Passion du Christ* quand elle était rentrée de Medjagory (je ne sais pas comment ça s'écrit). Sinon, Helen est malade « comme un chien ». J'ai proposé d'appeler son patron pour le prévenir, mais elle s'est énervée en disant que quand on bosse dans la mafia, on ne se fait pas « porter pâle ». Elle a ajouté que je devais la couvrir. Oh, ça, quand elle a besoin de moi, elle sait où me trouver ! Comme je l'avais « à ma merci », je lui ai promis de surveiller Detta Big si en échange elle prenait des photos de la vieille femme et de son chien.

Je croyais que Detta Big était du genre « poule de luxe » provocante et sa maison un foutoir. Mais son intérieur est très soigné et ses vêtements coûtent une fortune. Ça m'ennuie de l'admettre, mais cette femme me rend un peu jalouse.

Ensuite, j'ai pris des photos de Racey O'Grady en orientant son téléphone - appareil photo dans le mauvais sens, et Helen s'est encore énervée, disant que Mister Big allait la crucifier, si elle ne quittait pas le pays aussitôt. Puis elle s'est calmée et a ajouté : « Tant pis » (enfin, tu la connais, elle a dit quelque chose de plus grossier), qu'elle prendrait ses médicaments. Son père lui a déclaré qu'elle était très courageuse et qu'il était fier d'elle. Moi, qu'on devrait l'enfermer dans un asile, qu'on ne rigole pas avec la crucifixion, que notre Dieu lui-même la redoutait ; et j'ai appelé Claire pour voir si elle pouvait accueillir Helen à Londres, car elle avait besoin d'un « refuge ». Mais Claire a répondu non, qu'Helen passerait son temps à essayer de « se taper » Adam, et qu'elle pouvait (je cite) « aller se faire foutre ».

Bref. Helen est partie trouver Mister Big, il ne l'a pas crucifiée, et tout est bien qui finit bien. Mais entre ce fiasco, la vieille et l'eau bénite de Knock, je t'assure que je perds la boule.

Ta mère qui t'aime

P.-S. : Du nouveau sur Joey et Jacqui ? Je ne les aurais jamais imaginés en couple, mais les gens les plus étranges se « mettent le grappin dessus ».

31

Par un accord tacite, Mitch et moi suggérions chacun à notre tour une sortie pour les dimanches après-midi. C'était donc à moi de choisir, et j'avais trouvé quelque chose d'un peu particulier : un quiz dans Washington Square, mon parc de quartier. Organisé dans un but caritatif – une récolte de fonds pour acheter un respirateur artificiel ou un fauteuil roulant à un pauvre homme dont l'assurance arrêtait la prise en charge.

Les esprits s'étaient montrés particulièrement discrets lors de la séance : Mitch n'avait pas eu de message de Trish ; je n'avais eu de nouvelles de personne, même pas de grand-mère Maguire. Et Mackenzie n'était même pas venue : peut-être s'était-elle résignée à regagner les Hamptons, où elle était à sa place, pour se dégoter un riche mari, ainsi que le lui avait suggéré son grand-oncle Frazer.

« Suivants ! » a lancé la fille qui prenait les inscriptions.

Mitch et moi avons fait un pas vers elle.

« OK. » Elle nous a mis des autocollants sur la poitrine et m'a tendu un formulaire. « Vous êtes l'équipe dix-huit. Où sont vos partenaires ? »

Nos *partenaires* ? Mitch et moi avons échangé un regard. Que répondre ?

« Les deux autres, a-t-elle insisté. Les deux autres personnes censées être avec vous ?

— Je, euh... » Je bredouillais, tandis que Mitch me regardait bouche bée.

La fille, déconcertée par notre réaction, s'est impatientée. « Quatre personnes par équipe. Là, vous n'êtes que deux.

— Oh ! Ah oui ! Bien sûr ! Oui, on n'est que deux.

— Bon. C'est quand même vingt dollars. Pour l'œuvre de bienfaisance.

— Bien sûr. » Je lui ai tendu un billet.

« Mais vous avez plus de chances de gagner à quatre.

— Tu l'as dit, bouffie », a marmonné Mitch dans sa barbe. Nous nous sommes frayé un chemin parmi les groupes souriants et bavards éparpillés dans l'herbe, jusqu'à trouver une place où nous asseoir. J'ai regardé Mitch dans les yeux. « J'ai failli lui dire qu'ils étaient morts.

— Moi aussi.

— Tu imagines ? "Où sont vos partenaires ? — Ils sont morts." Ils sont morts ! »

L'hilarité m'a submergée et j'ai soudain explosé de rire. Impossible de me calmer. J'ai ri, ri à en pleurer, à tel point que j'ai dû m'allonger, et à un moment j'ai entendu quelqu'un s'inquiéter : « Euh... est-ce qu'elle va bien ? »

J'ai essayé de me ressaisir. « Mitch, pardonne-moi, lui ai-je dit en me redressant avant de sécher mes larmes. Je suis désolée. Ce n'est absolument pas drôle, mais...

— Ne t'inquiète pas, ça va. » Il m'a tapoté le dos. Ensuite, j'ai rivé mes yeux sur lui pour rester concentrée, mais de temps à autre je pensais : « Ils sont morts ! » et mes épaules se remettaient à trembler.

Il a regardé sa montre. « Ça ne devrait plus tarder à commencer. » J'ai remarqué un nouveau point commun avec moi : il ne supportait pas la moindre plage de temps non structurée, vide.

Un homme est apparu en costume à paillettes, un micro dans une main, des fiches de questions dans l'autre.

Le jeu était près de démarrer quand j'ai entendu quelqu'un crier : « Eh, mais il y a Anna ! »

Hem, moins fort, c'est possible ? J'ai regardé autour de moi. C'était Ornesto, en compagnie de deux jeunes guillerets déjà croisés dans la cage d'escalier et du gentil Eugene, qui m'avait aidée à installer la clim. Eugene, après avoir regardé Mitch avec insistance, m'a fait un clin d'œil. Oh non ! Il ne pensait quand même pas que Mitch et moi...

Ornesto s'était levé. Il se dirigeait vers nous. Qu'est-ce que j'avais été bête ! J'allais forcément tomber sur des gens que je connaissais ! Non que j'aie eu quoi que ce soit à cacher : il n'y avait rien entre Mitch et moi, mais parfois les gens comprennent de travers...

« Mesdames, messieurs, êtes-vous prêts ? » a lancé le costume à paillettes.

« Ornesto, reviens, ont appelé les guillerets. Ça commence ! Tu lui parleras tout à l'heure ! » Dieu merci, il les a écoutés.

« Qui est-ce ? s'est renseigné Mitch.

— Mon voisin du dessus.

— Première question ! a annoncé Monsieur Paillettes. Qui a dit : "Dès que j'entends le mot 'culture', je sors mon revolver ?"

— Tu sais ? ai-je demandé à Mitch.

— Non. Et toi ?

— Non. »

Impuissants, on se regardait en chiens de faïence tandis que les autres groupes se consultaient entre eux frénétiquement.

« Goering, ai-je murmuré à Mitch. Hermann Goering.

— Comment tu l'as trouvé ?

— Je les ai entendus. » J'ai montré d'un discret signe de tête le groupe à côté de nous.

« Génial. Vas-y, écris-le.

— Deuxième question ! Qui a réalisé *Diamants sur canapé* ?

— Tu sais ? ai-je demandé à Mitch.

— Non. Et toi ?

— Non. Pff, elles sont trop dures, ces questions !

— La fille à l'entrée avait raison : on a plus de chances à quatre. »

Nous étions les seuls dans le parc à ne pas parler. On en a profité pour écouter ce qu'ils avaient à dire.

« Blake Edwards, a articulé Mitch tout bas. Qui l'eût cru ? »

La fille juste à côté nous a balancé un regard noir. Elle avait entendu Mitch. Elle a dit quelque chose à ses coéquipiers, qui se sont tous tournés pour nous regarder, avant de resserrer les rangs en chuchotant.

« Qu'est-ce qu'une attelle ?

— Un truc de maçon, non ? a suggéré Mitch. Pour le ciment ?

— Non, tu confonds avec une truelle. Une attelle est une sorte de coque rigide pour les os brisés. Facile à retenir : j'en ai eu une quand je me suis déboîté la rotule.

— Quelle est la capitale du Bhoutan ? »

Tout le monde a ronchonné : on ne savait déjà pas où se trouvait le Bhoutan – alors le nom de la capitale, c'était même pas la peine ! Mais Mitch jubilait. « Thimphu.

— Tu en es sûr ?

— Absolument.

— Mais comment tu connais un truc pareil ?

— Trish et moi y avons passé notre lune de miel. »

Nous avons séché sur les six questions suivantes, puis Monsieur Paillettes a demandé : « Le directeur de l'équipe des Red Sox de Boston a vendu Babe Ruth afin de financer une comédie musicale de Broadway. Quel en était le titre ? » Mitch a haussé les épaules en signe d'impuissance. « Je suis pour les Yankees.

— Pas grave, ai-je murmuré, je connais la réponse. *No, no, Nanette.*

— Comment tu connais ça ?

— Aidan est un fan des Red Sox. »

Non. Je me trompais : Aidan *était* un fan des Red Sox. Le choc m'a arrachée à mon corps. J'ai eu l'impression de flotter au-dessus du parc, comme si on m'avait parachutée dans une vie qui n'était pas la mienne. Qu'est-ce que je foutais là ? Qui était cet homme près de moi ?

Après le décompte des points, il est apparu que le score de l'équipe dix-huit n'était pas brillant ; mais nous avons quand même gagné un sac de clous assortis et six mètres de corde offerts par la quincaillerie Hector, ainsi qu'un piercing (partie du corps au choix). Peu importait. L'essentiel était que nous avions occupé la majeure partie de notre dimanche.

« OK..., a lâché Mitch en se levant. Merci. Je vais à la salle de sport. À la semaine prochaine.

— Oui, d'accord, à dimanche prochain. » J'étais soulagée qu'il parte. Je préférais qu'il ait débarrassé le plancher avant l'arrivée d'Ornesto.

En parlant du loup... Ornesto se pointait justement, tout joyeux, et pour cause : il était arrivé quatrième au concours et avait gagné un an de pressing gratuit.

« Non, il est parti ? Déjà ? Anna, dis-moi, qui était cet homme ?

— Personne.

— Tssss, il m'avait plutôt l'air d'être quelqu'un...

— Pas du tout. Il est veuf. Comme Eugene.

— Oh, ma caille, rien à voir avec Eugene ! J'ai bien vu ses épaules. Il fait de la muscu ?

— Ornesto, je t'en prie, je... »

Je ne voulais absolument pas que Rachel ou Jacqui ou qui que ce soit entende parler de Mitch ; ils pourraient imaginer quelque idylle entre nous, ce qui était on ne peut plus éloigné de la vérité. « Il a perdu sa femme... On ne fait que...

— ... vous apporter du réconfort. Je comprends, aucun mal à ça. » Je n'aimais pas ses sous-entendus.

Le seul réconfort que m'apportait Mitch, c'était qu'il comprenait ce que je ressentais. J'ai senti une boule de rage monter en moi, me brûler la gorge, jusqu'au bout de la langue. J'ai engueulé Ornesto, mais à voix basse, puisque nous étions en public. « Comment oses-tu penser une chose pareille ! »

Et devant mes joues en feu, mes yeux exorbités, il a eu un mouvement de recul, inquiet et surpris.

« J'aime Aidan, ai-je poursuivi sur le même ton. Je suis anéantie de devoir vivre sans lui. Je ne pourrais même pas envisager d'être avec un autre homme. Jamais ! »

32

La nouvelle ligne de démaquillants de Candy Grrrl s'appelait Place Nette, et j'avais eu une idée assez inspirée de communiqué de presse : réutiliser le programme en douze étapes des Alcooliques anonymes. Mais jusque-là je n'étais parvenue qu'à transformer leur première formule : « 1. *J'admets mon impuissance face à l'alcool et que je n'ai plus aucun contrôle sur ma vie* » en : « *1. J'admets mon impuissance face à ma Zone-T et que je n'ai plus aucun contrôle sur ma peau.* »

J'en étais très contente, seulement il m'en fallait encore onze de ce genre. J'ai essayé de joindre Rachel, mais comme elle ne répondait pas, j'ai dû recourir à une fille de chez EarthSource. Elle a ouvert son tiroir de bureau et en a sorti une brochure. « Tu les trouveras là, sur la couverture !

— C'est juste pour un communiqué de presse, ai-je cru bon de préciser.

— Bien sûr. » Elle n'en croyait pas un mot.

J'ai décidé de téléphoner à Jacqui.

« Alors, t'en es où, avec Grincheux ?

— Oh, tout va bien, rassure-toi. Je peux le regarder et accepter le fait qu'il ressemble un tant soit peu à Jon Bon Jovi. Ça n'a aucune espèce d'importance : il ne me plaît pas le moins du monde.

— Dieu merci ! » Soudain, j'ai eu très envie de la voir.
« Ça te dirait qu'on fasse un truc dans la soirée ? Qu'on se
loue un film, ou autre chose ?

— Ah non, pas ce soir.

— Tu fais quoi ?

— Je joue au poker.

— Toi, au poker ?

— Ouais.

— Où ça ?

— Chez Gaz.

— Tu veux dire chez Gaz *et Joey* ? »

Contre son gré, elle a admis que oui, il lui semblait que
Joey et Gaz étaient colocataires.

« Et... je peux venir ? »

Je pensais qu'elle serait ravie. Elle qui me harcelait depuis
des mois pour que je sorte plus souvent.

Le truc, c'est que Gaz n'était pas à l'appart. Joey était tout
seul, et il n'a pas eu l'air particulièrement enchanté de voir
ma pomme. Cela dit, ça ne lui est jamais arrivé. Mais là, son
mécontentement était d'un *nouveau genre*.

« Où est Gaz ? ai-je demandé...

— Il est sorti. »

J'ai risqué un regard vers Jacqui, mais elle m'évitait.

« Bel effort de déco, ai-je commenté. Ces bougies sont très
jolies. Hem, parfumées à l'ylang-ylang, à ce que je vois – très
sensuel. Et c'est quoi, ces fleurs ?

— Des oiseaux de paradis, a grommelé Joey.

— Magnifiques ! Tiens, est-ce que je peux prendre une
fraise ? »

Silence, puis un maussade : « Bien sûr, sers-toi.

— Hem, quel délice ! Très mûre, et juteuse ! Goûte-les, Jacqui, tu vas voir. Mais... Et qu'est-ce que c'est que ce foulard, Joey... C'était pour lui bander les yeux ?»
Il a levé les yeux au ciel.
« Bon, j'ai compris, je me casse.
— Non, reste », a protesté Jacqui. Elle a regardé Joey. « On allait simplement jouer au poker.
— Oui, reste, a répété Joey, pas très convaincu.
— S'il te plaît, Anna, a insisté Jacqui. Ça fait plaisir de te voir de sortie...
— Vous êtes sûrs ?
— Oui.
— OK. De toute façon, je ne suis pas sûre que vous auriez pu jouer au poker à deux.
— Oui, mais on est trois maintenant, a constaté Joey sur un ton amer.
— C'est juste. Mais... Ça vous ennuie si on joue à autre chose ? On ne peut pas vraiment faire un poker si on ne fume pas. Tout est dans la gestuelle, les mimiques. Jouons plutôt au rami, non ?»
Après un long silence, Joey a soupiré : « Va pour le rami... »
Nous nous sommes installés autour de la table, et Joey a distribué les cartes. J'ai examiné mon jeu en plissant les yeux. « Hem, ça vous dérangerait pas si on allumait une autre lampe ? J'ai du mal à voir mes cartes. »
Avec des mouvements brusques et les lèvres pincées, Joey s'est levé et a appuyé sur un interrupteur avant de se laisser tomber sur sa chaise en soupirant de nouveau.
« Merci », ai-je murmuré. Baignés par une lumière plus crue, bougies, fleurs, fraises et chocolat avaient un air tout penaud.
« J'imagine qu'il faut aussi éteindre la musique, pour que tu puisses te concentrer ?
— Non. J'aime beaucoup le *Boléro* de Ravel, en fait. »

J'étais désolée de gâcher leur scène de séduction, mais rien ne m'avait indiqué que je dérangerais. Jacqui m'avait plus ou moins laissé entendre que Gaz serait là. Et elle avait insisté pour que je reste, tout comme Joey – bien qu'aucun des deux n'ait été vraiment sincère.

En levant les yeux de mon jeu – qui par ailleurs était excellent –, j'ai surpris Joey en train de regarder Jacqui. Tel un chat face à une pelote de laine, il paraissait fasciné. Son comportement à elle était moins évident à déchiffrer : elle ne le dévisageait pas comme lui le faisait, mais se montrait beaucoup moins extravertie que d'habitude. Elle n'était pas elle-même, et probablement pas très concentrée, parce que je n'arrêtais pas de gagner.

« Rami ! » ai-je annoncé, toute fière de moi les deux premières fois. Puis c'est devenu gênant, avant d'être tout simplement chiant.

Quoi qu'il en soit, la soirée n'étant pas vraiment réussie, elle a vite touché à sa fin.

« Au moins, le pauvre Gaz va pouvoir rentrer chez lui, après s'être fait exiler Dieu sait où par Joey..., ai-je dit à Jacqui tandis que nous attendions l'ascenseur.

— On est juste copains », a-t-elle répondu sur la défensive.

De : FamilleWalsh@eircom.net
À : Apprentiemagicienne@yahoo.com
Objet : Photos !

Ma chérie,
J'espère que tu vas bien. Désolée de m'être montrée aussi ronchonne dans mon dernier mail. Nous avons enfin des photos de la femme et de Zoé la chienne ! Helen est une bonne fille : elle s'est planquée derrière la haie et leur a mitraillé le portrait. Elle voulait crier : « On vous suit à la trace, ma p'tite dame ! », mais je lui ai demandé de ne pas le faire. J'apporterai les meilleures photos à la messe dimanche prochain et je demanderai aux gens s'ils reconnaissent Zoé ou sa maîtresse. Pauvre chienne, ce n'est pas sa faute : les chiens ne se rendent

pas compte de ce qui est bien ou mal. Les êtres humains, eux, ont une conscience, c'est ce qui les distingue des animaux – même si, pour Helen, la différence tient à ce que les animaux ne peuvent pas porter de talons hauts. Bref, toute cette histoire me laisse perplexe. À l'évidence, cette vieille bique a « une dent » contre nous.

Ta mère qui t'aime

33

Mitch et moi nous laissions bercer par le mouvement du train, en silence. Nous revenions du parc d'attractions de Coney Island, dont nous avions fait le tour au pas de course. Mais peu importait. Nous n'étions pas là-bas pour nous amuser, simplement pour passer le temps.

Le train a pris un virage particulièrement serré et on a tous les deux failli tomber de notre banquette. Quand on s'est redressés, d'un coup, je lui ai demandé : « Tu étais comment, avant ?

— Avant... ?

— Oui. Quel genre de personne tu étais ?

— Pourquoi, je suis quel genre de personne maintenant ?

— Tu es quelqu'un de très calme. Tu ne parles pas beaucoup, par exemple.

— J'imagine que j'étais plus bavard, oui. » Il a réfléchi quelques instants. « Oui, j'avais des opinions, j'aimais discuter – j'adorais ça, en fait. » Il avait l'air surpris. « De questions d'actualité, cinéma, un peu tout.

— Tu souriais ?

— Pourquoi ? Je ne souris jamais ? OK, je vois... Ouais, je souriais. Je riais. Et toi, tu étais comment ?

— Je ne sais pas trop. Plus heureuse, plus gaie. Optimiste. Je n'avais pas peur. J'aimais voir des gens... »

Nous avons poussé un soupir à l'unisson avant de retomber dans le silence.

J'ai repris la parole. « D'après toi, on redeviendra un jour tels qu'on était avant ?

— Pour ma part, je n'en ai pas envie. Ce serait comme si Trish n'avait jamais existé.

— Oui, je te comprends. Mais, Mitch... on va rester dans cet état jusqu'à la fin de notre vie, alors ?

— Quel état ?

— Dans cet état de... fantômes ? On dirait que nous aussi on est morts, mais que personne ne nous en a avertis.

— Non, ça va s'arranger... » Après une pause, il a ajouté : « On ira mieux, mais on sera différents.

— Comment tu le sais ? »

Il a souri. « Je le sais.

— OK.

— Tu as remarqué ? J'ai souri, là.

— Ah bon ? Recommence, pour voir. »

Il m'a souri de toutes ses dents. « Alors, qu'est-ce que tu en penses ?

— Ça fait un peu présentateur télé. Genre "La Roue de la fortune".

— J'ai juste besoin d'un peu d'entraînement... »

De : FamilleWalsh@eircom.net
À : Apprentiemagicienne@yahoo.com
Objet : Dernières nouvelles

À la messe, personne n'a reconnu la vieille bique sur les photos. Je vais les faire circuler au golf et au club de bridge, et si je n'obtiens toujours pas de résultats, je les enverrai à la télé, à l'émission « L'Arme du crime ». Ou « L'Heure du Crime ». Ou alors « Les Lieux du crime » ? Oh, je ne sais plus, tiens ! Helen, elle l'appelle « Balance tes voisins ». Sinon, Madame Big est rentrée de ses vacances à Marbella, Helen va devoir reprendre ses tours de garde dès demain matin.

Ta mère qui t'aime

34

De : Apprentiemagicienne@yahoo.com
À : MédiumProductions@yahoo.com
Objet : Neris Hemming

Je vous ai contactée le 6 juillet dernier dans le but de parler à mon mari, Aidan, qui est mort. Vous m'avez confirmé que j'aurais un rendez-vous dans les dix à douze semaines. Cinq semaines se sont à présent écoulées, et je me demandais s'il était possible d'avancer mon rendez-vous. Ou bien de me donner la date précise de mon rendez-vous. Cela rendrait les choses plus faciles à supporter pour moi.

Merci par avance de votre aide,
Anna Walsh

Sur un coup de tête, j'ai ajouté un P.-S. :

Je suis désolée de vous harceler de la sorte. Je sais que Neris est quelqu'un de très occupé, mais je souffre le martyre.

Dès le lendemain, j'ai reçu la réponse suivante :

De : MédiumProductions@yahoo.com
À : Apprentiemagicienne@yahoo.com
Objet : Neris Hemming

Il nous est impossible d'avancer votre rendez-vous. Il nous est également impossible au jour d'aujourd'hui de vous confirmer la date à laquelle votre rendez-vous aura lieu. Nous vous contacterons environ deux semaines avant la date. Merci de la confiance que vous accordez à Neris Hemming.

Muette de frustration, je fixais l'écran. J'avais envie de crier, mais ça n'aurait pas servi à grand-chose.

« On fait un truc samedi soir ? m'a proposé Jacqui.
— Comme quoi ? Tu n'as pas prévu un poker à deux ?
— Oh, arrête. » Elle a gloussé.
« Jacqui, tu viens de glousser.
— Non, n'importe quoi !
— Si, si.
— Merde. Bref. On fait un truc, alors, samedi soir ?
— Impossible. Je suis au Super Samedi, dans les Hamptons.
— Oh ! Espèce de sal... ! La chance ! »
C'est ce que tout le monde s'exclamait quand j'en parlais.
« Les fringues de créateurs pour une bouchée de pain ! Les cadeaux ! Les fêtes ! »
Mais, pour moi, c'était le boulot – et, croyez-moi, ça change tout.

35

Ce vendredi après-midi, Teenie et moi étions coincées dans les embouteillages sur l'autoroute de Long Island, par une chaleur infernale. La voiture était pleine à craquer de cartons eux-mêmes débordant de produits Candy Grrrl ; il y en avait absolument partout : dans le coffre, par terre, sur nos genoux... On avait dû les apporter nous-mêmes : impossible de faire confiance à une société de courses pour qu'ils arrivent à temps ; impossible également de les envoyer la veille, de crainte de tout se faire barboter.

Nous sommes arrivées à l'hôtel du Port à vingt et une heures passées, et il a fallu nous assurer aussitôt que la suite de Candace et George était suffisamment fabuleuse, et qu'ils étaient bien attendus par une bouteille de champagne, une corbeille de fruits, un bouquet de fleurs exotiques et une boîte de chocolats artisanaux. Nous avons tapoté les oreillers, lissé le dessus-de-lit – surtout, ne rien laisser au hasard –, puis nous avons dîné avant de nous séparer pour quelques heures de sommeil.

Le lendemain, sur le pont à sept heures tapantes. Les portes ouvraient à neuf heures, et dans l'intervalle on devait monter un minimagasin Candy Grrrl.

Peu après sept heures et demie, Brooke est apparue ; elle résidait dans la région depuis le mercredi, dans la propriété de ses parents.

« Salut les filles ! Je peux vous donner un coup de main ? »

Assez étrangement, l'offre était sincère. Quelques secondes après, en équilibre sur un escabeau, elle accrochait au plafond les panneaux du stand. Puis elle a trouvé comment agencer les panneaux laqués noirs afin que le présentoir tienne debout. On pourra médire tant qu'on veut sur les gens riches, mais Brooke est une personne à l'extraordinaire sens pratique, et très aimable.

Pendant ce temps, Teenie et moi déballions les innombrables cartons. Nous étions en pleine promotion de Protection Rapprochée, notre nouvelle ligne de soins solaires. Conditionnées dans des flacons en (faux) verre, les crèmes se déclinaient dans des teintes de rose, plus ou moins intense suivant les indices de protection : du bordeaux pour le plus élevé au rose pastel pour le plus bas. De magnifiques produits.

Nous avions aussi à offrir des centaines de T-shirts Candy Grrrl, ainsi que des sacs de plage et des trousses avec échantillons – plus tous les produits nécessaires à Candace pour réaliser ses changements de look sur nos clientes.

Juste au moment où j'insérais le dernier gloss sur le présentoir, Lauryn a surgi.

« Bonjour », a-t-elle lancé en promenant son regard dans les moindres recoins, cherchant de quoi critiquer. Déçue – rien ne clochait –, elle s'est mise à scruter la foule. « Bien, je vais aller...

— Oui, c'est ça, a marmonné Teenie une fois Lauryn éloignée, va donc chercher un cul connu à lécher. »

Ce qui a fait hurler de rire Brooke. « Oh, les filles, ce que vous êtes drôles ! »

Dès dix heures, l'endroit était bondé. Protection Rapprochée suscitait un vif intérêt, mais, inlassablement, la même question revenait : « Est-ce que ça va colorer ma peau en rose ?

— Mais pas du tout, répétait-on. La couleur disparaît sur la peau. »

« La couleur disparaît sur la peau. »

« La couleur disparaît sur la peau. »

« La couleur disparaît sur la peau. »

On entendait aussi, à intervalles réguliers, une voix guindée s'exclamer : « Oh, bonjour, Brooke ! Tu travailles ! Comme c'est mignon ! Comment se porte ta maman ? »

Distribution de sacs de plage (gros succès), de T-shirts (moins de fans), et miniconsultations : type de peau, couleurs à favoriser / à bannir...

Le tout sans jamais se départir de son sourire. Jamais. J'ai commencé à ressentir une horrible crampe dans la bouche, à la jointure des mâchoires.

« Montée d'acide lactique, a commenté Teenie de son ton professionnel, ça arrive quand on sollicite trop un muscle. »

Je n'ai pas vu le temps passer jusqu'à ce qu'elle s'écrie : « Merde, il est presque midi ! Où est la file d'attente de femmes en délire prêtes à se battre pour se faire relooker par Candace ? »

Candace serait là dans quelques minutes ! Nous avions publié une annonce dans la presse locale, les haut-parleurs annonçaient notre attraction tous les quarts d'heure, et personne ne s'était encore présenté...

« Vite, il faut harceler les gens », a lancé Teenie. « Harceler », elle adorait ce mot. « Si on n'a pas une file d'attente d'un kilomètre, on va se faire assassiner.

— OK, allons harceler les... » La fin de ma phrase ainsi que le brouhaha ambiant ont été couverts par un cri suraigu. On aurait dit qu'il provenait d'un enfant.

On s'est regardées, interloquées. Mais qu'est-ce que c'était ?

« Ah, je crois que le Dr De Groot vient d'entrer », a deviné Teenie.

36

Lauryn a refait surface.

« Pour faire croire à Candace et George qu'elle a passé la matinée au stand », a chuchoté Teenie.

« Alors, quoi de neuf ? » a demandé Lauryn, atteinte d'une bougeotte oculaire aiguë. Un flacon de Protection Rapprochée à la main, elle nous a demandé, comme si c'était la première fois qu'elle voyait le produit : « Mais... ça ne va pas teindre les gens en rose ?

— La couleur disparaît sur la peau, avons-nous répondu toutes les trois en chœur.

— Oh, hé ! pas la peine de me crier dessus ! Mais... mon Dieu... » Voilà, elle venait de remarquer l'absence de file d'attente. « ... où sont les gens ?

— Là, là, pas de panique, on est en train de les rassembler.

— Regardez, les voilà. »

Quatre femmes approchaient du stand. Mais, d'instinct, je savais qu'elles ne venaient pas pour un relooking : elles étaient bien maquillées, avaient une coupe au carré sobre et tendance, et portaient des vêtements dans les tons pierre et sable délavés par le soleil. Comme sorties d'une pub Ralph Lauren, elles se sont révélées être la mère de Brooke, ses deux grandes sœurs et sa belle-sœur.

Soudain à travers la foule, j'ai aperçu une personne que je connaissais, mais impossible de me souvenir qui elle était, ni d'où je la connaissais. Tout aussi soudainement, ça m'est revenu : Mackenzie ! En jean délavé et chemise blanche d'homme, donc très différente de son allure avec l'attirail glamour auquel elle m'avait habituée. Cependant, pas de doute : c'était elle. Ça faisait bien trois semaines qu'elle n'était pas venue aux séances.

« Anna ! s'est-elle exclamée. Tu es adorable ! Tout ce rose ! »

Bizarre : on se connaissait à peine, mais je la considérais comme une sœur perdue de vue depuis trop longtemps. Je me suis jetée dans ses bras.

Naturellement, étant donné son milieu, Mackenzie connaissait Brooke et toute sa famille. Nous avons eu droit à une flopée de bisous et de questions sur parents et oncles.

« Tiens ! Mais comment vous êtes-vous rencontrées, vous deux ? » a demandé Lauryn d'un air suspicieux.

Mackenzie m'a envoyé du regard un signal de détresse. *Je t'en prie, ne leur dis rien !*

Ne t'en fais pas, je n'en ai pas le moins du monde l'intention.

L'entrée de la reine Candace et du roi George nous a sauvé la mise.

D'emblée, Candace – en noir de pied en cap – a cru que les filles Edison et Mackenzie constituaient la foule venue se faire relooker.

« Eh bien… » Elle a presque souri. « … On ferait mieux de commencer. » Elle a tendu la main à l'une d'entre elles. « Candace Biggly.

— Martha Edison.

— Bien, Martha, prenez donc place afin qu'on commence votre relooking. » Elle lui a indiqué le tabouret en vinyle rose et argent. « Quant à vous, mesdames, il va falloir patienter…

— Un relooking ? Quel relooking ? Je ne mets que du savon et de l'eau sur ma peau. »

Déconcertée, Candace a jeté un œil à une des sœurs Edison, puis à une autre, enfin à la belle-sœur, et a semblé enregistrer le fait qu'elles étaient toutes des clones de Martha.

« De l'eau et du savon, ont-elles repris en chœur avant de s'éloigner. Uniquement... Au revoir, Brooke, on se voit au pique-nique de charité pour la sauvegarde des élans.

— Hem, et toi, Mackenzie ? ai-je lancé gaiement. Que dirais-tu d'un petit relooking ?

— Ah oui, tiens, pourquoi pas ? »

Elle s'est installée sur le tabouret et s'est présentée à Candace : « Mackenzie McIntyre Hamilton. »

« Bien, je vois que tout roule, je vais faire un petit tour », a déclaré George.

Teenie et moi avons échangé un long regard qui signifiait : Bien parti pour lécher le cul de Donna Karan. L'interceptant, Brooke a été prise d'un fou rire. « Oh, les filles... ! »

Mackenzie a tenté de faire durer le maquillage le plus long-temps possible, mais elle a fini par descendre de son tabouret ; j'en ai profité pour la bloquer dans un coin.

« Est-ce que tu vas revenir ? » lui ai-je demandé, pratique-ment sans bouger les lèvres.

Elle a secoué la tête. « Non, je ne crois pas, a-t-elle répondu tout bas. J'essaie autre chose.

— En quête d'un riche mari ?

— Ouais... Mais vous me manquez, tous. Comment va Nicholas ?

— Hem, bien.

— Qu'est-ce qu'il y avait d'écrit sur son T-shirt, la semaine dernière ?

— "Jimmy Carter Président". »

Elle a éclaté de rire. « Ah, un vintage cette fois ! Vraiment adorable, ce garçon. Et mignon, même. Je me trompe ou il est... hypersexy ?

— Je ne pense pas être la bonne personne à qui t'adresser.

— Oui, bien sûr. Désolée. » Elle a soupiré, l'air triste. « Allons, passe le bonjour de ma part à Nicholas. Et à tous les autres. »

Ensuite, elle s'est éclipsée. Je continuais à rameuter des candidates au relooking, sans succès, quand une voix a dit : « J'ai fait une allergie terrible après avoir essayé la crème de jour Candy Grrrl. »

Comble de l'horreur, Candace avait entendu. Elle a posé le gros pinceau qu'elle tenait en s'écriant : « J'ai un milliard de choses plus intéressantes à faire que de me taper à la chaîne ces connasses, qui n'achètent rien, en plus ! J'ai un chiffre d'affaires de trente-quatre millions de dollars ! »

Inquiète, j'ai cherché du regard George. En vain. Et, naturellement, Lauryn avait elle aussi disparu.

« Je veux de la glace, a exigé Candace.

— Euh... OK. Je vais aller vous en chercher. Teenie et Brooke vont rester avec vous.

— Je suis désolée, mais il faut que j'y aille, là, est intervenue Brooke. Je me suis engagée à vendre des tickets de tombola pour la sauvegarde des élans. »

Je me suis engouffrée dans la foule, en quête de glace. Un quart d'heure plus tard, j'ai refait surface avec un esquimau, un cône, des sorbets, de quoi parer à toute éventualité.

D'un air ronchon, Candace a accepté l'esquimau et s'est assise sur le tabouret, épaules voûtées, menton rentré. Elle avait l'air d'un orang-outan abandonné sous la pluie.

Ariella a choisi ce moment pour faire son apparition, bien sûr. Elle était justement de passage dans les Hamptons. L'affaire se présentait mal. Mais, par chance, elle ne pouvait pas s'attarder : elle se rendait au barbecue organisé pour la sauvegarde des caribous.

« Est-ce que c'est la même chose que le pique-nique pour les élans ? a demandé Teenie.

— Pas du tout. Absolument rien à voir. »

On s'est retrouvées à deux, comme en début de matinée.

« Qu'est-ce qui se passe avec les élans ? s'est inquiétée Teenie. Je ne savais même pas qu'ils étaient en voie de disparition. Ni les caribous. »

J'ai haussé les épaules. « Aucune idée. Ils doivent être à court d'espèces en danger. »

37

« Anna, c'est moi. Maman. Et c'est urgent... »

J'ai décroché. Un drame. Un accident ? Papa ? JJ ?

« Quoi ? me suis-je écriée. Qu'y a-t-il ?

— Qu'est-ce qui se passe exactement entre Jacqui et Joey ? »

Il a fallu quelques secondes avant que mes battements de cœur ralentissent. « Tu m'appelles pour ça ? Pour Jacqui et Joey ?

— Oui. Alors, raconte un peu.

— Rien de spécial. Elle lui plaît. Et ça a l'air d'être réciproque, voilà tout.

— Non, ce n'est pas tout ! Ils ont couché ensemble. Ce week-end, pendant que tu étais dans tes Hamptons. »

Jacqui ne m'avait rien dit.

« Je n'étais pas au courant.

— Bien sûr : on n'est que lundi matin. Elle ne va pas tarder à t'appeler. Et Dieu sait qui n'a pas couché avec Joey...

— Moi. Moi, je n'ai jamais couché avec lui.

— Et moi non plus, a-t-elle admis avec un soupir. Mais on doit bien être les deux seules... C'était juste l'histoire d'une nuit ?

— Mais comment veux-tu que je le sache ?

— Je blaguais... Une nuit ? Est-ce que Joey serait capable de s'engager aussi longtemps ?

— Très drôle. Bon, à part ça, je ne peux rien pour toi : J'ignore ce qui se passe entre eux. Demande à Rachel.

— Impossible. On ne se parle plus.

— Allons bon.

— À cause des invitations. Moi, je pensais à de belles lettres argentées en italique sur du beau papier blanc.

— Et elle ?

— Oh, ne m'en parle pas. Du papyrus recyclé avec des bouts de feuille, de bâtons, de coquillages... Tu voudrais bien lui en toucher un mot ?

— Non. »

Silence outré à l'autre bout du fil. Je me sens obligée de me justifier. « Je suis celle de tes filles qui est veuve depuis peu, tu te souviens ?

— Désolée, ma chérie. Désolée. L'espace d'un instant, je t'ai confondue avec Claire. »

Après avoir raccroché, je me suis soudain demandé comment elle était au courant, à propos de Jacqui et Joey. Grâce à Luke, sûrement.

Aussitôt, j'ai téléphoné à Jacqui, mais elle ne répondait ni sur son fixe ni sur son portable. Je lui ai laissé des messages exigeant qu'elle me joigne sur-le-champ, puis je me suis mise en route pour le bureau, débordante de curiosité.

Elle ne m'a pas appelée de la matinée. Nouvelle tentative à l'heure du déjeuner, sans succès. En milieu d'après-midi, je m'apprêtais à refaire son numéro lorsqu'une ombre s'est abattue sur mon bureau. C'était Franklin. « Ariella veut te voir.

— Pourquoi ?

— Allez hop, on y va.

— Où ?

— Dans son bureau. »

Je n'aimais pas ça – mais alors, pas du tout. J'étais fichue.

Tant pis. Je garderais la tête haute.

Franklin m'a précédée dans la salle, où j'ai été très surprise de constater qu'il y avait déjà du monde : Wendell, de Visage ; Mary-Jane, coordinatrice de plusieurs marques ; et Lois, de l'équipe de Mary-Jane.

Licenciement collectif ?

Cinq chaises étaient disposées en demi-cercle autour du bureau d'Ariella.

« Asseyez-vous. OK. La bonne nouvelle, c'est que vous n'êtes pas virés. »

Nous avons ri, trop fort, trop longtemps.

« Calmez-vous, ce n'était pas si drôle... Tout d'abord, ce que vous allez entendre est ultraconfidentiel. Vous ne devrez en parler à personne en dehors de cette pièce, à aucun moment, pour quelque raison que ce soit. Compris ? »

Compris. Mais j'étais intriguée. Les personnes ici réunies formaient un tout dénué de cohérence. Qu'avions-nous en commun qui nous donnait accès au même secret ?

« Formule 12, a lâché Ariella. Ça vous dit quelque chose ? »

J'ai acquiescé. Je connaissais vaguement l'histoire – celle d'un explorateur parti dans la forêt amazonienne déranger les tribus indigènes pour pouvoir faire ensuite état de leur style de vie, ce genre de trucs. Il avait remarqué la vitesse à laquelle agissait l'onguent à base de racines et de plantes avec lequel étaient soignés les membres d'une tribu quand ils étaient blessés. De surcroît, leurs cicatrices devenaient à peine visibles. L'explorateur avait donc essayé de confectionner cette pommade lui-même, et il n'avait réussi qu'à la douzième tentative, d'où le nom.

À présent, il tentait d'obtenir l'aval de la FDA – Bureau du contrôle pharmaceutique et alimentaire –, mais cela prenait un temps infini.

Ariella a continué. « Alors, pendant qu'il attend son autorisation, le Pr Redfern – il s'appelle ainsi – a décidé d'un usage cosmétique. En utilisant la même formule sous une forme diluée, il a créé une crème de soins… » Elle nous a distribué une pile de documents. « … et les essais sont spectaculaires. Complètement inattendus. Inespérés, même. Regardez, tout est là-dedans. La formule a été achetée par Devereaux. » Devereaux est une énorme corporation, qui possède des dizaines de marques cosmétiques – y compris Candy Grrrl, d'ailleurs. « Et ils vont mettre le paquet, pour en faire la marque la plus tendance de la planète. » Elle nous a regardées dans les yeux chacune à notre tour. « Je sais, je sais… vous vous demandez : Et nous, où est-ce qu'on intervient ? Eh bien, ouvrez grandes vos écoutilles : McArthur on the Park… a décroché le budget publicité. »

Elle nous a accordé un répit, le temps de pousser des « Ah ! », des « Oh ! », des « Génial ! ».

« Et je veux que chacune de vous trois… » – elle a pointé son index tour à tour sur moi, Wendell et Lois – « me présente une idée. Séparément. »

Autre pause. Cette nouvelle était encore meilleure que la précédente : un budget pub pour moi toute seule ! Et pour une marque flambant neuve !

« Si vos idées me plaisent, on les propose toutes. Et celle dont l'idée sera choisie se retrouvera peut-être à la tête de ce budget… »

Oh ! de mieux en mieux : une promotion. Quoique… d'un autre côté, qu'est-ce qu'une nana bossant pour Formule 12 devrait se farcir au niveau vestimentaire ? Des fringues inspirées de la forêt amazonienne… Des lianes ? Du vert, du vert, encore du vert ?

« Combien de temps avons-nous ? a demandé Wendell.

— Dans deux semaines, je veux vos idées. »

Deux semaines. Ce ne serait pas de trop.

« Et, bien sûr, vous planchez là-dessus en plus de votre boulot habituel. J'attends de vous que vous veniez ici comme d'habitude, et que vous vous donniez à mille pour cent à vos marques respectives... Autant dire que vous pouvez faire une croix sur votre vie privée pendant les quinze prochains jours. »

Une chance : je n'avais pas de vie privée.

« Et, je le répète, personne ne doit être au courant. Anna, Lois, Wendell, inutile de vous préciser l'immense honneur qui vous est fait, si ? » Nous avons toutes trois secoué la tête avec vigueur. « Savez-vous combien de personnes travaillent pour moi ? » Non, on ne le savait pas – mais sûrement un paquet. « J'ai passé de longues heures en compagnie de Franklin et Mary-Jane à évaluer chacune de mes filles. Et, parmi elles, c'est vous trois que j'ai choisies.

— Merci, Ariella, avons-nous murmuré.

— Je vous fais confiance. » Pour la première fois de la réunion, elle nous a adressé un sourire chaleureux. « Je ne dois pas le regretter. »

Ouvrant le dossier Formule 12, j'ai tenté de lire la doc. En majeure partie, des données scientifiques sur les propriétés biologiques des plantes et les principes actifs qu'elles contenaient, sur les raisons et la portée de leur efficacité. Le tout très jargonnant, très technique. Je mourais d'envie de tout bonnement survoler le dossier, mais pas question : si on décrochait le budget, il me revenait de digérer toutes ces données pour les transformer en infos prêtes à consommer à l'usage des rédactrices beauté.

Il y avait même une photo du Pr Redfern. Plutôt bel homme et avec vraiment des airs d'explorateur. Le visage buriné, des rides au coin des yeux, un chapeau, et LE truc indispensable à tout aventurier qui se respecte : la veste kaki multipoches sans manches. Barbu ? Évidemment. Vendeur ? Possible. À étudier, le côté *Indiana Jones* du jour.

Cerise sur le gâteau, le dossier renfermait un échantillon de la crème magique – d'un jaune moutarde peu ragoûtant, avec des petits flocons noirs évoquant la « vraie » glace à la vanille. La plupart des crèmes pour le visage étaient blanches, ou rose très pâle... mais le jaune moutarde n'était pas forcément une mauvaise chose ; ça pouvait même lui conférer un côté « authentique ».

Le plus triste, dans mon boulot, c'est que je ne croyais plus aux promesses antirides ni aux annonces de miracle : c'est moi qui les rédigeais. Néanmoins, j'ai appliqué un peu de cette crème jaune moutarde sur mon visage, et au bout de quelques minutes la cicatrice m'a démangée. Je me suis précipitée dans les toilettes, m'attendant presque à voir dans le miroir ma peau boursouflée et la cicatrice en pleine expansion, comme dans une expérience scientifique qui aurait mal tourné. Mais non, rien d'inhabituel, mon visage était toujours le même.

Avant d'aller me coucher, j'ai essayé une dernière fois de joindre Jacqui.

« Allôôô ? » Elle avait la voix éthérée.

« C'est moi. Dis donc, qu'est-ce qui se passe avec Grincheux ?

— On est au lit depuis vendredi soir. Il vient de partir.

— Alors, vrai, il te plaît ?

— Anna, je suis folle de lui. »

38

Elle a insisté pour me raconter en détail à quel point elle avait pris son pied. *Le sexe*, ai-je songé. *Faire l'amour. Prendre son pied...* Impossible à imaginer, envisager. J'étais comme morte ; engourdie, je ne ressentais rien.

Chose marrante, bien que ma libido soit nulle, je regrettais de n'avoir pas fait plus l'amour avec Aidan. Même si je n'avais jamais été frustrée de son vivant. On faisait l'amour deux ou trois fois par semaine et au début, plutôt deux ou trois fois par jour.

Je sais que ça ne peut pas durer toujours, qu'on ne peut pas passer son temps à s'arracher les vêtements, prendre des douches ensemble, le faire dans des lieux publics... On finirait sur les rotules, sans plus aucun bouton à nos vêtements, courant le risque d'une arrestation. Mais ce qui me tuait, c'étaient les multiples occasions de lui sauter dessus que j'avais ratées : presque chaque matin de ma vie avec lui. Pendant que je me préparais pour le boulot, il paradait tout nu dans l'appartement, la peau encore ruisselante après la douche, le sexe à l'air ; et moi, je le frôlais, en quête d'une brosse ou de mon déodorant, je remarquais ses petites fesses, ses cuisses musclées, et je me disais : « Dieu, qu'il est beau ! » Mais mon esprit passait aussitôt à autre chose – « Ah, zut, mes bottes sont encore chez le cordonnier, il va falloir que je trouve d'autres chaussures à me mettre » –, et c'était fini.

Chaque matin, c'était la course contre la montre, et pourtant cela n'empêchait pas Aidan de me choper quand je passais près de lui, à moitié habillée ; mais je le repoussais en disant : « Bas les pattes, on n'a pas le temps ! » Si j'avais su...

39

Je le jure devant Dieu, le lendemain matin, ma cicatrice s'était visiblement résorbée. Ne pouvant en avoir la certitude, j'ai quand même pris une photo, histoire d'avoir une preuve. Si la Formule 12 produisait des résultats visibles après une seule application, qu'est-ce que ce serait au bout de quinze ? Quoi qu'il en soit, cela me serait peut-être utile lorsque je soumettrais mon idée de pub à Ariella...

Je ne savais pas encore trop dans quelle direction aller, mais, de toute évidence, je devais éviter d'empiéter sur le terrain de Wendell ou de Lois. Je devinais ce que Wendell proposerait, parce que j'étais habituée à son mode de fonctionnement : elle misait tout sur le fric. Si elle remportait le budget, les rédactrices beauté de New York pouvaient être sûres de partir en bloc au Brésil aux frais de la princesse.

Sans connaître aussi bien Lois, je me doutais qu'elle explorerait la voie « ingrédients naturels » et ce genre de choses.

Donc, si le Brésil et la Nature étaient des aspects de Formule 12 déjà pris, qu'est-ce qui me restait ?

Pas grand-chose. En tout cas, rien ne me venait à l'esprit.

Mais je refusais de m'inquiéter : je finirais bien par avoir un trait de génie. Il le fallait.

Qu'en penses-tu ? ai-je demandé à Aidan. *Tu as des idées ? Une inspiration divine ? Maintenant que tu es mort, c'est le moment ou jamais d'en profiter !*

Aucune voix ne m'a répondu. Les yeux perdus dans le jaune moutarde, j'ai donc continué à réfléchir.

40

Impossible de trouver un concept concernant la Formule 12. Pour la première fois de ma vie, mon inspiration m'avait complètement désertée.

Franklin m'a demandé si ça avançait comme je voulais.

« Oui, oui, impecc.

— Bien. Raconte-moi un peu, alors.

— J'aimerais mieux pas. Si ça ne te dérange pas. Je ne suis pas encore tout à fait au point, et je ne voudrais pas te présenter quelque chose de bancal.

— Tu te fous de ma gueule, là ?

— Non, Franklin, je t'assure. Fais-moi confiance, je ne te décevrai pas.

— Parce que tu sais le risque que j'ai pris en pariant sur toi auprès d'Ariella.

— Je sais. J'apprécie ton geste. Mais c'est mon boulot, je sais aussi ce que je fais. »

En fait, je ne savais que dalle.

Dimanche, toujours la page blanche. Alors, pendant la séance de groupe avec Leisl, en plaisantant, j'ai réclamé de l'aide.

« Si quelqu'un vous envoie un message aujourd'hui, est-ce que vous pouvez lui demander de me proposer une idée de pub ?

— Qu'est-ce que tu as écrit jusqu'à maintenant ? s'est informé Nicholas.

— Rien. Je n'ai rien trouvé.

— Et est-ce que ça ne t'oriente pas dans une direction ?

— Dans quelle direction ?

— Celle du rien.

— Ne rien faire et me faire virer ? Je ne crois pas, non. »

De : FamilleWalsh@eircom.net
À : Apprentiemagicienne@yahoo.com
Objet : Résultats !

Ma chérie,
J'espère que tu vas bien. Ça y est, nous avons enfin démasqué la vieille bique. Personne n'a su me renseigner au golf, mais au club de bridge, bingo ! Dodie McDevitt l'a identifiée. Le plus drôle, c'est qu'elle a d'abord reconnu la chienne, Zoé. Elle a dit : « Eh, voici Zoé O'Shea, ma main à couper ! » En entendant le nom Zoé, j'ai bien cru dégringoler de ma chaise. « Oui, j'ai crié. Oui ! Parfaitement, elle s'appelle Zoé. Qui est sa propriétaire ? » « Nan O'Shea », elle m'a répondu.
Dodie a même été en mesure de me donner son adresse. J'hésite sur la marche à suivre, à présent. Aller « braver le lion dans sa tanière » ? Quoi qu'il en soit, je te tiendrai « au jus ».

Ta mère qui t'aime

L'élaboration d'un concept pour promouvoir la Formule 12 m'obsédait, mais elle n'avançait pas d'un pouce. Jamais je ne m'étais sentie bloquée de cette façon, et pourtant, il fallait que je trouve quelque chose, bon sang ! Par le passé, je m'étais toujours débrouillée pour faire jaillir le lapin blanc de son chapeau. Là, à mon grand dam, rien ne me venait, et il ne me restait plus que six jours…

… cinq jours…

… quatre jours…

… trois jours…

… deux jours…

... un jour...

... zéro jour...

Le matin de la présentation, je portais le seul tailleur sobre que je possédais, celui que j'avais sur le dos le jour où j'ai rencontré Aidan et où il m'a renversé son café dessus. Wendell, quant à elle, avait mis un tailleur jaune. *Jaune.* Avec des plumes. Elle avait dû pencher pour le thème du carnaval. J'ai jeté un regard à Lois : elle avait enfilé une veste kaki multipoches sans manches, la même que le Pr Redfern, sûrement pour favoriser le côté « explorateur ».

À dix heures moins cinq, Franklin a fait un signe de tête puis nous a guidées Wendell et moi jusqu'à la salle du conseil, tandis que Mary-Jane et Lois arrivaient de la direction opposée. Wendell et Lois avaient des story-boards coincés sous le bras. Pas moi.

Pendant ce temps, l'étage au complet se tordait le cou pour nous observer ; cette présentation était le secret le plus mal gardé de tous les temps.

« Asseyez-vous, asseyez-vous, nous a lancé Ariella. Et maintenant, éblouissez-moi. »

C'est Wendell qui a essuyé les plâtres, et son idée n'avait rien de surprenant : elle voulait faire du Brésil la vitrine de la Formule 12, et expédier tous frais payés douze rédactrices beauté triées sur le volet à Rio pour le Mardi gras. « Elles s'éclateront. Nous les enverrons là-bas en jet privé. » *Je le savais ! En jet privé ! Je le savais !*

Place au story-board. Première image : un avion. « Voici le genre d'avion que l'on mettrait à leur disposition. On leur réserve ensuite à chacune une suite dans un cinq-étoiles à Rio – et croyez-moi, ce n'est pas ce qui manque. »

Deuxième image : une photo de l'hôtel Hilton de Rio. Troisième image : un dessin d'une grande chambre d'hôtel.

« Voici le genre de chambre dans lequel elles pourraient séjourner. Puis on leur fournira de fabuleux costumes de carnaval ! »

Encore des images : des femmes-brindilles en bikini jaune et couronne de plumes.

« Laissez-moi deviner, a lâché Ariella. C'est là le genre de costume qu'elles pourraient porter ? »

Wendell ne s'est pas départie de son sourire. « Absolument ! Ce sera un voyage qu'elles n'oublieront jamais ! Elles nous feront une tonne de papiers sur la Formule 12 ! »

Je lui ai souri pour l'encourager. Il aurait été méchant de faire remarquer que Rio était à des milliers de kilomètres du bassin amazonien et qu'il fallait attendre plus de six mois avant le prochain Mardi gras.

Au tour de Lois. Elle se proposait d'emmener douze rédactrices beauté avec le Pr Redfern à la rencontre des indigènes inventeurs de la Formule 12. « On prend l'avion jusqu'à Rio, et, de là, on va dans la jungle. » Photo d'avion. « Après avoir atterri dans la jungle... » Photo de jungle « ... randonnée pendant une demi-journée, au cours de laquelle les rédactrices voient les plantes qui entrent dans la composition de la crème. » Photo de plantes.

« Une randonnée dans la jungle ? a relevé Ariella. Hem, ça ne me dit franchement rien qui vaille. Et si elles se font mordre par un anaconda et qu'on se retrouve avec un putain de procès sur les bras ?

— Et les sangsues ? est intervenu Franklin. Je déteste ces bestioles. Et les chauves-souris ? Ça se prend dans les cheveux... » Il a frissonné.

« Nous aurons des guides », a repris Lois. Photo d'un homme à moitié à poil, souriant, dévoilant des dents noires.

« Pas mal, a murmuré Franklin.

— Tout le monde aura sa panoplie de vêtements appropriés à ces conditions extrêmes. » Lois a pointé du doigt sa veste. « Il n'y aura aucun danger. Et puis ce sera une expérience vraiment différente. Ces filles sont tellement gâtées : elles baignent dans le luxe et ne voient rien d'autre, elles sont blasées sur tout. »

Là-dessus, j'étais parfaitement d'accord.

« Elles seront fières d'avoir survécu à la jungle, et d'être entrées en contact avec une autre culture, une autre civilisation même. »

C'était bien. Très bien, même. Mieux que le projet de Wendell, quoique plus risqué.

Après, ç'a été mon tour. J'ai soufflé un bon coup et je me suis levée, tenant à la lumière un petit pot de crème.

« La Formule 12. Le progrès cosmétique le plus révolutionnaire depuis la Crème de la Mer. Comment en faire la publicité au mieux ? Eh bien, je vais vous le dire : en ne faisant rien. »

Au moins, j'avais capté leur attention. Ils pensaient tous que j'avais perdu la tête. Le visage de Franklin était figé en une expression d'horreur : il m'avait autorisée à garder mon idée secrète jusqu'au jour J, et Ariella allait le massacrer. Wendell et Lois, quant à elles, exultaient : la moitié de l'effectif ennemi aux oubliettes sans lever le petit doigt. Avant qu'Ariella se lève pour me coller une gifle, j'ai repris la parole.

« Enfin, "rien"… pas tout à fait. » J'ai lancé un clin d'œil. Ou du moins essayé : je manquais un peu d'entraînement. « Une campagne par bouche-à-oreille, voilà à quoi je pense. Chaque fois que je déjeune avec une rédactrice beauté, je laisse entendre qu'une nouvelle crème totalement révolutionnaire va débouler sur le marché. Du jamais vu. Mais si elles me posent des questions, hop ! je me referme comme une huître en disant que c'est top secret. Je les supplie de n'en parler à personne… mais leur assure que quand elles l'auront entre les mains, elles n'en reviendront pas. »

Tout le monde me regardait avec une attention particulière.

« Les plantes et racines qui entrent dans la composition de Formule 12 sont extrêmement rares et ne peuvent pas être synthétisées. Donc, le produit sera lui aussi rare. Mon plan ? Donner un minuscule échantillon à, disons, la rédactrice beauté de *Harper's*. La seule rédactrice de tous le pays à en obtenir un. Littéralement. Et je ne le lui envoie pas par courrier. Ni même par coursier. Je lui apporte personnellement son échantillon et le lui remets en mains propres. Pas à son bureau, mais en terrain neutre. Presque comme si on était dans l'illégalité. » Ils étaient tout ouïe, je les tenais. « Et elle n'y a droit que si elle me promet une pleine page. En cas d'impossibilité, je m'adresse à un autre magazine. *Vogue*, probablement. Et l'échantillon devrait se présenter sous la forme d'un minuscule pot en pierre semi-précieuse – je pense à de l'ambre, ou de la tourmaline. Une miniature, mais lourde, qui pèse au creux de la paume, vous voyez ? Comme une petite bombe extrapuissante. »

Le silence régnait, mais Ariella a légèrement incliné la tête en signe d'approbation.

« Une dernière chose : pas de publicité par des stars, quelles qu'elles soient. »

Franklin a blêmi. La pub par des célébrités, c'était toute sa vie.

« Personne n'aura droit à ce produit gratuitement. Si Madonna en veut un pot, elle débourse la somme...

— Eh, non, pas Madonna ! a protesté Franklin.

— Si. Même Madonna.

— C'est de la folie, a-t-il bougonné.

— Et aucune pub d'aucune sorte, ai-je ajouté. Je le répète, il faut créer une rumeur autour de cette crème, un bouche-à-oreille qui en fasse un vrai phénomène, de sorte que les gens aient l'impression de détenir un énorme secret. Et qu'au moment de sa mise sur le marché il y ait déjà une liste d'attente de plusieurs mois. On fera la queue devant le magasin – Barney ? Bergdorf ? – avant l'heure d'ouverture. Des pots de Formule 12 s'échangeront au marché noir, circuleront sous le manteau. Les femmes seront en transe, littéralement – l'équivalent de la nouvelle collection de sacs Chloe, mais à la puissance dix. La chose la plus élitiste de New York. Autant dire de la planète. Tout l'or du monde ne peut pas l'acheter. Quelles que soient vos relations, vous ne pouvez pas les faire jouer. Vous devez attendre votre tour – et les gens attendront, parce que ça en vaut sacrément la peine. »

À la vérité, les gens se diraient peut-être plutôt : « Vous faites chier avec vos conneries, donnez-moi ma crème La Prairie, comme d'habitude, et basta. » Un risque à courir. Il n'existait aucune garantie que la sauce prendrait et que les New-Yorkaises marcheraient. Si elles se sentaient manipulées, elles se retourneraient même en bloc contre le concept. Mais l'heure n'était vraiment pas à la sape de mon projet.

« Neuf mois plus tard, on recommence l'opération avec le sérum, et six mois encore après, avec la base de teint. Restent encore à venir le contour des yeux, le baume pour les lèvres, la crème pour le corps, le gel lavant et l'exfoliant. »

Ariella a de nouveau acquiescé, de façon presque imperceptible. Ce qui équivalait pour elle à sauter sur son bureau en criant : « Ouais, Anna, bravo ! »

« Mais… ce n'est pas tout. J'ai un autre tour dans mon sac… » J'ai observé une pause, les ai fait attendre, et me suis décidée à pointer ma cicatrice. « Comme vous l'avez peut-être remarqué, je suis l'heureuse propriétaire d'une vilaine cicatrice au visage. »

Quelques haussements d'épaules et autres gloussements embarrassés.

« J'ai utilisé Formule 12 ces quinze derniers jours et constaté une amélioration remarquable. J'ai pris une photo de

ma cicatrice juste avant de commencer mes applications. »
C'était en fait après la première nuit, mais peu importait. « La
différence est déjà visible. Je crois en ce produit. Sincèrement. » Allez hop ! j'ai lâché le morceau : « Lorsque j'en
parlerai aux rédactrices beauté, je serai la preuve vivante que
Formule 12 est un produit incroyable.

— Oui ! » Ariella était à l'évidence emballée par ma
proposition. « Et si les résultats ne sont pas assez spectaculaires, on pourra toujours t'offrir une petite intervention de
chirurgie esthétique. »

« Excellentes nouvelles ! » Franklin se tortillait de plaisir.
« Ariella a choisi ton idée ! On va utiliser celle de Wendell
aussi, pour plus de sécurité, mais c'est la tienne qu'elle a
préférée ! Je dois dire qu'au début... j'ai pensé : Mais elle
déconne à bloc, ma parole ! Une vraie cata ! Ha ha ! Mais
ton concept est génial. Vraiment. Maman est fière de toi. »

41

« Salut, Nicholas ! »

Son T-shirt prédisait « LES RINGARDS HÉRITERONT DE LA TERRE ». « Dis-moi, je ne t'ai jamais vu deux fois avec le même T-shirt. Comment fais-tu ? Tu portes un T-shirt avec un message différent chaque jour de ta vie, ou seulement le dimanche ? »

Il a souri. « Hé hé, si tu veux connaître la réponse, il faudra que tu acceptes un rendez-vous en semaine ! »

D'un coup l'ambiance s'est modifiée, son sourire s'est évanoui et ses joues ont rougi.

« Oh ! mince, désolé, Anna. » Il a baissé la tête, rouge comme une pivoine. « Flirter avec toi ainsi est totalement indécent.

— Ah, parce que c'était de la drague ? Écoute, il n'y a pas de quoi se mettre martel en tête…

— Quand même, toi et Mitch êtes…

— Quoi ? Mitch ? Non, mon Dieu ! Non, pas du tout, Nicholas ! Il ne se passe rien de ce genre entre Mitch et moi. Absolument rien ! »

Est-ce que tu m'en veux de fréquenter Mitch ? Tu sais que nous sommes juste amis, hein ? Qu'on ne fait que s'entraider ?

La réflexion de Nicholas m'avait tellement déstabilisée qu'après la séance j'avais déclaré à Mitch ne pas être disponible pour notre sortie hebdomadaire. Rongée par la culpabilité, je m'étais empressée de partir. Si je préférais me voiler la face, je voyais bien à quel point il était facile de se faire une fausse idée sur ce qui nous unissait. Moi, je savais la vérité, Mitch aussi... mais Aidan ?

Aidan, s'il te plaît... Un signe de toi et je ne le reverrai plus jamais. Un signe, n'importe quoi... Bon, je vais te faciliter la tâche : je continue à marcher sur ce trottoir, et si tu es en colère après Mitch, tu fais... tu fais tomber un pot de fleurs sur mon chemin. J'aimerais autant qu'il ne m'atterrisse pas directement sur la tête, mais si tel est ton désir...

J'ai marché, marché, rien ne se passait. Peut-être avais-je été trop précise dans ma formulation ?

OK. Fais tomber n'importe quoi. Pas obligé que ce soit un pot de fleurs.

Pas plus de résultat. En nage et épuisée, j'ai fini par prendre un taxi. Le chauffeur, un jeune Indien, était au téléphone. J'ai donné mon adresse et me suis écroulée sur la banquette. Soudain, j'ai entendu : « Tu es un vilain, vilain garçon, et je vais te punir. »

C'était le chauffeur, qui parlait dans son portable.

« Allez, baisse-moi ton pantalon maintenant, méchant garçon ! C'est l'heure de ta punition ! »

« Excusez-moi, monsieur, mais... à qui est-ce que vous parlez comme ça ? »

Il s'est retourné, d'un index sur la bouche m'a signifié de me taire, puis a repris sa conversation. « Vilain ! Tu as été très vilain ! Je vais devoir te donner la fessée, tu le sais, hein ? »

Oh, Aidan, tu as fini par me l'adresser, ce signe ! Neuf sur dix, je lui mettrais, moi, à ce chauffeur... Bien, ne t'inquiète pas pour Mitch !

«Je vais te battre fort ! FORT, tu m'entends ! Penche-toi, que je commence cette fessée. Je vais compter les coups ! Un ! Deux ! Trois ! Quatre ! Cinq ! Six !»

Le sixième coup a semblé produire un effet particulier : un cri s'est fait entendre à l'autre bout du fil, puis plus rien, jusqu'à ce que le chauffeur dise : «Merci, monsieur. Mais de rien, monsieur, tout le plaisir était pour moi. N'hésitez pas à rappeler.»

Quand il a raccroché, je n'y tenais plus : «Mais qu'est-ce que c'était, tout ce cirque ?

— Je suis, hum, standardiste sexuel, disons.

— Ah bon ?

— Oui. Les hommes me paient pour que je les maltraite. Mais je dois aussi conduire le taxi. Je viens d'une famille très nombreuse du Pendjab. Je leur envoie tous les mois...»

Son portable a bipé. Il a vérifié l'identifiant d'appel puis décroché. «Bien le bonjour, maître Thomas. Qu'est-ce qui vous amène ? Vous avez été méchant ? Très méchant ?»

De : FamilleWalsh@eircom.net
À : Apprentiemagicienne@yahoo.com
Objet : La femme et le chien

Ma chérie,
Elle pousse vraiment le bouchon trop loin (je n'ai jamais compris cette expression. Est-elle censée être vulgaire ? Si c'est le cas, dis-le-moi, je ne l'utiliserai pas au club de bridge). Donc, tu l'auras deviné, encore des grosses commissions canines.
Helen a marché dedans en rentrant à la maison, «la bouche en cœur» après avoir couché avec son Colin, et ça l'a rendue complètement frappadingue. Et vas-y que je jure, que je donne des coups de pied dans la barrière... «Ras le bol, elle m'a dit, on va voir cette vieille peau !»
On a donc pris la voiture. J'ai sonné à la porte, Zoé s'est mise à aboyer, mais d'un coup elle s'est tue : la femme avait dû nous voir par le petit trou et décider de nous faire croire qu'elle n'était pas là. «On reviendra, t'inquiète pas, vieille folle ! a crié

Helen par la boîte aux lettres. J'appartiens à la fine fleur des détectives privés de ce pays ! »

Du pays, rien de moins ! Je n'ai rien dit, mais cette nuit passée avec ce Colin lui a manifestement fait perdre la boule.

Ta mère qui t'aime

42

Joey amoureux ? Personne ne voulait rater ça. Un dîner avait été organisé, pour nul autre motif que de voir le couple improbable qu'il formait avec Jacqui.

Un jeudi soir nous nous sommes donc retrouvés à vingt-trois (dont vingt et un curieux) au Haiku, un restaurant du Lower East Side (il avait fallu les appeler à maintes reprises, le nombre de convives ne cessant d'augmenter).

« Regarde l'air amoureux qu'affiche Joey », m'a murmuré Tweenie.

C'était étrange : Joey n'avait pas appris à sourire, et gardait son air acariâtre ; mais lorsqu'il faisait courir un doigt sur l'ovale du visage de Jacqui, ou qu'il la regardait dans les yeux, cet air lui allait très bien. Il en devenait presque sexy, même.

Joey et Jacqui ont passé le dîner à se tripoter, se chuchoter à l'oreille, glousser dans leur coin, se faire goûter leurs plats, comme si le monde n'existait pas.

La seule personne à ne pas être éblouie par ce manège était Gaz, sûrement parce qu'il y assistait jour après jour, aux premières loges. Il se promenait parmi nous, avec à la main un petit pochon de cuir au mystérieux contenu.

« Anna, je peux te soulager de ta douleur. J'apprends l'acupuncture ! » Il a ouvert son pochon, plein d'aiguilles. « Je sais quels points solliciter pour te soulager.

— C'est adorable. Merci.

— Tu veux dire que tu es d'accord ?

— Quoi ? Maintenant ? Hors de question, voyons, Gaz ! On est dans un lieu public. Je ne peux pas rester là, assise dans un restaurant, avec des aiguilles plantées dans tout le corps. Même si on se trouve dans le Lower East Side.

— D'accord... Une autre fois, alors ? Bientôt, hein ?

— Mmm. » J'étais au courant de ce qui était arrivé à Luke : il se sentait très bien jusqu'à ce que Gaz se propose de lui « augmenter ses endorphines ». Une minute plus tard, en position fœtale sur le sol de la salle de bains, il hésitait entre vomir ses tripes et s'évanouir.

« Je pratique aussi la méthode des ventouses, a insisté Gaz. Un autre remède chinois. Je chauffe des petits pots en verre et je te les applique sur le dos. Avec l'effet ventouse, ça absorbe toutes les toxines. »

Oui, de ça aussi j'étais au courant : il avait posé ses pots incandescents près de la fenêtre chez Rachel et Luke, et s'était débrouillé pour foutre le feu aux rideaux.

« Merci, Gaz, mais... » – j'ai indiqué Joey et Jacqui du menton – « ... je n'arrive à me concentrer sur rien d'autre, là. »

En fait, ils avaient soudain l'air d'être sur le départ.

Mais oui, je ne rêvais pas ! Debout, Joey a lancé deux billets de vingt dollars sur la table, puis : « Excusez-nous, excusez-nous », et pfuitt, ils avaient disparu.

« Rentrer tôt pour faire l'amour, en se fichant pas mal de savoir si c'est impoli, a soupiré Brooke rêveusement avant de poser un regard insistant sur Shake et son jean très ajusté. Ne pas laisser assez d'argent pour payer leur part, parce qu'ils sont si amoureux qu'ils supposent le monde entier heureux de leur offrir un repas... Et nous le sommes, bien évidemment.

— Moi, je trouve ça gentil de leur part de partir avant nous, parce que maintenant on peut parler d'eux. Alors, quels sont les paris ? »

Les réactions étaient mélangées. Les deux tiers des potes de Joey étaient quelque peu déconcertés, parce que Jacqui n'avait pas de poitrine – enfin, au moins, elle était blonde.

Cependant, la plupart des gens étaient charmés, et ravis.

43

D'excellentes nouvelles !

De : MédiumProductions@yahoo.com
À : Apprentiemagicienne@yahoo.com
Objet : Neris Hemming

Votre entretien téléphonique avec Neris Hemming est prévu le mercredi 6 octobre à huit heures trente du matin. Nous vous ferons parvenir le numéro à appeler peu avant la date susmentionnée. Cet appel vous sera facturé deux mille cinq cents dollars. Merci de bien vouloir nous envoyer vos références bancaires. Veuillez également noter que vous ne devez pas appeler avant huit heures trente et que vous devez finir à l'heure.

J'ai téléphoné à Mitch pour lui raconter. Quinze jours à patienter, et je pourrais parler à Aidan.

J'avais on ne peut plus hâte.

44

Franklin s'est penché sur mon bureau et m'a lancé, après un furtif regard en direction de Lauryn : « Anna, nous avons enfin eu confirmation de la date pour la présentation chez Devereaux... »

Il me souriait de toutes ses dents. Soudain prise de sueurs froides, j'ai su ce qui allait suivre. « ... mercredi de la semaine prochaine, le 6 octobre, à neuf heures. »

Des décharges électriques m'ont parcouru les jambes. Le matin du mercredi 6 octobre était celui de ma conversation avec Neris Hemming. Cela ressemblait à un énorme canular.

Je ne pourrais pas aller à la présentation. Il fallait que je l'en avertisse, mais j'avais peur. *Allez, vas-y, dis-le, dis-le !*

« Désolée, Frankiln, je ne pourrai pas être là. J'ai déjà un rendez-vous. »

Ses pupilles se sont changées en pic à glace. Quel genre de rendez-vous pouvait être plus important pour moi ?

« C'est, heu, d'ordre médical.

— Alors, repousse-le. » À ses yeux, la question était réglée. Je me suis raclé la gorge. « C'est que... il y a urgence. »

Il a froncé les sourcils, l'air presque curieux. D'abord, elle perd son mari ; ensuite, elle a un problème de santé à régler très vite. Comment peut-on avoir la guigne à ce point ?

« On a besoin de toi pour cette présentation.

— Je peux y être à neuf heures et demie.

— On a besoin de toi pour cette présentation, a-t-il répété.

— Peut-être même neuf heures et quart, si ça circule... »
Mon œil.

« J'ai l'impression que tu ne comprends pas ce que je dis :
on a besoin de toi pour cette présentation. » Là-dessus, il a
tourné les talons.

Les mains tremblantes, j'ai envoyé un mail au bureau de
Neris Hemming : était-il possible de décaler mon rendez-vous
avec elle au lendemain ? Ou à la veille ? Ou plus tôt le même
jour ? Ou plus tard ? À n'importe quelle heure, sauf huit
heures et demie ? Impossible : une réponse quasi instantanée
m'a informée que si je ratais cette case horaire je devrais
retourner faire la queue les dix à douze semaines obligatoires
avant d'obtenir un autre rendez-vous.

Hors de question ! J'en étais absolument incapable ! Parler
à Aidan m'importait plus que tout. J'avais attendu longtemps,
je m'étais montrée d'une patience inimaginable !

D'un autre côté, si je n'allais pas à la présentation, je me
ferais virer. Sans l'ombre d'un doute. Mais ne pouvais-je pas
me dégoter un autre boulot ? Peut-être pas, en fait. Surtout
si mes employeurs potentiels découvraient le motif de mon
licenciement : refus de se rendre à la plus importante présentation de sa boîte. Et mon boulot m'était essentiel, j'en avais
besoin : il me maintenait à flot, dans tous les sens du terme.
C'était ma raison de me lever le matin, il m'occupait l'esprit.
Sans compter qu'on me payait, ce qui était vital étant donné
mon surendettement. Tant que je gagnais de l'argent, je
pouvais m'en sortir ; mais si je me trouvais ne serait-ce que
deux semaines au chômage, tout risquait de s'effondrer. Je
serais obligée de quitter l'appartement et probablement de
retourner en Irlande – alors que je devais rester à New York

pour être proche d'Aidan. Donc, pas le choix : ma présence à cette présentation était incontournable.

À ce stade de mes cogitations, je me suis indignée : et si j'étais gravement malade pour de vrai ? Si j'avais un cancer et qu'on ait dû me faire ma première séance de chimio le matin de la présentation chez Devereaux ? Est-ce que Franklin ne se montrait pas inhumain ? Est-ce qu'on n'appliquait pas un peu trop au pied de la lettre le credo « Se tuer au boulot » ?

Après des heures de tergiversations, j'ai fini par trancher – sans avoir jamais vraiment douté du résultat : je passerais ce coup de fil à Neris Hemming, tant pis pour la présentation !

Je suis allée trouver Franklin à son bureau.

« Je peux te parler une seconde ? »

Froidement, il a hoché la tête.

« Franklin, il m'est impossible d'être là pour la présentation, mais quelqu'un peut la faire à ma place. Lauryn, par exemple. »

Il a soupiré, l'air exaspéré. « C'est de toi qu'on a besoin, Anna : toi tu as la cicatrice. Lauryn n'a pas de cicatrice. » Il a observé une pause, sans nul doute pour envisager de lui en infliger une vite fait bien fait. Mais il a dû rejeter cette option, quand même, car il m'a demandé : « Tes problèmes de santé, de quoi s'agit-il exactement ?

— Eh bien, ils sont… d'ordre gynécologique. » Je pensais avoir prononcé les mots magiques pour me débarrasser de lui. Dans mes jobs précédents, dire à mon patron que j'avais des douleurs dues à mes règles afin de consacrer mon après-midi au shopping avait toujours marché. Mais là, Franklin a bondi de sa chaise pour m'attraper par le bras et me tirer à travers les rangées de bureau.

« Où est-ce qu'on va ?

— Voir maman. »

Ah, merde, merde, merde !

« Elle dit qu'elle ne peut pas faire la présentation, a lancé Franklin d'une voix sonore. Elle dit qu'elle a un rendez-vous médical. Gynécologique, même.

— Gynécologique ? a relevé Ariella. Comment, elle se fait avorter ?» Elle m'a lancé un regard furieux. «Vous ratez ma présentation pour un avortement de mes deux ?

— Non. Non, pas du tout, vous vous trompez.» Je m'étais mise dans de beaux draps. Terrifiée par sa colère autant que par mes mensonges, je devais pourtant en inventer d'autres, et sur-le-champ.

« C'est, euh... mon col de l'utérus.

— Quoi, vous avez un cancer ?» Elle a légèrement incliné la tête pour soutenir mon regard pendant un long moment. « Est-ce que vous avez un cancer ?» Le message était clair : si j'avais un cancer, elle m'autoriserait à sécher la représentation. Mais je n'ai pas pu aller jusque-là.

« C'est précancéreux », ai-je lâché, presque morte de honte.

D'un coup, Ariella est devenue d'un calme parfaitement effrayant. « Anna, avez-vous quoi que ce soit à me reprocher ? m'a-t-elle demandé d'une voix très grave.

— Non, Ariella, bien s...»

Mais il n'existait aucun moyen de l'arrêter. J'allais devoir endurer tout son discours.

« Est-ce que je ne me suis pas occupée de vous ? Est-ce que je ne vous ai pas habillée de pied en cap ? Est-ce que je ne vous pose pas du maquillage sur la figure ? Les mets les plus délicats dans la bouche, dans les meilleurs restaurants de la ville ? Ne vous ai-je pas gardé votre poste au chaud quand votre mari a passé l'arme à gauche ? Et reprise dans mon équipe malgré votre cicatrice, qui effraierait même le Dr De Groot ?»

À l'instant précis où elle m'assénait sa conclusion, j'ai prononcé la phrase dans ma tête :

Et c'est comme ça que vous me remerciez ?

45

Pendant les deux semaines suivantes, Wendell et moi avons répété la présentation sans relâche, afin d'être au top, au mot près. Ariella et Franklin nous faisaient passer des tests, en jouant aux cadres de chez Devereaux. Ils nous interrogeaient sur les estimations du prix de revient, les délais, le profil de la clientèle. Je me prêtais au jeu de bonne grâce, sachant pertinemment que je ne serais pas là le jour J.

Mais, au cours d'un déjeuner, j'avais mis Teenie au courant en lui faisant jurer de garder le secret.

« Je ne peux pas aller à la présentation de mercredi.

— Quoi ?

— C'est toi qui iras à ma place. Et reviendras couverte de gloire.

— Mais je... Oh, mon Dieu ! Quand même, tu ne peux pas... Enfin... Ariella va péter les plombs !

— Oui. Seulement, après sa crise, elle aura besoin de quelqu'un pour faire la présentation. Débrouille-toi pour être là au bon moment, et assure-toi que Lauryn ne s'empare pas du projet. »

De : FamilleWalsh@eircom.net
À : Apprentiemagicienne@yahoo.com
Objet : Le fin mot de l'histoire

Ma chérie,
Tu ne devineras jamais qui est Nan O'Shea. Vas-y, essaie de deviner pour voir. Tu ne trouveras pas. Attends, je te fournis un indice : tout est la faute de ton père. J'aurais dû m'en douter depuis le début. Allez, cherche un peu. Je ne te donne pas la réponse tout de suite, mais quand je te dirai la vérité, tu n'en reviendras pas !

Ta mère qui t'aime

La veille de la présentation, Wendell et moi avons répété une dernière fois. Vers dix-huit heures trente, Ariella nous a renvoyées chez nous.

« À demain, Anna, m'a lancé Franklin avec insistance.

— De bonne heure, de bonne humeur », ai-je répondu.

Je n'avais pas encore décidé si je viendrais au bureau après mon entretien téléphonique avec Neris Hemming ou si je n'y remettrais tout simplement plus les pieds.

Juste au cas où, j'ai pris la photo d'Aidan qui trônait sur mon bureau, l'ai mise dans mon sac, et j'ai dit au revoir à Teenie et à Brooke.

46

La soirée fut extrêmement étrange : j'avais l'impression d'être à l'aube du jour le plus important de ma vie. Impossible de me concentrer sur quoi que ce soit – trop d'impatience, mais aussi d'angoisse. *Oh, Aidan, et si jamais tu ne te manifestais pas ? Comment est-ce que je le supporterais ? Que faire après ?*

J'ai sursauté quand le téléphone a sonné, mais laissé le répondeur se mettre en route. C'était Kevin. « Anna, il faut absolument que je te parle. C'est urgent. Très, très urgent, je suis sérieux. Appelle-moi. »

J'y ai à peine prêté attention.

Plus tard – aucune idée du temps qui s'était écoulé –, on a sonné à l'interphone. Je n'ai pas davantage bougé mais on a insisté. Trois fois. J'ai fini par aller ouvrir.

« Tu ne devineras jamais, m'a lancé d'entrée Jacqui.

— Alors, dis-le-moi directement, ça sera plus simple.

— Je suis enceinte. »

Je l'ai fixée dans les yeux. « Quoi ? m'a-t-elle demandé.

— Quoi, "quoi ?"

— Tu m'as regardée bizarrement. »

J'avais surtout ressenti quelque chose de bizarre. Comme si mon utérus avait vibré.

« Tu es jalouse ? » Elle avait lâché cette question de but en blanc.

« Oui, ai-je répondu aussi sec.

— Oh, je suis désolée. Moi, je n'ai même pas envie d'être enceinte. La vie est mal foutue, hein ?

— À qui le dis-tu ! Mais ce n'est pas un peu tôt, de toute façon ? Vous venez à peine de tomber amoureux !

— Tu sais quand c'est arrivé ? La première nuit. La première nuit, bordel ! Quand tu étais dans les Hamptons... Tu y crois, toi ? Le préservatif s'est déchiré. J'avais l'intention de prendre la pilule du lendemain, mais on a passé les trois jours suivants au pieu ; après, ça m'est sorti de la tête, et voilà : trop tard, maintenant. Je ne suis enceinte que depuis six semaines, mais ils comptent à partir de tes dernières règles, alors ça fait officiellement huit semaines.

— Et Grincheux est au courant ? »

Elle a secoué la tête. « Non. Et quand je lui annoncerai, il me quittera.

— Mais pourquoi ? Il est fou de toi. »

Elle a de nouveau secoué la tête. « À cause de la dopamine, tout ça : Teenie me l'a expliqué le soir de ta fête d'anniversaire – elle en connaît un rayon, cette fille. En fait, les hommes croient être amoureux juste parce que leur cerveau est en surproduction de dopamine ; et, en général, le taux chute au bout d'un an, ce qui explique beaucoup de choses. Mais si je lui annonce que je suis enceinte, je suis sûre que sa dopamine va chuter sans attendre.

— Et pourquoi tu crois ça ?

— Parce qu'il ne veut pas avoir de responsabilités.

— Mais...

— On se connaît à peine. Si c'était arrivé dans six mois, on aurait pu résister à cette épreuve. Là, c'est trop tôt.

— Essaie au moins de lui en parler, ça se passera peut-être bien.

— Je vais voir.

— Et puis... tu as plusieurs options.

— Je sais. Je réfléchis pas mal, vois-tu. Une grossesse ne serait pas aussi catastrophique qu'il y a cinq ans. Ou même trois. À l'époque, je n'avais aucune sécurité et pas un rond ; j'aurais avorté sans l'ombre d'une hésitation. Mais à présent... j'ai un appartement, un boulot bien payé, et l'idée d'avoir un bébé me plaît assez, en fait.

— Euh... Jacqui... avoir un bébé, ça chamboule ta vie, hein ! Rien à voir avec acheter un chien. Et tu peux dire au revoir à ton boulot bien payé, au moins pendant quelque temps. Tu as vraiment réfléchi à tout ce que ça implique ?

— Oh que oui ! Il pleurera beaucoup et je serai fauchée. Je ne ressemblerai plus à rien, ma nounou me volera de l'argent ou des bijoux, mais... ce sera marrant ! Je voudrais une fille, les vêtements pour gamine sont plus beaux. »

Ensuite, elle a éclaté en sanglots.

« Dieu merci, ai-je soupiré. Voilà la première réaction normale depuis ton arrivée. »

Après son départ, j'ai essayé de dormir, mais, au mieux, j'ai somnolé quelques heures. À cinq heures du matin, j'étais complètement réveillée. Je souffrais aussi plus que d'habitude : démangeaisons aux extrémités, crampes au ventre... Était-ce dû à mon état émotionnel anormalement intense ? Les yeux sur le réveil, j'ai effectué le compte à rebours jusqu'à huit heures et demie, heure à laquelle je parlerais avec Aidan. Puis, pour passer le temps, j'ai consulté mes mails.

De : FamilleWalsh@eircom.net
À : Apprentiemagicienne@yahoo.com
Objet : Le fin mot de l'histoire

Ma chérie,
Je sais que tu as d'autres préoccupations en ce moment, mais je dois t'avouer : je suis légèrement offensée que tu n'aies pas tenté de répondre à ma devinette. Bien sûr, notre petit

« drame » n'est pas aussi excitant que tout ce qui se passe à New York, cependant tu pourrais nous faire plaisir. Alors vas-y, devine. Essaie de trouver qui est Nan O'Shea. Tu n'y arriveras jamais !

Ta mère qui t'aime

P.-S. : Si tu ne « devines » pas, je serai très contrariée.

Je lui ai répondu machinalement, sans trop faire gaffe à ce que j'écrivais, histoire qu'elle me lâche les baskets.

De : Apprentiemagicienne@yahoo.com
À : FamilleWalsh@eircom.net
Objet : Le fin mot de l'histoire

Aucune idée. Je donne ma langue au chat. Ou est-ce une ancienne petite amie de papa ?

J'avais attendu si longtemps pour parler à Aidan que, sûrement, il ne serait jamais huit heures et demie. Mais si, l'heure cruciale est arrivée. J'ai décroché le combiné et composé le numéro.

Au bout de quatre sonneries, une voix de femme a dit « Allô », et je tremblais tellement que j'ai eu du mal à articuler. « Allô ? C'est... Vous êtes bien Neris ?

— Ouiiii ?

— Bonjour. Anna Walsh à l'appareil. J'appelle de New York pour ma séance.

— Hem. » Elle avait l'air perplexe. « Vous avez un rendez-vous ?

— Oui ! Mais oui ! Bien sûr que j'ai un rendez-vous ! J'ai payé, et tout. Je peux vous donner le nom de la personne à qui j'ai eu affaire.

— Oh, désolée, ma belle. Je suis en plein travaux, avec des ouvriers partout... J'avais pourtant prévenu mes assistantes : impossible de me concentrer pour une séance dans un tel vacarme. »

Le choc m'a coupé la parole. Pas de doute, j'étais en plein cauchemar !

« Vous voulez dire que vous n'allez entrer en contact avec personne pour moi ? ai-je fini par demander.

— Pas aujourd'hui, ma belle.

— Mais nous avons rendez-vous ! J'ai attendu ce moment des jours et des jours, depuis une éternité j'ai l'impression...

— Je sais, je sais. Alors, rappelez mon bureau. Ils vous donneront un autre rendez-vous.

— Mais j'ai déjà dû attendre trois mois et...

— Je leur dirai que vous êtes prioritaire.

— Il n'y a aucun moyen d'obtenir un message, là tout de suite ?

— Non, aucun. Appelez mon bureau. D'ici là, prenez soin de vous. »

Clic, elle avait raccroché.

47

Les yeux rivés au téléphone, j'ai senti monter en moi un mélange de déception, de sentiment d'outrage et de désespoir infini. Une véritable fureur s'était emparée de moi, et elle n'était pas dirigée contre Neris, mais contre Aidan. « Pourquoi refuses-tu de me parler ? ai-je hurlé. Pourquoi est-ce que tu m'évites à tous les tournants, hein ? Je t'ai pourtant donné trente-six mille occasions, bordel ! » Je me tirais les cheveux. « Et pourquoi tu es mort, hein ? Tu aurais pu lutter, faire un effort, SALE CON ! Si tu m'avais aimée suffisamment, tu serais resté en vie, tu te serais accroché. C'est vraiment nul de tout lâcher comme ça – NUL, tu m'entends ? »

J'ai appuyé sur la touche « bis » du téléphone, mais la ligne était occupée. Ce qui a décuplé ma rage.

« Oui, pourquoi tu ne veux pas me parler, hein ? Parce que tu es une poule mouillée, un FROUSSARD, parfaitement, voilà pourquoi ! Tu avais le choix, tu aurais pu continuer à vivre, mais tu te fichais pas mal de moi, tu ne m'aimais pas assez, tu ne pensais qu'à TA GUEULE ! »

Quand j'ai été à court de mots, je me suis mise à gémir, à hurler dans mes mains, à me déchirer la voix pour faire sortir de moi toute cette colère.

Mais je ne pouvais pas rester dans l'appartement : il était trop petit pour contenir mes sentiments. Je voyais rouge, littéralement ; alors je suis sortie.

Une fois dans la rue, je me suis rendu compte que je n'avais nulle part où aller à part le bureau. Je me foutais pas mal de la présentation. Néanmoins, j'ai pris un taxi, et, étrangement, ça roulait très bien. Nous avons eu tous les feux au vert, je n'étais jamais arrivée au boulot aussi vite.

Je suis sortie de l'ascenseur d'un pas nonchalant, prenant tout mon temps pour gagner mon bureau, où Franklin et Lauryn parlementaient sec avec Teenie.

« ... pauvre tarée, était en train de dire Lauryn. On n'aurait jamais dû la laisser revenir après la mort de son... »

Franklin était pâle comme un linge. Puis il s'est tourné, m'a aperçue, et j'ai presque ri en lisant l'expression sur son visage. Il était trop soulagé pour se mettre en colère. « Ah, tu es venue.

— Ouais. Teenie, désolée de te malmener de la sorte...

— T'inquiète. C'est ta présentation, ton bébé. » Elle m'a fait un bisou sur la joue. « Contente de te voir. »

48

« Ils ne sont pas encore arrivés, m'a déclaré Franklin en me tirant par le bras jusqu'à la salle du conseil. La voilà !» D'un geste triomphal, il m'a lâchée devant Ariella.

« Hem, j'ai vu des gens plus à l'heure...

— Je vous l'ai dit, j'avais un rendez-vous.»

Au vu des regards, mon insolence surprenait. Mais pas le temps de régler ses comptes, les cadres de Devereaux étaient dans l'ascenseur, alors tout le monde s'est scotché un sourire sur les lèvres.

Wendell – dans son tailleur jaune à plumes – est passée la première et a été très efficace. Brillante, même. Puis ç'a été mon tour. Je me suis observée faisant ma présentation, presque comme si j'étais hors de mon corps. Gonflée d'adrénaline, je parlais un peu plus fort que d'habitude et j'ai émis un rire un peu trop amer en désignant ma cicatrice ; mais à part ça, rien de fâcheux.

J'ai également répondu à leurs questions pièges avec une aisance sans pareille – nos heures de répétition avaient servi. Ensuite, quelques poignées de main, et tout le monde était parti.

Dès que les portes de l'ascenseur se sont refermées derrière eux, je suis sortie de la salle du conseil, laissant Ariella et Franklin me suivre des yeux, ahuris.

« Alors, comment ça s'est passé ? m'a demandé Teenie.
— Elle ne pouvait rien faire. À cause des travaux. Elle avait plein d'ouvriers autour d'elle.
— Euh... pardon ?
— Ah, tu voulais dire pour la présentation ? Bien, bien.
— Tu es sûre que ça va ?
— Oui, oui.
— Bon. Tu as des messages. Jacqui a appelé : elle annonce la nouvelle à Grincheux ce soir. Qu'est-ce que c'est, elle a des mycoses ?
— Non. Je te raconterai quand Grincheux sera au courant.
— OK. Et sinon, Kevin a essayé de te joindre. Tu sais, Kevin, le frère d'Aidan ? »
J'ai acquiescé, avec lassitude.
« Il faut que tu le rappelles. Il y a urgence, paraît-il.
— Quel genre d'urgence ?
— Ne t'inquiète pas, personne n'est mort. Je lui ai demandé. »
Curieuse, j'ai allumé mon portable. Il m'avait laissé deux messages.
Pourquoi Kevin voulait-il donc autant que je le contacte ? Pourquoi était-ce urgent ? Et, d'un coup, j'ai compris : Kevin voulait me parler pour les mêmes raisons qu'Aidan refusait de le faire.
Un malaise qui rôdait tel un spectre dans les tréfonds de mon esprit depuis quelque temps a soudain surgi à la surface. Je ne pouvais plus l'ignorer.
J'avais espéré que ça n'arriverait jamais, et même réussi à m'en convaincre. Mais quoi que fût cette chose, cet événement, il allait se produire ; je n'avais pas la capacité de l'arrêter.
Il fallait que je parle à Leon. Je lui ai téléphoné à son bureau.
« Leon, on peut se voir ?

— Ouais, génial ! Vendredi soir, ça te va ? Il y a un restau sri lankais qui vient d'ouv...

— Non, Leon. Il faut que je te voie tout de suite.

— Mais je suis au boulot !

— Trouve un prétexte. Un rendez-vous, une rage de dents. Juste pour une heure. Leon, je t'en prie !

— Mais... et Dana, alors ? Tu oublies que je suis marié.

— Leon ! Ce n'est pas pour ça que je veux te voir... Tu peux être chez Dom dans vingt minutes ?

— OK. »

J'ai prévenu les collègues autour de moi. « Je sors dans dix minutes. Aujourd'hui, je déjeune tôt. »

Lauryn n'a pas relevé. Elle s'en fichait. J'avais tellement déconné en ratant presque la présentation que j'allais sûrement être virée, de toute façon.

De : FamilleWalsh@eircom.net
À : Apprentiemagicienne@yahoo.com
Objet : Le fin mot de l'histoire

Ma chérie,
Mais comment tu as fait pour deviner ?? Tu as dit ça au hasard ? Tu as un sixième sens ? Ou alors Helen a vendu la mèche ? Oui, Nan O'Shea est la femme que ton père a « larguée » pour moi. Depuis toutes ces années, elle lui en veut. Tu ne trouves pas ça hilarant ? Qui aurait cru que quelqu'un puisse tenir autant à ton père ?
J'ai découvert le « pot aux roses » quand je l'ai traîné jusque chez elle pour qu'on lui dise nos « quatre vérités ». On a sonné, et lorsqu'elle a ouvert la porte cette vieille bique s'est décomposée.
Elle a dit : « Jack ? », il a dit : « Nan ? », et moi j'ai dit : « Tu connais cette femme ? »
Ton père a demandé : « Qu'est-ce que c'est que ce cirque, Nan ? »
Elle a répondu : « Je suis désolée, Jack. »
J'ai lancé : « Ah çà ! j'espère bien que vous l'êtes, désolée, espèce de foldingue ! », et ton père a fait : « Chut, chut, elle est contrariée. »

Elle nous a invités à prendre le thé, et ton père était tout aimable, à s'asseoir, bavarder, accepter des petits gâteaux... Mais moi, j'ai su « garder mes distances ». Je ne pardonne pas facilement. J'ai demandé à ton père comment ça se faisait qu'il n'avait pas reconnu le nom, il a répondu qu'il n'en savait rien. Ensuite, j'ai demandé à Nan O'Shea pourquoi elle s'était mise à nous tourmenter seulement maintenant, après tout ce temps, et elle a répondu qu'elle avait vécu « ailleurs » pendant de nombreuses années. De près, elle ressemble à une bonne sœur ; j'aurais parié qu'elle avait passé sa vie de mission en mission, à harceler ces pauvres petits Africains. Mais, en fait, elle a vécu à Cork, et travaillait pour la Compagnie nationale d'électricité depuis 1962. Elle est revenue à Dublin récemment, en prenant sa retraite. (J'ai été très choquée : je l'avais toujours crue beaucoup plus âgée que moi.)

Ton père était très copain-copine avec elle, et comme nous étions sur le point de partir, Nan O'Shea lui a proposé : « Si tu veux passer prendre le thé de temps en temps, n'hésite pas, Jack.

— Oh que non ! j'ai répliqué. Sûrement pas. Allez, viens, Jack, on rentre. »

Et voilà le fin mot de l'histoire. Sinon, toi, comment te portes-tu ? Rien d'étrange à raconter à ta mère ?

Ta mère qui t'aime

49

Leon était déjà là. Je me suis glissée sur la banquette en Skaï marron face à lui et je me suis lancée. « Leon, je sais que c'est dur pour toi, et si tu as envie de pleurer, n'hésite pas. Mais je vais te poser des questions et je te demande d'être honnête avec moi. Même si tu penses que tu vas me blesser. » Il a hoché la tête, l'air inquiet. Mais je ne pouvais y voir un indice : Leon avait toujours l'air inquiet.

« Le soir où Aidan est mort, il était sur le point de m'annoncer quelque chose, et ça semblait important.

— De quoi s'agissait-il ?

— Je n'en sais rien. Il est mort, tu te souviens ?

— Désolé. Je croyais que tu... Bref, comment sais-tu qu'il allait te dire un truc important ?

— Il avait réservé une table au Tamarind.

— Je ne vois là rien de particulier. Le Tamarind est "un endroit exquis pour les brahmanes et leurs banquiers". Citation du Zagat.

— Leon, c'était particulier parce qu'on sortait très rarement au restaurant à deux. On se faisait plutôt livrer. En fait, on dînait dehors avec Dana et toi, ou parfois avec Rachel et Luke ; mais juste nous deux, rarement. D'autant qu'on était sortis pour un dîner romantique deux jours avant. C'était la Saint-Valentin, tu te souviens ?

— OK.

— Et je sais que quelque chose le perturbait. Il avait reçu un coup de fil – venant du boulot, d'après lui, mais je crois qu'il mentait, parce qu'il avait visiblement été choqué.

— Un homme peut réagir de cette façon pour un truc de boulot...

— Je t'assure, Leon, ça paraissait plus important, d'une autre teneur, du moins. Aidan était assez... distant, après ce coup de fil. Il faisait des efforts, je le voyais bien, surtout le soir de la Saint-Valentin, mais ces moments-là manquent toujours de naturel, de toute façon... Bref. Deux jours après, il réserve une table au Tamarind, je lui dis que je ne comprends pas pourquoi on retourne si vite au restaurant, mais il insiste gentiment, alors j'accepte.

— Si seulement Dana était comme toi...

— Je ne suis pas ainsi en général. Enfin, je ne l'étais pas. Mais je me rappelle que je me suis dit : "S'il insiste tellement pour qu'on parle – parce que, à l'évidence, il ne s'agissait pas simplement de se nourrir –, OK, allons-y."

— Mais vous n'avez jamais atteint le restaurant.

— Non. Et puis ça m'est sorti de la tête. Enfin, presque... Quoi qu'il en soit, j'avais bien d'autres préoccupations... Leon, tu étais son meilleur ami. Est-ce qu'Aidan m'aimait ?

— Anna, il se serait pris une balle pour toi !» Silence maladroit. «Excuse-moi, je ne suis pas très doué pour exprimer les choses. Il était fou de toi. Dana et moi, on l'avait connu avec Janie, et je peux t'affirmer qu'avec toi ça n'avait rien à voir. C'était de l'amour entre vous, le vrai.

— Bon, passons au gros morceau. Tu es prêt ? Bien. À l'époque de sa mort, est-ce qu'Aidan me trompait ?» Cette fois, Leon a eu l'air consterné. «Mais pas du tout !

— Tu en es bien sûr ? Il t'en aurait parlé, sinon ?

— Plutôt mille fois qu'une. Il culpabilisait facilement. Il aurait ressenti le besoin de se confier.»

Voilà qui était vrai. Il se serait même confié à moi. «... En plus, je l'aurais deviné, a ajouté Leon. On était tellement proches, tellement liés. Il était mon meilleur pote.» Sa voix s'est brisée. «Le meilleur pote dont on puisse rêver.» Machinalemement, j'ai plongé la main dans mon sac et je lui ai tendu un mouchoir en papier.

Leon a étalé le mouchoir sur son visage pour y sangloter, tandis que je me demandais si je devais le croire. J'ai décidé que oui. Oui, je le croyais. Alors, que se passait-il vraiment ?

Je suis rentrée au bureau pour trouver une série de messages paniqués de Kevin. Le dernier disait : «Je viens te voir à New York demain matin. Impossible d'arriver avant. Anna, c'est très important : si tu reçois un coup de fil, ou si une femme que tu ne connais pas t'appelle, n'importe quelle femme, ne lui parle pas, Anna. Ne lui parle pas jusqu'à ce que j'arrive !»

Mon Dieu ! Je me suis effondrée sur ma chaise. Leon avait tort, et j'avais raison. C'était bien ce à quoi j'avais pensé.

J'avais mal au cœur, mais j'étais calme. Les dés étaient jetés, impossible de les rattraper.

Si j'avais aussitôt appelé Kevin, j'en aurais eu vraiment le cœur net, mais je n'en avais pas envie. Je savais déjà de quoi il retournait. Et j'avais besoin d'encore un peu de temps pour songer à ma vie avec Aidan telle que je me l'étais imaginée.

50

« Anna. Anna ! » J'ai été tirée du passé par la voix de Franklin, qui me regardait bizarrement.

« Ariella t'attend dans son bureau. Maintenant.

— OK. »

J'y suis allée en traînant les pieds. Rien à foutre !

« Fermez la porte.

— OK. »

Je me suis assise sans qu'elle m'y invite. Franklin se tenait derrière moi.

Vas-y, vire-moi. Qu'on en finisse.

« Bien. » Ariella s'est éclairci la voix. « Anna, nous avons une nouvelle à vous apprendre.

— Je n'en doute pas. »

Elle a échangé un regard perplexe avec Franklin.

« Devereaux nous a choisis pour sa comm.

— Oh, super ! ai-je dit en forçant sur le côté enjoué. L'idée de Wendell ou la mienne ?

— La vôtre.

— Mais vous voulez me virer. Alors, virez-moi.

— On ne peut pas vous virer : ils vous ont adorée. Leonard Daly, le grand manitou, vous a décrite comme – je cite – "une fille bien, pleine de courage", et a ajouté que vous étiez la personne idéale pour cette campagne de bouche à oreille. D'après lui, vous avez toute la crédibilité nécessaire.

— Eh bien... Quel dommage...

— Pourquoi ? Vous n'allez quand même pas démissionner ! »

J'y ai songé. « Pas si vous ne le souhaitez pas. Alors ? »

Vas-y, dis-le.

« Non.

— Non, quoi ?

— Non, nous ne voulons pas que vous démissionniez.

— OK. Dix mille dollars de plus par an, deux assistantes, et tailleurs anthracite. »

Elle a avalé sa salive. « D'accord pour l'argent, et pour les assistantes, mais je ne peux pas accepter les tailleurs anthracite. Formule 12 est brésilienne, il nous faut des couleurs de carnaval.

— Tailleurs anthracite ou je prends la porte.

— Orange.

— Anthracite.

— Orange.

— Anthracite.

— Va pour anthracite. »

Intéressante leçon sur le pouvoir : le seul moment où on le détient vraiment est celui où l'on se fiche de savoir si on l'a ou pas.

« Bien, ai-je conclu. Je prends le reste de ma journée. »

51

De nouveau, j'attendais. D'une certaine manière, c'était une rediffusion de la soirée précédente, sauf qu'au lieu d'être pleine d'espoir de mauvais pressentiments m'obsédaient. Kevin m'a encore appelée, mais je n'ai pas décroché. J'étais incapable d'affronter ce qu'il avait à me dire. Il a précisé qu'il arriverait de Boston par le train de sept heures du matin. Je le verrais le lendemain et, alors, je serais au courant de tout. Puis Jacqui a déboulé. Elle venait d'annoncer la nouvelle à Grincheux. Sa présence chez moi n'indiquait donc rien de bon.

Elle a secoué la tête. « Chute de dopamine.

— Oh non !

— Il ne veut rien savoir.

— Pour l'amour du Ciel ! Comme s'il n'avait rien à voir dans l'histoire ! Il a été horrible ?

— Non, pas horrible, juste l'ancien Grincheux, celui sans dopamine.

— Donc horrible, c'est bien ce que je demandais.

— Si tu veux. Enfin, je me doutais qu'il n'allait pas me sauter au cou, mais, tu vois, j'avais quand même espéré... »

J'ai acquiescé. Elle s'est effondrée sur le canapé et s'est mise à sangloter, tandis que je la consolais en murmurant que c'était un beau salaud. Au bout d'un moment, elle s'est mise à rire, malgré son visage baigné de larmes. « Quand même, Grincheux..., a-t-elle lancé en s'essuyant les joues. Qu'est-ce que j'espérais ? Mais qu'est-ce qui m'a pris, au départ, de tomber amoureuse de lui ? Si c'est pas chercher les ennuis... Enfin, tu connais la suite, Anna : c'est toi qui vas m'accompagner à l'accouchement. Tu vas venir avec moi aux cours d'accouchement sans douleur, et tous les couples normaux nous prendront pour un couple de guillerettes.

— Tu es un vrai petit soldat, ai-je affirmé.

— Tu parles, je suis une merde, oui ! Et je vais vivre un calvaire : pas de clopes, pas d'excès de sucre, pas de shopping ni de sexe pendant huit mois. Les seuls mecs qui auront envie de coucher avec moi seront des tarés ne pouvant prendre leur pied qu'avec des femmes enceintes... Tiens, tu as un message sur ton répondeur. C'est qui ?

— Oh, Kevin. Il arrive à New York demain. » Je m'étonnais moi-même de mon naturel. Mais je ne pouvais rien raconter à Jacqui, elle avait bien assez de tracas.

Après son départ, je me suis couchée, j'ai plus ou moins dormi, et à sept heures et demie j'étais debout, avec l'impression de me préparer à ma propre exécution.

52

J'ai pris une douche puis je me suis habillée, comme tous les jours. Ma bouche demeurait extrêmement sèche en dépit des innombrables verres d'eau que j'avalais ; et quand je me suis brossé les dents, la pression de la brosse contre ma langue m'a presque fait vomir.

Kevin n'arriverait pas tout de suite. J'ai donc décidé, la mort dans l'âme, d'aller tuer le temps au bureau. J'ai lentement descendu l'escalier. Le facteur venait de passer, il s'éloignait. Pour la première fois cette année, on sentait vraiment que l'automne était là ; les feuilles mortes voletaient au vent, et l'on percevait dans l'air frais une odeur de feu de bois.

Je ne m'embêterais pas à ouvrir ma boîte aux lettres. Qu'est-ce que j'en avais à faire de recevoir du courrier ? Pourtant, quelque chose m'a poussée vers cette boîte.

Tout de suite après, une voix m'a conseillé de passer mon chemin, mais trop tard : ayant ouvert la boîte, j'étais en train d'y découvrir une enveloppe qui m'était destinée. Comme une petite bombe.

L'adresse de l'expéditeur ne figurait pas sur l'enveloppe. Bizarre. J'ai ressenti un léger malaise. Qui s'est accentué lorsque j'ai remarqué les caractères bien formés composant mes nom et adresse. Qui, de nos jours, envoyait des lettres écrites à la main ?

Une femme sensée n'aurait pas parcouru ce courrier. Une femme sensée l'aurait jeté à la poubelle sans autre forme de procès. Mais, à part un bref laps de temps entre vingt-neuf et trente ans, quand m'étais-je déjà montrée raisonnable ? Alors, voilà, j'ai décacheté l'enveloppe.

C'était une carte, une aquarelle représentant des fleurs défraîchies dans un vase. Assez fine pour que je distingue au toucher quelque chose à l'intérieur. De l'argent ? Un chèque ? Je faisais dans le sarcasme – même si personne n'était là pour m'entendre et si, de toute façon, je prononçais ces mots en mon for intérieur.

Oui, il y avait bien quelque chose à l'intérieur : une photo... d'Aidan. Pourquoi m'envoyait-on cette photo ? J'en avais déjà tout un tas. Puis je me suis aperçue que je me trompais : ce n'était pas lui. Et là, soudain, j'ai tout compris.

III

1

Quand j'ai ouvert les yeux, je n'étais pas dans mon lit. Ni dans ma chambre. Un homme dormait près de moi.

À part la faible lumière diffusée par une petite lampe, la chambre était dans l'obscurité. J'ai écouté l'homme respirer, mais je ne pouvais pas le regarder.

Il fallait que je me tire d'ici. Doucement, je me suis glissée hors des draps, décidée à ne surtout pas le réveiller.

« Hé ! » Merde, il ne dormait pas. Il s'est hissé sur un coude. « Tu vas où ?

— Chez moi. Pourquoi est-ce que tu ne dors pas ?

— Parce que je te regarde. »

J'ai eu un frisson.

Ensuite, j'ai cherché mes vêtements à tâtons sur la moquette, en lui tournant le dos et en essayant de lui cacher au mieux ma nudité.

« Anna, reste jusqu'à demain matin.

— Je veux rentrer chez moi.

— Il ne s'agit que de quelques heures. Quelle différence ça fait ?

— Je te dis que je rentre chez moi. » Je n'arrivais pas à mettre la main sur mon soutien-gorge.

Il est sorti du lit, je me suis recroquevillée sur moi-même : je n'avais aucune envie qu'il me touche. «Je sors juste de la chambre, a-t-il annoncé. Pour te laisser ton intimité.» Quand il est revenu, j'étais habillée. Il m'a tendu une tasse de café et a proposé de m'appeler un taxi.

J'ai accepté sans le regarder, je n'y parvenais toujours pas. Des bribes de la veille me revenaient, dans toute leur horreur. Je me rappelais avoir déchiré mes vêtements en lui criant : « Baise-moi, baise-moi ! Qu'est-ce que ça peut te foutre, hein ? T'es un homme, t'as pas besoin de te sentir impliqué émotionnellement. Baise-moi, voilà tout.»

Je m'étais allongée sur son lit, nue, avant d'insister : « Mais allez, qu'est-ce que tu fous ?» Je voulais qu'il me vide de ma rage, de mon deuil, de mon désespoir. Qu'il me fasse oublier mon mari, mon mari mort, afin que la douleur cesse.

« Ton taxi est là.»

Le soleil se levait, l'aube était calme. Bien que je n'aie pas touché une goutte d'alcool la veille, j'avais l'impression d'avoir la pire gueule de bois de ma vie.

J'ai pénétré dans le silence de mon appartement, allumé une lampe, et ressorti de mon sac cette enveloppe pour regarder la photo du petit garçon qui était le portrait craché d'Aidan mais n'était pas Aidan.

La veille, en découvrant cette photo, seule l'absence de cicatrice au sourcil de l'enfant m'avait permis de comprendre qu'il ne s'agissait pas d'Aidan : la sienne remontait au jour de sa naissance. Puis j'avais vu la date figurant sur le cliché. Ce gamin n'était né que depuis dix-huit mois.

Une lettre accompagnait la photo. Mais je me fichais de savoir ce qu'elle disait, j'ai directement regardé la signature. Et – surprise – ce n'était personne d'autre que Janie.

Un brouillard rouge s'était à nouveau matérialisé devant mes yeux, et j'ai eu l'impression de devenir complètement folle. Elle l'avait eu pendant toutes ces années, et voilà qu'elle avait un fils de lui. Et moi, je n'avais rien !

J'ai su aussitôt ce que j'allais faire.

Les doigts tremblants, j'ai composé le numéro de Mitch. Une voix d'homme a répondu, mais ce n'était pas lui.

« Je peux parler à Mitch, s'il vous plaît ?

— Non, pas maintenant, impossible. Il est suspendu dans le vide, le long d'un mur ; il installe des circuits électroniques. »

Je ne savais pas quoi dire, dévorée par la rage. *Mais faites-le descendre, bordel de merde !*

« Prévenez-le que c'est Anna, et que c'est urgent. Très urgent. »

Malheureusement, mon interlocuteur n'a rien voulu entendre. « Pas maintenant. Mais, dès qu'il a fini, je lui dis de vous rappeler. »

J'ai raccroché en me demandant : « Alors qui ? Oui, qui ? » Pas Gaz, même s'il était le seul célibataire de mes proches. Il aurait été fichu de m'immoler.

Puis j'ai trouvé : plutôt que Mitch, c'était l'adorable petit Nicholas qu'il me fallait. Il ferait très bien l'affaire.

Je l'ai appelé à son bureau : répondeur. Sur son portable : messagerie. Il devait donc être chez lui. J'ai composé son numéro de fixe : répondeur.

Je n'arrivais pas à y croire. Pourquoi tant d'embûches sur mon chemin ? J'avais besoin de ça !

Au beau milieu de ma rage, je me suis souvenue d'un truc. Les mains tremblantes, j'ai attrapé mon sac et vidé son contenu par terre, avant de me mettre à quatre pattes pour chercher, parmi tout mon attirail, ce petit bout de papier.

J'ai enfin mis la main dessus. Ma bouée de sauvetage : le numéro d'Angelo. Angelo, que j'avais rencontré avec Rachel au café Jenni quelque temps plus tôt.

Ce serait donc Angelo.

Mais pas de bol, je suis de nouveau tombée sur une messagerie. « Je ne suis pas là pour le moment. Vous savez quoi faire. »

« Angelo, ici Anna. Je suis la sœur de Rachel, on s'est rencontrés un matin très tôt au café Jenni's, puis de nouveau sur la 43e Ouest. Est-ce que vous pouvez me contacter ? »

Mon téléphone a sonné presque aussitôt. L'un d'eux me rappelait. Mais lequel ?

« Allô ? »

En fait, c'était Kevin, qui était comme fou. « Anna, je suis à la gare. Il faut qu'on parle !

— Ça va, Kevin, ne t'inquiète pas. Je suis au courant.

— Merde ! Je voulais tellement que tu apprennes ça en douceur... Mais ne t'en fais pas. On se battra pour avoir la garde, et on l'obtiendra ! On l'élèvera tous les deux, Anna, toi et moi. Où veux-tu qu'on se retrouve ?

— Tu es descendu où ?

— À l'hôtel Benjamin.

— Très bien. Je te rejoins là-bas. »

Ni Mitch, ni Nicholas, ni Angelo, mais Kevin, donc. Qui l'eût cru ?

J'ai pris un taxi. « Au Benjamin, s'il vous plaît. Sur la 15e Est. » Puis j'ai réexaminé la photo, qui avait été prise quatre jours auparavant, et j'ai essayé de reconstituer la suite des événements. Quand avais-je rencontré Aidan ? Quand avions-nous décidé que notre relation était « exclusive » ? Quel âge exactement avait cet enfant ? Je lui donnais un an et demi, mais il pouvait être grand pour son âge, ou petit. S'il n'avait que seize mois, admettons, qu'est-ce que cela impliquait ? Était-ce pire s'il en avait dix-neuf ou vingt ? Et s'il était né prématurément ? J'étais trop paumée pour pouvoir me concentrer.

Mon portable a sonné de nouveau.

« Bonjour, Angelo à l'appareil. Vous m'avez appelé ?

— Angelo ! Oui. Je suis Anna, la sœur de Rachel, et…

— Je me souviens de vous. Comment ça va ?

— Très mal, à vrai dire.

— Vous voulez qu'on se voie pour un café ?

— Où est-ce que vous vous trouvez ?

— Chez moi ; sur la 16ᵉ.

— Je suis en taxi, à deux pas. Je peux passer ? »

Voilà : ce ne serait pas Kevin, mais bel et bien Angelo.

2

La sonnerie de la porte d'entrée m'a réveillée en sursaut. Ma peur a été telle que j'ai bien cru avoir une attaque cardiaque. Je m'étais allongée, la photo du petit garçon posée sur la poitrine, et j'avais dû m'assoupir. Jambes tremblantes, je me suis levée ; on a de nouveau sonné. Quelle heure pouvait-il bien être ? Huit heures, à peine. Aussi tôt, c'était forcément Rachel.

La veille, alarmé par mon état quand j'avais débarqué chez lui, Angelo l'avait appelée et elle était venue immédiatement, accompagnée de Luke. Je leur avais fait un récit pour le moins confus de la lettre et de la photo, qu'ils avaient demandé à voir. Puis ils avaient essayé de me ramener chez moi, mais comme je refusais, ils n'avaient pas insisté. J'imaginais cependant qu'Angelo avait tenu ma sœur au courant de mes faits et gestes ; il avait dû lui passer un coup de fil en lui disant que j'étais à présent chez moi.

Et, en effet : « Salut, m'a lancé Rachel.

— Salut.

— Comment ça va ?

— Oh, je fais aller... Je m'efforce de digérer l'infidélité de mon défunt mari.

— Il ne t'a pas trompée.

— Je le déteste.

— Il ne t'a pas trompée. Lis cette lettre, bon sang ! Où est-elle ? Dans ton sac ? Sors-la. »

Sous son œil vigilant, j'ai déplié la lettre et tenté de la lire, mais les mots dansaient sur le papier. D'un geste brusque, je la lui ai tendue. « Tiens, lis-la, toi.

— D'accord. Et je te conseille de bien écouter. »

Chère Anna,

Je ne sais pas comment commencer cette lettre. Par le commencement, je pense. Je suis Janie, Janie Wicks (née Sorensen), l'ex-petite amie d'Aidan. Nous nous sommes brièvement rencontrées à l'enterrement, mais je ne suis pas sûre que vous vous souveniez de moi, il y avait tant de monde ce jour-là !

Comme j'ignore de quelle partie des événements vous êtes au courant, je vais tout vous raconter. Difficile, ce faisant, de ne pas donner une mauvaise image de moi, mais voilà néanmoins ce qui s'est passé. Après qu'Aidan a quitté Boston pour aller travailler à New York, il rentrait souvent le week-end ; cependant, ce n'était plus pareil entre nous. Au bout de quinze ou seize mois, j'ai rencontré quelqu'un (Howie, l'homme auquel je suis mariée à présent). Je n'ai pas parlé de Howie à Aidan (et inversement), mais j'ai déclaré à Aidan qu'il était temps pour lui et moi de prendre un peu de recul, de fréquenter d'autres personnes...

Donc, pendant un certain temps, je suis sortie (et j'ai couché) avec Howie et Aidan – les week-ends où il rentrait à Boston.

Puis je suis tombée enceinte. (J'utilisais un moyen de contraception, n'étant pas candidate pour passer dans l'émission de Jerry Springer ; et pourtant, alors qu'il y a une chance sur mille, ou sur je ne sais combien, car je ne connais pas les statistiques, c'est tombé sur moi.) Le problème, c'est que j'ignorais qui, d'Aidan ou de Howie, était le père. (Et, croyez-moi, j'ai parfaitement conscience de ce qu'un tel aveu a d'horrible.)

Je voulais en parler à Aidan, mais le week-end suivant où il est rentré, ç'a été pour m'annoncer qu'il rompait définitivement avec moi, qu'il avait rencontré quelqu'un (vous), qu'il était fou de vous, qu'il voulait vous épouser, qu'il était désolé de me quitter comme ça, qu'on resterait amis, etc., vous voyez le scénario. Il fallait que je fasse un choix : soit je lui révélais que j'étais enceinte, et alors je détruisais son histoire avec vous ; soit je me taisais, dans l'espoir que l'enfant était de Howie. J'ai pris ce risque. Howie et moi on s'est mariés, le petit Jack est venu au monde, et nous sommes tous dingues de lui. À la naissance, il n'était pas le portrait craché de Howie, mais il ne semblait pas davantage tenir d'Aidan ; j'ai donc décidé de continuer sur ma lancée.

Mais, avec le temps, Jack s'est mis à ressembler de plus en plus à Aidan. Je le jure devant Dieu, jour après jour, ses traits semblaient devenir ceux d'Aidan. Je ne pensais qu'à ce phénomène, qui me rendait malade. Puis ma mère s'en est rendu compte elle aussi, et elle m'a rappelée à l'ordre, pour ainsi dire. Je lui ai avoué la vérité, et elle m'a convaincue que j'avais l'obligation morale d'informer Aidan qu'il avait un fils et les Maddox qu'ils avaient un petit-fils.

Pour être tout à fait honnête, je n'en avais aucune envie – par pur égoïsme, car j'avais peur pour mon mariage. Quoi qu'il en soit, j'en ai d'abord parlé à Howie, et pour lui, la nouvelle a été terrible. Il s'est installé ailleurs pendant quelque temps, mais à présent il est de retour, et nous essayons de reprendre notre vie de couple. Ensuite, j'ai appelé Aidan, et comme n'importe qui en pareilles circonstances, il est parti en vrille. Il se faisait un sang d'encre pour vous, pour votre relation – peut-être alliez-vous penser qu'il vous avait trompée ? Mais, pour être bien claire sur ce point : je suis tombée enceinte avant que votre relation soit « exclusive », bien avant – au moins deux mois.

Bref. Je lui ai envoyé par mail des photos du petit Jack, pour qu'il puisse se rendre compte par lui-même de la ressemblance. Mais, le lendemain ou le surlendemain, vous avez eu cet accident ; j'ignore donc s'il a eu le temps de vous parler de Jack. Si vous apprenez aujourd'hui seulement son existence, j'en suis désolée, vraiment désolée !

J'étais sur le point d'annoncer la nouvelle aux Maddox quand j'ai été informée de l'accident. Je ne savais plus quoi faire – d'autant que, d'après ma mère, Dianne et Fielding

« Fielding ? C'est le prénom de M. Maddox ? a demandé Rachel. Marrant, je ne m'étais jamais imaginé qu'il en avait un. »

n'allaient pas bien du tout. La nouvelle leur causerait un trop gros choc ; mieux valait attendre qu'ils se remettent un peu.

Mais Dianne et Fielding ne se sont toujours pas remis – et le bon moment pour leur apprendre la nouvelle n'arrivait jamais. À plusieurs reprises, j'ai voulu vous téléphoner pour savoir si vous étiez au courant au sujet du petit Jack, et pour vous dire qu'Aidan me manquait aussi. C'était un homme bien, réellement. Mais j'avais l'impression de ne pas pouvoir vous parler de Jack avant de l'avoir fait avec Dianne et Fielding ; et le sentiment qu'il n'aurait pas été juste de vous parler seulement d'Aidan, en taisant l'existence de Jack. Le comprenez-vous ?

J'attendais donc que se présente l'occasion d'informer tout le monde ; mais, comme vous devez le savoir, Kevin a découvert le pot aux roses. Mardi dernier, je suis tombée sur lui en faisant mes courses ; comme je ne l'avais pas vu depuis très longtemps, j'en ai été ravie. Seulement, ses yeux se sont posés sur la poussette, et il s'est mis à fixer Jack comme s'il avait vu un fantôme, et à hurler : « C'est le fils d'Aidan ! Maman est grand-mère ! Qui est au courant ? Est-ce que tu l'as dit à Anna ? Pourquoi personne ne m'a rien dit ? » Puis il a éclaté en sanglots, et au moment où je tentais de lui expliquer les agents de sécurité nous ont fichus dehors.

Je lui ai proposé : « Viens, Kevin, on va prendre un café et je te raconterai tout », mais vous connaissez Kevin comme moi : un peu tête brûlée. Il a fichu le camp en criant qu'il allait réclamer la garde et vous appeler pour tout vous révéler. J'imagine que vous avez eu droit à au moins un coup de fil paniqué de sa part.

Moi aussi, j'ai voulu vous appeler, et puis j'ai pensé qu'il valait mieux écrire, pour mettre les choses à plat et ne pas laisser place à la confusion.

Peut-être est-il trop tôt, beaucoup trop tôt même – mais aimeriez-vous rencontrer le petit Jack ? Dès que vous vous en sentez capable, faites-moi signe. Je peux venir avec lui à New York si vous ne souhaitez pas vous rendre à Boston.

Une fois de plus, veuillez accepter mes excuses si je vous ai causé du tort en vous apprenant tout ça. J'ai pensé que vous aviez le droit de savoir, et que voir une partie d'Aidan vivre encore vous aiderait peut-être à supporter sa perte.

Cordialement,

Janie

« Tu vois, a constaté Rachel, il ne t'a pas trompée. Jamais il ne t'a été infidèle.

— Je m'en fiche. Je le hais quand même ! »

3

Rachel m'a résumé ce qui s'était passé dans ma vie depuis que je m'en étais absentée sans crier gare.

« Tu n'as pas perdu ton poste. J'ai parlé à ce type, là... Franklin. Je lui ai dit que tu étais malade.

— Mon Dieu.... » Les cadres de Devereaux et le Pr Redfern lui-même étaient impatients de me rencontrer afin de mettre la campagne de Formule 12 sur les rails. Ce n'était vraiment pas le moment d'être malade ! « Est-ce qu'il s'est mis à hyperventiler ?

— Oui, un peu. Mais il a pris un Xanax. En fait, on a eu une conversation tout ce qu'il y a de plus adulte. Il a suggéré que tu prennes le reste de cette semaine et la semaine prochaine pour te reposer. Et te ressaisir.

— Le lait de la tendresse humaine... Merci, Rachel. Merci d'avoir aussi bien géré la situation. Et de t'occuper de moi. »

Je lui étais infiniment reconnaissante : si elle n'avait pas eu cette discussion avec Franklin, je n'aurais jamais osé remettre les pieds au bureau ; au moins, désormais, j'avais le choix. Puis une autre pensée m'a traversé l'esprit. « Merde ! Kevin ! » Était-il toujours dans sa chambre d'hôtel à m'attendre ?

« Je m'en suis occupée. Je l'ai contacté et lui ai raconté toute l'histoire. Il est rentré à Boston.

— Oh, merci encore, Rachel ! Je ne sais pas ce que je ferais sans toi.

— Passe-lui un coup de fil.

— Quelle heure est-il ? » J'ai regardé le réveil. « Huit heures vingt. C'est pas un peu trop tôt ?

— Non. Je crois qu'il est impatient d'avoir de tes nouvelles. Il était très inquiet pour toi. »

J'ai grimacé de honte et décroché le combiné.

Une voix ensommeillée m'a répondu.

« Kevin à l'appareil.

— Kevin, c'est moi, Anna. Je suis désolée, sincèrement. Je m'en veux beaucoup de t'avoir laissé tomber comme ça. J'ai pété les plombs.

— C'est pas grave. Moi aussi, j'avais cru devenir fou en apprenant la nouvelle. »

J'ai attendu qu'il se mette à insulter Janie, à me répéter qu'on allait se battre, lui et moi, pour la garde du « petit Jack ». Mais il n'en a rien fait. Apparemment, la situation s'était modifiée du jour au lendemain : sa relation avec Janie était redevenue des plus courtoises, et tout le monde était ami de nouveau.

« J'ai fait la connaissance de Jack, hier soir, avec papa et maman, et tu le verrais : c'est un petit garçon très mignon. Il adore les Red Sox, déjà. On retourne le voir aujourd'hui. Tu veux venir ?

— Non.

— Mais…

— Non.

— Ce week-end, alors ?

— Non plus.

— Ah ! OK. Prends ton temps, Anna. Prends tout le temps dont tu as besoin. Mais, je t'assure, il est adorable. Et drôle ! J'ai dit à Janie : "Je vais prendre une bière" et il a

416

répété : "Je vais prendre une bière", avec exactement la même voix que moi ! Et puis, il a ce...

— Désolée, Kevin, il faut que je te laisse. Au revoir. »

J'ai raccroché.

« À mon avis, tu devrais aussi présenter tes excuses à Angelo », m'a déclaré Rachel.

Angelo ! « Oh, merde ! » Je me suis pris la tête à deux mains. « J'étais hors de moi, complètement folle. Il refusait de me faire l'amour.

— Bien sûr qu'il a refusé. Tu l'as pris pour quel genre d'homme, exactement ?

— Juste pour un homme... Tiens, à propos, est-ce que Joey est revenu vers Jacqui ?

— Non. Et je ne crois pas qu'il en ait l'intention.

— Quoi ? » Je m'étais dit qu'il mettrait un ou deux jours à intégrer la nouvelle de la grossesse, et qu'après il courrait chez Jacqui la supplier de lui laisser une seconde chance. « Mais quel connard ! »

4

Le seul souvenir que je garde de cette époque est la douleur que je ressentais dans chaque os de mon squelette, pire que tout ce que j'avais pu éprouver auparavant. J'avais même mal aux pieds et aux mains. Je broyais du noir dans mon coin, en silence, telle une Joey au féminin, l'accoutrement de rocker en moins. Toutes les photos d'Aidan – celles accrochées aux murs, celles encadrées trônant sur la télé, même celle de mon portefeuille –, je les ai expédiées dans le grand et poussiéreux Désert de Dessous le Lit. Plus rien sous mes yeux ne devait me faire penser à lui.

La seule personne avec laquelle j'avais envie de passer du temps était Jacqui, qui n'arrêtait pas de pleurer.

« C'est les hormones, affirmait-elle entre deux hoquets. Rien à voir avec Joey, je n'en suis plus là. Je t'assure, c'est les hormones. »

Quand je n'étais pas avec Jacqui, j'allais faire du shopping et dépensais mon argent frénétiquement. Comme je venais d'être payée, tout mon salaire s'est envolé, y compris la partie normalement allouée au loyer. Je m'en fichais. J'ai ainsi lâché une fortune pour deux tailleurs anthracite, des escarpins noirs, des bas couleur chair et un sac Chloe. Dix fois trop chers. Dès que j'apposais ma signature au bas d'un reçu, je repensais, agacée, aux deux mille cinq cents dollars que j'avais filés à Neris Hemming. J'aurais dû la poursuivre en justice, essayer de récupérer mon fric – bien qu'il y ait sûrement eu sur le contrat une mention légale en tout petits caractères stipulant qu'aucun procès ne pouvait lui être intenté –, mais je ne voulais plus avoir affaire à elle. Je voulais oublier que j'avais entendu parler d'elle. Et en aucune façon je ne souhaitais reprendre rendez-vous. Parler avec les morts ? Foutaises !

Le soir, pour quelque étrange raison – masochiste, en tout cas –, je regardais le base-ball à la télé. C'était le championnat national. Les Red Sox jouaient contre les Cardinals de Saint Louis. Ils n'avaient pas gagné depuis 1919 – depuis la malédiction de Babe Ruth –, mais j'avais l'intime conviction que leur série d'échecs s'arrêterait cette année. Ils allaient avoir la victoire, parce que ce salaud avait été assez stupide pour mourir et rater ça. Experts, journaux et fans des Red Sox avaient atteint un niveau d'angoisse très élevé ; ils étaient près du but, mais… si jamais ils perdaient ?

Pour ma part, donc, je ne doutais pas un instant qu'ils gagneraient et, selon mes prévisions, ils ont remporté le championnat. J'ai dû être la seule personne au monde à ne pas m'en étonner.

La jubilation des fans fut indescriptible. Tous ceux qui avaient gardé la foi pendant ces décennies ingrates étaient enfin récompensés. J'ai vu des hommes pleurer, et j'ai pleuré avec eux. Puis j'ai décidé que j'avais versé là mes dernières larmes.

« Pauvre con, si tu n'étais pas mort, tu aurais pu voir ça ! »

Dans la foulée, j'ai décidé que j'avais parlé à Aidan pour la dernière fois.

5

Mon tailleur anthracite le plus cher sur le dos, j'ai refait le chemin du bureau.

« Prête à reprendre du service », ai-je annoncé à Franklin.

Il a voulu me répondre : « Tu ferais mieux, oui », mais impossible : j'étais devenue trop précieuse pour que l'on me contrarie.

Il m'a donc plutôt escortée dans le bureau d'Ariella pour une mise à jour sur Formule 12 : les cadres de Devereaux voulaient un compte rendu journalier de ma campagne de « bouche à oreille », pour savoir quand aurait lieu la percée de la marque ; le joaillier voulait un entretien pour discuter de ma vision du pot d'ambre ; l'équipe du marketing voulait ma contribution au design du logo...

« Une masse de travail vous attend.

— Je vais prendre des rendez-vous tout de suite.

— Dernière chose... », a commencé Ariella.

Je l'ai dévisagée, au bord de l'impatience.

« Vos vêtements.

— On était tombées d'accord sur des tailleurs anthracite, il me semble ? C'est ça ou je m'en vais.

— La question n'est pas là. Votre projet est bien de lancer une campagne sur une rumeur ? Un produit hallucinant, mais dont personne ne sait encore rien ? Alors, vous devez conserver votre look de réprésentante de Candy Grrrl jusqu'à ce que Formule 12 fasse sa percée. »

Je lui ai lancé un regard noir, mais... elle avait raison. Contente d'elle, elle a haussé les épaules. « Eh, ne me fusillez pas comme ça. L'idée vient de vous !

— Combien de temps ? lui ai-je demandé.

— C'est votre campagne, non ? En combien de temps bâtirez-vous une rumeur ? Au moins deux mois, à mon avis.

— Pas de chapeaux. Je ne veux plus porter de chapeaux débiles.

— Oh, que si ! Vous allez faire comme si rien n'avait changé, car ces rédactrices doivent le croire. Si elles découvrent qu'elles sont manipulées, tout est fichu.

— Très bien. Si vous voulez me voir débouler chaque jour avec un bibi farfelu, il va me falloir dix mille dollars de plus. Ce qui fait vingt mille au total. »

J'ai soutenu son regard sans faillir, un véritable duel. Elle a fini par lâcher : « Je vais y réfléchir. »

J'ai tourné les talons ; l'argent était à moi.

J'avais envie de passer ce coup de fil comme de me pendre. Mais tant que je n'aurais pas présenté mes excuses à Angelo, la honte me poursuivrait.

« Angelo, c'est Anna, la sœur de Rach...

— Eh, salut !

— Je suis désolée.

— Laisse tomber.

— Non, Angelo, je m'en veux. C'était horrible, cette façon de te traiter ! Je suis terriblement gênée. J'ai envie de rentrer six pieds sous terre...

— Eh, ça va, ça va, tu étais en état de choc. Je suis passé par là, tu sais. Tu ne pourras jamais faire un truc que je n'aie pas fait, crois-moi.

— Quoi ? Tu veux dire que tu as déjà abordé une parfaite inconnue pour t'envoyer en l'air ?

— Bien sûr. Et puis, de toute façon, je n'étais pas un parfait inconnu pour toi.

— Merci de... de ne pas avoir profité de moi.

— Oh, je t'en prie ! Je serais tombé bien bas si j'avais fait une chose pareille.

— Merci de... de ne pas avoir dit que, si la situation avait été différente, tu aurais... peut-être accepté mon offre.

— Merde...

— Quoi ?

— C'est précisément ce que j'allais te dire. »

Au boulot, j'ai commencé une double vie. Pour la plupart des gens, j'étais toujours l'attachée de Candy Grrrl, avec mes habits loufoques et mes produits à l'avenant. Mais j'étais aussi l'agent secret de Formule 12, qui assistait aux réunions chez Devereaux, débattait de projets publicitaires et de la question cruciale de l'emballage.

Tout le (peu de) temps qu'il me restait, je le passais avec Jacqui, à lire des bouquins sur la maternité et à traiter Joey de salaud.

Je ne pleurais pas, je ne ressentais pas non plus la fatigue : une pile fonctionnant à l'amertume m'alimentait en énergie.

Je n'ai pas pris de nouveau rendez-vous avec Neris Hemming, et, abruptement, j'ai cessé d'aller aux séances de Leisl.

Le premier dimanche, Mitch m'a appelée. « Tu nous as manqué, aujourd'hui.

— Je crois que je vais être absente un petit bout de temps.

— Comment ça s'est passé avec Neris Hemming ?

— Mal, et je n'ai pas envie d'en parler.

— Ils disent que ça fait du bien d'éprouver de la colère. Que c'est une autre étape du processus de deuil.

— Je ne suis pas en colère. » Enfin, si, je l'étais, mais pas pour les raisons qu'il s'imaginait. Cela n'avait rien à voir avec son processus de deuil à la noix.

« Alors... quand vais-je avoir le plaisir de te revoir ?

— J'ai énormément de boulot en ce moment...

— OK ! Je comprends, ne t'en fais pas. Mais on reste en contact, hein ?

— Oui, ai-je menti. Bien sûr. »

Puis Nicholas m'a téléphoné et nous avons eu une discussion à peu près semblable. Pendant les mois qui ont suivi, tous deux m'ont passé des coups de fil à intervalles réguliers, mais je n'ai jamais décroché, ni répondu à leurs messages. Je n'avais pas envie qu'on me rappelle à quel point j'avais été stupide de croire que je pourrais parler à un mort. Ils ont fini par abandonner, et j'en ai été bien soulagée : cette partie-là de ma vie était finie.

Le soir venu, je me fermais comme une fleur, un bouton plein de rancœur replié sur lui-même.

Mais, au boulot, j'étais loin de manquer à mon devoir – au contraire, je n'avais jamais été aussi professionnelle. Les gens semblaient légèrement troublés par ce que je leur disais, déconcertés par ma seule présence quelquefois. Et mon activité s'est avérée payante, car, peu de temps avant Thanksgiving, la première référence à Formule 12 est apparue dans la presse : « Un véritable bond en avant dans la cosmétique ».

6

« Anna, c'est un miracle ! s'est écriée Mme Maddox. Je me sentais moribonde, et ce gamin... Bien sûr, ce n'est pas Aidan, et Aidan ne reviendra jamais parmi nous, mais il est comme une petite partie de lui... »

Dianne avait complètement abandonné ses projets initiaux pour Thanksgiving, à savoir se retirer dans une communauté exclusivement féminine afin de danser, recouverte d'une peau de bête, sous la pleine lune, le corps peint en bleu. Elle avait troqué tout cela pour la plus pure des traditions – dinde farcie, verres en cristal, etc. – parce que le « petit Jack » lui rendait visite.

« Il est beau, ce qu'il est beau ! Vous devriez voir ça ! Allez, dites-moi que vous allez venir.

— Non.

— Mais...

— Non.

— Vous étiez une fille si gentille, avant !

— Oui. Avant d'avoir découvert que mon défunt mari avait fait un enfant avec une autre.

— Mais c'était avant de vous rencontrer ! Il ne vous a pas trompée !

— Dianne, il faut que je vous laisse. »

« Rachel et Luke font un dîner pour Thanksgiving, ai-je appris à Jacqui. Tu es invitée. Mais...

— Oui, je sais, Joey aussi. Donc, bien évidemment, je ne viendrai pas. »

Je lui ai proposé ma participation au boycott. « On peut le passer ensemble, rien que nous deux.

— Inutile. Je suis invitée ailleurs...

— Où ça ?

— Euh... Aux Bermudes.

— Aux Bermudes ? Ne me dis pas que tu vas chez Jessie Cheadle ! »

Jessie Cheadle faisait partie de ses clients, il était patron d'une maison de disques.

« Chez lui, si !

— Mais... et tu y vas comment ? Ne me dis pas qu'il t'envoie un jet privé ! »

Elle a hoché la tête, pliée en deux de rire face à mon air envieux. « Et le personnel veillera à défaire mes bagages Louis Vuitton et à me faire couler des bains avec pétales de rose. Et lorsque je repartirai, ils referont mes valises, en prenant soin de mettre du papier de soie entre chaque couche. Parfumé, le papier. Tu m'en veux si j'y vais ?

— Je suis ravie pour toi. Tu ne pleures presque plus, tu as remarqué ?

— Ouais. C'étaient les hormones, je te l'avais dit. Mais il n'en reste pas moins un enfoiré. Au fait, regarde ! » Elle a pointé un doigt sur sa personne. « Qu'est-ce qui cloche, d'après toi ?

— Rien. » Elle était sublime. En forme, éblouissante avec sa petite bosse. Puis j'ai remarqué : « Tu as de la poitrine !

— Oui ! Pour la première fois de ma vie ! Et j'adore avoir des nichons ! »

Quand Luke m'a ouvert, il avait une aiguille plantée dans le front, un peu comme une licorne. « Gaz, m'a-t-il résumé. Gaz et son acupuncture... Joyeux Thanksgiving. Viens, entre. »

Réunis autour de la table se trouvaient Gaz, Joey, ainsi que Judy et Fergal, des amis de Rachel. Shake n'était pas là : il passait Thanksgiving à Newport dans la famille de Brooke Edison. Apparemment, il s'éclatait avec elle au pieu ; il avait confié à Luke que Brooke était « une vraie cochonne ».

Tout le monde avait une aiguille d'acupuncture plantée dans le front et, à ma vue, Gaz s'est précipité, une aiguille à la main. « Pour stimuler tes endorphines.

— OK. Vas-y. Mais je me souviens d'une époque où on portait plutôt des chapeaux en papier, à ce genre de soirée. »

Gaz m'a piquée, et je suis allée m'asseoir. Le dîner était sur le point d'être servi ; j'avais soigneusement choisi mon heure d'arrivée : sans être en retard pour manger, j'avais évité les bavardages apéritifs.

Après le bénédicité, prononcé par Rachel, tout le monde a acquiescé, les aiguilles étincelant à la lueur des bougies.

« L'heure est aussi, a ajouté Rachel, au souvenir de ceux qui nous ont quittés. » Elle a levé son verre de jus de pomme. « À nos amis absents. » Elle a marqué une pause, comme si elle retenait ses larmes. « À Aidan.

— À Aidan. » Tout le monde a levé son verre. Sauf moi. Bien adossée à ma chaise, j'ai croisé les bras.

« Anna ! On porte un toast à Aidan ! » Gaz était scandalisé.

« Je sais. Je m'en fiche. Il a eu un enfant avec une autre.

— Mais...

— Elle lui en veut d'être mort, lui a expliqué Rachel.

— Mais Aidan ne pouvait rien y faire ! a protesté Gaz.

— Sa colère est irrationnelle, mais légitime.

— Ce n'est pas sa faute s'il est mort, a insisté Gaz.

— Et Anna n'a pas non plus à s'en vouloir d'être en colère.

— Oh, la paix, vous deux, à la fin ! me suis-je exclamée. Et de toute façon, je ne déteste pas Aidan parce qu'il est mort.

— Mais pour quelle raison, alors ? s'est étonnée Rachel.

— Je le hais, point final. Allez, Gaz, fais un truc. Fous le feu aux rideaux, je sais pas, moi ! »

Un peu plus tard, Joey m'a coincée. « Salut, Anna.

— Salut, ai-je marmonné, les yeux rivés au sol.

— Comment va Jacqui ? »

Surprise, j'ai levé la tête et lui ai lancé un regard noir. « Comment va Jacqui ? Non mais, tu te fous de moi ? Si tu tiens tellement à le savoir, pourquoi tu ne lui passes pas un coup de fil pour lui demander ? »

Il m'a rendu mon regard noir, mais a baissé les yeux en premier. J'étais dans une période où personne ne me battait à ce petit jeu-là.

« Très bien, je vais l'appeler. »

Il a pris son portable et a appuyé sur les touches comme s'il en avait personnellement après elles.

« J'espère que tu n'essaies pas de la joindre chez elle, parce qu'elle est aux Bermudes, dans la propriété de Jessie Cheadle.

— La propriété de Jessie Cheadle ?

— Oui. Pourquoi ? Tu croyais qu'elle allait passer Thanksgiving toute seule chez elle ? Avec son fœtus sans père ?

— C'est quoi, son numéro de portable ? »

Je ne voulais pas le lui donner.

« Tu peux me le dire, je l'ai chez moi en fait. Si tu ne me le donnes pas, je l'aurai plus tard... À toi de voir. »

J'ai cédé.

Il a composé le numéro, plus doucement peut-être cette fois, et s'est exclamé, comme si c'était le premier appel qu'il passait de sa vie : « Ça sonne ! Ça sonne ! » Puis son visage s'est affaissé. « Messagerie.

— Laisse un message, ducon. C'est fait pour ça.

— Non. » Il a fermé le clapet de son portable. « Elle ne voudra sûrement pas me parler, de toute façon. »

Dès que Jacqui est rentrée chez elle, je lui ai relaté l'épisode par le menu. Elle a mis le soudain intérêt de Joey à son égard sur le compte de la bonne volonté et de l'indulgence que suscite une fête comme Thanksgiving. Pour conclure : « Sombre crétin. »

7

« Anna ? Ce nouveau cosmétique "révolutionnaire" ? Qu'est-ce que vous en savez, exactement ? Je serais prête à jurer que vous m'en avez parlé, lors de notre dernier déjeuner. »

Mon téléphone ne cessait pas de sonner.

« Qu'est-ce que vous avez entendu à ce sujet, au juste ?

— Que ça ne ressemble à rien de ce que nous connaissons.

— Oui, c'est aussi ce qu'on m'a affirmé. »

Pendant le mois de décembre, la rumeur s'est construite, doucement, autour de Formule 12. « *On dit qu'elle provient de la forêt tropicale brésilienne.* » « *Alors, c'est bien Devereaux qui la lance ?* » « *Il paraît que c'est une supercrème, comme la Crème de la Mer, mais puissance 10.* »

L'heure était proche. J'avais décidé que la primeur de la nouvelle irait à *Harper's*. En début d'année, j'ai appelé leur rédactrice beauté, Blythe Crisp, pour « un déjeuner très spécial », lui ai-je promis.

« Fin janvier, ai-je annoncé chez Devereaux. Préparez-vous à la percée. »

L'infirmière faisait rouler la sonde sur le ventre de Jacqui enduit de gel. « Hem, je crois bien que vous allez avoir une petite fille.

— Cool, a lancé Jacqui en levant le poing, ratant de peu l'infirmière. Une fille ! À nous les fringues géniales ! Comment on va l'appeler, Anna ?

— Joelle ? Jodi ? Joanne ? Jo ? »

D'une voix de cruche, Jacqui a répondu : « Comme ça, Joey verra que je suis toujours amoureuse de lui... Ou attends, j'ai mieux : que dirais-tu de Grincheuse ? Râleuse ? Scrogneugneu ? »

Crise de fou rire incontrôlable. Chaque fois qu'on croyait être calmées, l'une de nous sortait un « Scrogneugneu, range ta chambre ! » ou un « Scrogneugneu, mange tes carottes ! », et ça repartait de plus belle. Longtemps que je n'avais pas ri autant, ça m'a fait un bien fou.

Dans le taxi, j'ai demandé à Jacqui : « Et si Rachel et Luke nous posent des questions sur l'échographie ?

— Bah, quoi ? Ah, tu veux dire qu'ils répéteront peut-être à Joey ?

— Hmm.

— Je me fiche de ce qu'il sait ou pas. À un moment ou à un autre, il finira par apprendre qu'il va avoir une fille. Alors, dis-lui ce que tu veux. Même sur Scrogneugneu, si ça te chante !

— D'accord. Je voulais juste ton avis, pour ne pas faire de gaffe... » J'ai laissé quelques instants s'écouler. « Sinon, Jacqui, plus sérieusement : pas de prénom stupide, hein ?

— Qu'est-ce que tu veux dire ?

— Oh, tu vois le genre : Folie, Pompon, Micmac... Donne un prénom normal à ton bébé, je t'en prie.

— Comme quoi ?

— Je sais pas, moi. Normal : Jacqui, Rachel, Brigit. Et pas Miel, Sucrette, Sirop, ou Mélasse...

— Mélasse ! C'est adorable ! Avec deux "l", et sans "e" à la fin. Ouais ! Mellass !

— Jacqui, pitié, quelle horreur... »

8

« Où est cette invitation ? hurlait maman. Mais où est passée cette foutue invitation ? »

Dans la salle à manger, au-dessus des restes du dîner de Noël, j'ai échangé des regards perplexes avec Rachel, Helen et papa. Quelques minutes auparavant, elle parlait au téléphone avec tante Imelda (sa sœur et plus grande rivale), et voilà qu'elle criait en faisant tout voler dans la cuisine.

Elle a ouvert d'un coup la porte de la salle à manger et est restée sur le seuil, le souffle court, plantée là tel un rhinocéros. Dans une main, elle tenait le faire-part de mariage en papyrus. Elle a sondé du regard Rachel.

« Tu ne te maries pas à l'église, a-t-elle énoncé avec un voile dans la voix.

— Non, a répondu Rachel calmement. Comme l'indique l'invitation, Luke et moi recevons une bénédiction dans une salle paroissiale quaker.

— Tu m'as fait croire que tu te mariais à l'église, et il faut que j'apprenne de ma sœur (qui, au passage, a eu une Lexus pour son Noël, moi, j'ai une centrale vapeur, elle, elle a une voiture, mais bon, passons) que tu ne te maries pas à l'église !

— Je n'ai jamais dit que c'était une église. Tu as choisi de le croire, tout simplement.

— Et qui va procéder à cette prétendue bénédiction ? Existe-t-il la moindre chance pour que ce soit un prêtre catholique ?

— Un ami à moi, un pasteur.

— Quel genre de pasteur ?

— Un pasteur en free-lance.

— Et... par hasard, fait-il partie de tes amis "guéris" ? Eh bien, entre ça et les pois mange-tout, j'aurai décidément eu droit à tout. Mais puisque c'est ainsi, je ne viendrai pas. Point final. Franchement... ce mariage est un vrai canular ; du cirque, oui ! Et moi qui m'inquiétais pour la couleur de sa robe ! Si elle ne se marie pas dans une église, elle peut bien porter ce qu'elle veut, je n'en ai rien à cirer !»

Mais cette nouvelle n'ébranlait pas tout le monde. Papa était secrètement ravi, car si ce mariage ne se déroulait pas « dans les règles de l'art », il n'aurait pas à prononcer de discours.

« Ça ne te fait rien, ai-je demandé à Rachel, que papa et maman ne viennent pas à ton mariage ?

— Mais elle va venir, t'inquiète. Tu crois vraiment qu'elle raterait pareil moment ? Elle en mourrait.»

Là, j'ai cessé de chercher à comprendre, pour me noyer dans les films à l'eau de rose et les chocolats en comptant les heures qui me séparaient de mon retour à New York. Je n'avais jamais adoré Noël : il y avait toujours plus de disputes que le reste de l'année. Et puis je trouvais celui-ci particulièrement dur.

Janie m'avait envoyé ses vœux, ainsi qu'une photo du « petit Jack » avec un bonnet de Père Noël – elle continuait à écrire, à me bombarder de photos, en répétant qu'on pouvait se rencontrer quand bon me semblait. Les Maddox me harcelaient également pour que je voie le « petit Jack », et je continuais à les rembarrer. Jamais je ne le ferais.

9

« L'hélicoptère a décollé, m'a annoncé la voix dans le talkie-walkie. Blythe Crisp est à bord. Heure du décollage : midi vingt-sept. »

Pour le show autour de Formule 12, je faisais venir Blythe Crisp en hélicoptère depuis le toit de l'immeuble de *Harper's*. Destination ? Un yacht amarré dans le port de New York (loué pour quatre heures seulement – au vu du prix, la minute était chère), à bord duquel je l'attendais.

Quelques instants plus tard, Blythe faisait cliqueter les talons de ses bottes en cuir sur le parquet du salon principal, où je me tenais, avec deux coupes de champagne déjà servies.

« Anna… Mon Dieu, mais que signifie tout ce cinéma ? L'hélicoptère… ce… ce bateau !

— Confidentialité oblige. Je ne pouvais pas prendre le risque que quiconque entende notre conversation.

— Pourquoi ? Que se passe-t-il ?

— Asseyez-vous, Blythe. Champagne ? Petits oursons ? » Je m'étais renseignée : c'étaient ses friandises préférées. « Bien, j'ai quelque chose pour vous, mais je le veux dans le numéro de mars. » Lequel numéro devait être imprimé fin janvier.

Elle a secoué la tête. « Oh, impossible, Anna, vous le savez bien : ce numéro est au bouclage.

— Laissez-moi simplement vous montrer de quoi il s'agit. » J'ai tapé dans mes mains (mon passage favori : j'avais l'impression d'être un méchant dans un *James Bond*) ; un garçon ganté de blanc est apparu avec, à la main, un plateau sur lequel trônait une petite boîte, et il l'a présentée à Blythe (nous avions répété plusieurs fois).

Les yeux écarquillés, elle s'est saisie de la boîte, l'a ouverte, et a observé son contenu un long moment avant de murmurer : « Oh, mon Dieu, elle est donc bien réelle... La crème des crèmes ! »

Et là, même si ce n'était pas un remède contre le cancer, j'ai été très fière de moi.

« Bon, je vais réactualiser mon numéro de mars. »

Après que l'hélicoptère l'a eu ramenée en ville, j'ai appelé Leonard Daly chez Devereaux. « C'est parti. »

Maintenant que Formule 12 était sur le point d'exister officiellement, une nouvelle tonne de boulot m'attendait. J'avais décidé de monter notre campement de bureaux aussi loin que possible de Lauryn – pas contente, mais alors, pas contente du tout que j'aie obtenu un autre poste... et que j'emmène Teenie avec moi. J'avais volé à l'équipe de Warpo ma seconde assistante, une jeune femme brillante dénommée Hannah ; et comme je lui sauvais la mise en lui évitant une vie de vêtements affreux, sa gratitude me garantissait sa loyauté.

Le 29 janvier, le numéro de mars de *Harper's* était dans les kiosques. Aussitôt, j'ai émergé de ma chrysalide Candy Grrrl en beau papillon Formule 12, pour parader devant tout le monde en tailleur anthracite.

10

« Regarde les deux là-bas... des guillerettes, ma main à couper ! a marmonné Jacqui.

— Juste parce qu'elles ont les cheveux courts ! Ce n'est plus un critère, tu sais.

— Mais elles sont coiffées pareil ! La même mèche ! Du même côté ! »

À notre premier cours prénatal, sur huit couples, pas plus de cinq étaient composés d'un homme et d'une femme. Mais Jacqui avait peur d'être la seule à avoir été abandonnée par le père de son enfant. Cela dit, Joey lui avait passé quelques coups de fil, tout de même – le soir de Noël, du nouvel an et de son anniversaire à lui, pour être précise. Jacqui avait remarqué qu'il était ivre mort chaque fois, et il lui avait laissé des messages d'excuses dégoulinants de sentimentalité. Elle n'avait ni décroché ni retourné ses appels, mais elle niait user de la manière forte.

« S'il me téléphonait en plein jour avec juste une boisson vitaminée dans le sang, je lui parlerais peut-être. Mais pas question que je me ridiculise en croyant les déclarations d'amour qu'il me fait quand il est plein comme une barrique. Tu imagines, si je le prenais au mot et le rappelais au beau milieu de son ivresse ? » Le tableau la faisait bien rire.

Mais, au cours prénatal, elle rigolait beaucoup moins car elle ne se sentait pas dans son élément. La prof était si bonne en yoga qu'elle arrivait à poser la plante de ses pieds derrière son oreille. Et elle s'appelait Quand-Adora. « Ce qui veut dire *Spirale de Lumière* », a-t-elle affirmé d'entrée, mais sans préciser dans quelle langue.

« Spirale de mon cul, oui », a commenté Jacqui.

Spirale de Lumière nous a invités à nous asseoir en tailleur en formant un cercle autour d'un thé au gingembre et à nous présenter.

« Je suis Dolores, j'accompagne Celia à la naissance. Je suis aussi sa sœur. »

« Je suis Celia. »

« Je suis Ashley, c'est mon premier bébé. »

« Je suis Jurg, le mari d'Ashley, et son accompagnateur lors de l'accouchement. »

Quand est arrivé le tour des présumées guillerettes, Jacqui a tendu l'oreille.

« Je suis Ingrid », a dit la fille enceinte, puis celle à côté d'elle a déclaré : « Je suis Krista, la partenaire d'Ingrid. »

Jacqui m'a poussée du coude.

« Je suis Jacqui. Mon petit ami m'a laissée tomber quand il a appris que j'étais enceinte.

— Et je suis Anna, j'accompagnerai Jacqui lors de la naissance. Mais je ne suis pas sa partenaire – même si ça ne m'aurait pas posé de problème.

— Je suis désolée, est intervenue Celia, un peu inquiète, je ne m'étais pas rendu compte que nous allions partager ce genre d'informations. Aurais-je dû préciser que j'ai eu recours à un donneur de sperme ?

— Ah, nous aussi, a dit Krista.

— Partagez autant que vous le voulez, nous a indiqué Quand-Adora. Aujourd'hui, nous allons nous concentrer sur le soulagement de la douleur. Combien d'entre vous envisagent un accouchement dans l'eau ? »

Beaucoup de mains se sont levées – sept, en réalité. Mince ! Jacqui était la seule à ne pas le faire.

« Jacqui, vous aviez en tête une autre idée de technique sans douleur ?

— Heu, oui… La péridurale. »

Comme Jacqui me l'a fait remarquer plus tard, ils n'ont pas eu l'air désapprobateurs, mais plutôt tristes pour elle.

« OooK, a lâché Quand-Adora. Et si vous n'arrêtiez pas votre décision tout de suite, hein ? Que diriez-vous de rester ouverte aux énergies qui vont se présenter à vous ?

— Ah… oui, bien sûr.

— Première chose dont vous devez vous souvenir : la douleur est votre amie. Elle vous apporte votre bébé ; sans elle, pas de bébé. Alors, fermez les yeux, cherchez votre centre et commencez à visualiser la douleur comme une force amie, une grosse boule dorée d'énergie. »

J'ignorais que j'avais un centre, mais j'ai fait de mon mieux pour le trouver, et, après vingt minutes de visualisation, j'ai appris à masser le bas du dos de Jacqui. Puis on nous a montré une technique servant à ralentir le travail : à quatre pattes, fesses un peu relevées, il fallait haleter comme des chiens en pleine canicule. Tout le monde devait le faire, pas seulement les femmes enceintes. C'était très drôle ; Jacqui et moi, après avoir échangé un regard, on s'est même mises à tirer la langue et haleter un peu plus bruyamment.

« Tu veux que je te dise ? ai-je murmuré. Ce connard ne sait pas ce qu'il rate. »

11

Dès que janvier s'est transformé en février, l'anniversaire de la mort d'Aidan a plané comme une ombre menaçante. À mesure que les jours passaient, l'ombre s'obscurcissait. Mon ventre se nouait, j'avais des accès de panique, le sentiment que quelque chose d'horrible pouvait arriver.

Le 16 février, je suis allée au bureau comme d'habitude, mais avec l'impression aiguë de suivre à la lettre mon emploi du temps de l'année passée. Aucun de mes collègues ne savait ce que ce jour représentait pour moi ; ils avaient oublié depuis longtemps, et je n'ai pas pris la peine de les en informer.

Mais, au milieu de l'après-midi, j'ai craqué. Prétextant un rendez-vous, je suis rentrée chez moi et j'ai commencé le compte à rebours des minutes et secondes précédant l'heure exacte de la mort d'Aidan.

Je m'étais demandé si, au moment de l'impact avec l'autre taxi, je sentirais de nouveau le choc. Mais ce moment est arrivé et s'en est allé sans que rien se passe. Cela m'a semblé injuste – ou du moins anormal. L'impact avait été trop énorme, trop terrible dans ma vie pour que je n'éprouve rien.

Après, je nous ai revus attendant dans l'épave l'arrivée de l'ambulance, je me suis rappelé les sirènes jusqu'à l'hôpital, Aidan emmené d'urgence en salle d'opération...

Plus approchait l'heure de sa mort, plus j'ai espéré – déraisonnablement – qu'à la seconde même où il avait quitté son enveloppe corporelle une porte s'ouvrirait entre son monde et le mien, et qu'il m'apparaîtrait, me parlerait même. Mais, là non plus, il ne s'est rien passé. Ni explosion d'énergie, ni chaleur soudaine, ni coup de vent. Rien. Les yeux perdus dans le vague, je me suis demandé : Bien, et maintenant ?

Le téléphone a sonné. C'était toujours ça : sûrement quelqu'un qui, se rappelant quel jour on était, venait aux nouvelles.

« Tu dors bien ces temps-ci, ma chérie ? a lancé maman.

— Pas très bien, non. Jamais plus de deux heures d'affilée.

— Mon pauvre petit. Bien, j'ai une bonne nouvelle : ton père, Helen et moi arrivons à New York le 1er mars.

— Si tôt ? Mais on est encore à deux semaines du mariage ! » *La barbe.*

« On s'est dit que, tant qu'à faire, on allait prendre quelques jours de vacances ! »

Papa et maman adoraient New York. Papa portait toujours le deuil de la fin de *Sex & the City*, une série « merveilleuse » selon ses propres mots ; quant à maman, sa blague préférée de tous les temps était : « Vous pouvez m'indiquer comment aller sur la 42e ou est-ce que je dois aller me faire foutre ? »

« Et où comptez-vous séjourner ? ai-je demandé.

— Oh, on va s'arranger. On passera la première semaine chez toi, ensuite, on verra si on s'est fait de nouveaux amis désireux de nous héberger.

— Chez moi ? Mais c'est minuscule, chez moi !

— Oh, n'exagérons rien, ce n'est pas si petit que ça. »

Rien à voir avec ce qu'elle avait dit à sa première visite – je cite : « On se croirait au septième étage et demi de *Dans la peau de John Malkovich.* »

« En plus, on ne sera pas souvent là ; la plupart du temps, on sera dehors à faire du shopping.

— Mais vous dormirez où ?

— Papa et moi, dans ton lit. Et Helen, sur ton canapé.

— Et moi ? Où est-ce que je vais dormir ?

— Toi ? Mais tu viens de me dire que tu ne dormais presque pas, de toute façon... Alors, quelle importance, finalement, où tu dors ? Tu n'as pas un fauteuil ou quelque chose ?

— Si. Mais...

— Ha ha ha ! Je t'ai bien eue, hein ? Comme si on allait rester chez toi ! Avec la taille de ton appartement ! On dirait le septième étage et demi de *Joe Mankivick dans le sang...* On a réservé au Gramercy Lodge.

— Le Gramercy Lodge ? Mais ce n'est pas là que papa a eu une intoxication alimentaire, la dernière fois ?

— Si, si, je crois. Seulement, ils nous connaissent. Et puis, c'est pratique.

— Pratique pour quoi ? Pour se faire empoisonner ? »

Deux jours plus tard, à mon réveil, je me suis sentie... différente.

Ne comprenant pas pourquoi, j'en ai cherché les raisons, au chaud sous ma couette. Dehors, la lumière avait changé : jaune pâle – une couleur de printemps, après la froide monotonie de l'hiver. De plus, je n'avais mal nulle part : pour la première fois depuis un an, je me réveillais sans douleur, articulaire ou autre. Mais – surtout – je venais d'achever le long voyage qui menait de mon cœur à ma tête – et de comprendre enfin qu'Aidan ne reviendrait pas.

Je connaissais la croyance selon laquelle on a besoin d'un an et un jour pour admettre vraiment, en son for intérieur, la mort de quelqu'un. Il m'avait fallu vivre tout ce temps sans Aidan – le quotidien, mais aussi mon anniversaire, son anniversaire, notre anniversaire de mariage, l'anniversaire de sa mort... – pour y parvenir.

Jusque-là, j'avais continué à espérer qu'il réussirait à revenir, vu la force de son amour. Même en colère contre lui à cause du « petit Jack », je n'avais pas cessé d'y croire. Désormais, de façon aussi évidente que le positionnement de la dernière pièce dans un puzzle, je savais sa disparition définitive.

Après plusieurs mois de gel intérieur, j'ai pleuré à chaudes larmes. Puis je me suis préparée pour aller au bureau, mais en prenant beaucoup plus de temps que d'habitude. Lorsque j'ai fermé la porte de l'appartement derrière moi, la voix d'Aidan a résonné, dans ma tête : *Va m'écrabouiller ces nanas de chez L'Oréal*.

J'avais complètement oublié que, tous les matins, il me lançait un petit mot d'encouragement. À présent, je m'en souvenais.

12

On venait de nous livrer les sacs contenant notre dîner.
Rachel a planté une pile d'assiettes au milieu de la table et
fait passer les plats.

« Helen, tes lasagnes. Tiens, papa, tes côtes de porc.
Maman, lasagnes. »

Elle a posé l'assiette de maman en face d'elle, mais au lieu
de la remercier maman a fait la moue.

« Quoi ? » a demandé Rachel.

Maman a marmonné quelque chose dans sa barbe.

« Quoi ?

— J'aime pas, a dit maman, beaucoup trop fort cette fois.

— Tu n'y as même pas goûté !

— Je ne parle pas de la nourriture, mais de mon assiette.

— Et qu'est-ce qu'elle a, cette assiette ?

— J'en veux une avec des fleurs. Elle, elle en a eu une,
a-t-elle ajouté en désignant du menton Helen.

— Mais ton assiette aussi est très jolie.

— Non. Elle est moche, horrible. Elle est en verre marron,
et j'en veux une en porcelaine blanche avec des fleurs bleues
– comme *elle*.

— Oh… » Rachel a tenté sa chance. « Helen, j'imagine
que ce serait trop te demander de…

— Même pas en rêve. »

Rachel semblait exaspérée. C'était la première soirée de papa, maman et Helen à New York ; ils seraient là encore quinze jours, et déjà ils étaient insupportables.

« Il ne m'en reste que deux avec les fleurs bleues. Et c'est papa qui a l'autre.

— Elle peut prendre la mienne, a proposé papa. Mais je ne veux pas de la moche non plus.

— Est-ce qu'une blanche toute simple fera l'affaire ?

— S'il n'y a rien d'autre... »

Nous avons procédé aux échanges d'assiettes et au transfert de côtelettes.

« Bien, tout le monde est content maintenant ? » a lancé Rachel avec sarcasme.

Nous avons enfin commencé à manger.

« Alors, Anna, comment ça marche, ta nouvelle marque ? m'a demandé Luke poliment.

— Très bien, merci. Le *Boston Globe* a publié une étude comparative de cinq supercrèmes : la Global antirides de Sisley, la Crème de la Mer, Clé de Peau, La Prairie et Formule 12. Et c'est Formule 12 qui est arrivée en tête. Et ils ont dit que...

— Peut-être, mais ton nouveau groupe, là, ils font pas de rouge à lèvres ni rien », est intervenue maman. Pour elle, mon nouveau poste était clairement une rétrogradation. Son commentaire a signé la fin de cette discussion, mais pas avant que j'aie un nouveau flash-back d'Aidan célébrant mes victoires, et les échecs de mes adversaires. Il rentrait en agitant le journal et en s'écriant par exemple : « *USA Today* a détesté la nouvelle crème de Chanel ! Une des filles a raconté qu'elle lui bouchait les pores ! Bouuuuuh ! C'est bon pour toi, ça, ma chérie. » Puis il lui arrivait d'exécuter une petite danse.

Un cri m'a tirée de ce souvenir aussi heureux qu'inattendu. « Sors de là ! »

C'était Helen : papa avait ouvert la porte des toilettes alors qu'elle était à l'intérieur.

« Il faudrait que vous installiez un verrou à cette porte, a fait remarquer maman.

— Pourquoi ? a demandé Rachel. Elles ferment à clé, les toilettes, chez toi, peut-être ?

— Non, mais ce n'est pas notre faute. On aimerait bien.

— Alors, faites le nécessaire ! a suggéré Luke.

— On ne peut pas. Helen a rempli le trou de la serrure avec du ciment. »

De : MédiumProductions@yahoo.com
À : Apprentiemagicienne@yahoo.com
Objet : Neris Hemming

Votre nouvelle date de rendez-vous avec Neris Hemming est fixée au 22 mars à quatorze heures trente. Merci de votre confiance en Neris Hemming.

« Mais je ne lui fais pas confiance ! ai-je crié à la face de mon écran. Neris Hemming peut bien aller se faire foutre ! »

Deux minutes après, j'ai inscrit la date dans mon agenda. Je me suis détestée, mais je n'ai pas pu m'en empêcher.

« Anna ! Hé, Anna ! »

Je marchais sur la 55e à toute vitesse, j'avais rendez-vous avec la rédactrice beauté de *Ladies Lounge* pour déjeuner. Je me suis retournée. Quelqu'un courait vers moi : un homme. À mesure qu'il approchait, je croyais le reconnaître, mais sans en être sûre... Si, c'était Nicholas !

Avant que je comprenne ce qui se passe, il m'a soulevée de terre et serrée fort contre lui. J'ai été surprise de m'y sentir bien.

Il m'a reposée et nous nous sommes souri.

« Waouh, Anna, tu es splendide ! Sexy, et un peu inquiétante en même temps… J'aime beaucoup tes chaussures.

— Merci. Écoute, Nicholas, je suis vraiment désolée de ne pas t'avoir rappelé. J'ai eu une très mauvaise passe.

— Ne t'en fais pas, je comprends. Sincèrement.

— Tu vas toujours aux séances de Leisl ? »

Il a secoué la tête. « La dernière fois, c'était il y a quatre mois environ. Plus personne du groupe tel qu'on l'a connu n'y participe. »

Bizarrement, je me suis sentie un peu triste. « Personne ? Même pas Fred ? Ni Barb ?

— Non.

— Ah. »

Après quelques secondes de silence, on s'est mis à parler en même temps. « Non, toi, vas-y », m'a-t-il lancé.

J'ai posé une question qui me taraudait depuis un moment :

« Nicholas, tu sais, quand Leisl entrait en contact avec ton père… tu crois qu'elle l'entendait vraiment ? Et qu'elle discutait avec pour de bon ? »

Il a réfléchi. « Ouais. Peut-être. Pas sûr. Mais j'imagine qu'à l'époque j'avais besoin d'assister à ces séances et de croire ce qu'elle me disait. Ça m'a aidé à avancer. Et toi, qu'est-ce que tu en penses ?

— Je n'y crois pas vraiment, non. En tout cas, tu as raison, ç'a dû nous faire du bien à une certaine époque. »

Il a hoché la tête. Il avait changé depuis notre dernière rencontre : l'air plus mûr et plus costaud, il faisait plus adulte, en somme.

« Je suis contente de te revoir. » L'aveu m'avait échappé, d'un coup.

« Oui, moi aussi, a-t-il répondu avec un sourire. Passe-moi un coup de fil un de ces quatre, on pourrait faire un truc.

— Oui, par exemple examiner de près les dernières théories du complot en vogue.

— Théories du complot ?

— Oui ! Ne me dis pas que ça ne t'intéresse plus !

— Si, si, bien sûr que si, mais...

— Tu en as des nouvelles ?

— Heu, oui, oui, j'imagine...

— Vas-y, raconte !

— OK. Tu as remarqué que plein de gens meurent dans des accidents de ski, en entrant en collision avec des arbres ? Un des Kennedy, Sonny de Sonny et Cher – plein de gens. Alors je me dis : Et si c'était un complot ? Si quelqu'un était capable d'influencer la direction de leurs skis ? Au lieu de : "Demain, il bouffera les pissenlits par la racine", la nouvelle réplique des mafieux deviendrait : "Demain, il dormira dans les hauteurs alpines"...

— Les hauteurs alpines, hein ? Hem, je te trouve adorable. Complètement folingue, mais adorable.

— Ou sinon, on pourrait juste se faire un ciné ? »

13

« Laquelle d'entre vous m'a volé mon Orgasme
Multiple ? » Maman criait à pleins poumons dans le couloir
de l'hôtel. « Claire ! Helen ! Rendez-moi mon Orgasme
Multiple ! »

Un homme et une femme d'une cinquantaine d'années
sortaient juste de leur chambre. En les voyant, maman leur
a adressé son « salut courtois » – un geste bien à elle qui
consiste à lever le menton en souriant – et leur a dit :
« Bonjour. Belle journée, n'est-ce pas ? »

L'air scandalisé, ils se sont rués vers les ascenseurs ; maman
a repris sa complainte. « Vous me piquez toujours tout !

— Oh, calme-toi ! je lui ai lancé, de l'intérieur de la
chambre.

— Me calmer ? Ma fille se marie aujourd'hui – même si
ce n'est pas à l'église – et l'une de mes saloperies de filles
m'a fauché mon Orgasme Multiple. Comme la fois où vous
m'avez pris tous mes peignes alors que j'allais à la messe
– parce qu'il s'agissait d'une fête religieuse –, et où j'ai dû
me peigner avec une fourchette. Réduite à me peigner avec
une fourchette ! Mais qu'est-ce que peut bien fabriquer ton
père dans la salle de bains ? Ça fait des heures qu'il est
là-dedans... Va voir dans la chambre de Claire si c'est elle qui
m'a volé mon rouge à lèvres. »

Claire et sa famille ainsi que Maggie et la sienne séjournaient aussi au Gramercy Lodge. Tout le monde au même étage.

« Allez ! m'a pressée maman. Trouve-moi un rouge à lèvres. »

Dans le couloir, JJ donnait des coups de pied dans un extincteur. Il portait un chapeau jaune à large bord, ce qu'Helen appellerait un « chapeau de femme », et qui appartenait sans doute à la tenue de Maggie. Comme je l'observais en train de s'acharner contre la borne rouge, je me suis rappelé les paroles de Leisl concernant JJ : en quoi était-il si important pour moi ? Pourquoi allait-il devenir plus important ? Soudain, une idée m'a frappée : Et si Leisl ne parlait en fait pas de JJ ? Elle avait mentionné un petit blondinet avec un chapeau, et l'initiale J ; le « petit Jack » correspondait à cette description autant que JJ ! À travers Leisl, Aidan avait peut-être voulu me parler de Jack ? Cette pensée m'a donné la chair de poule.

« Qu'est-ce que tu as fait de mon chapeau ? » Maggie venait de sortir dans le couloir, en tailleur bleu marine très sobre. « Rends-le-moi et arrête de taper dans ce truc. »

De la chambre de Maggie s'est échappée la voix de la petite Holly, qui chantait à tue-tête.

Puis Claire est apparue à son tour. « Un vrai foutoir, cet hôtel. Maman avait dit qu'il était charmant...

— Les radiateurs ne fonctionnent pas, a renchéri Maggie.

— L'ascenseur non plus.

— Oui, mais c'est pratique, a dit maman.

— Pratique pour quoi ? Kate, non, pas de coups de pied là-dedans, ça pourrait exploser. »

Claire et Kate, sa fille de douze ans, étaient habillées presque de la même façon : jupe courte, talons hauts, et beaucoup de paillettes.

Francesca, quant à elle, de six ans plus jeune que Kate, portait des souliers à boucle et un chemisier à manches bouffantes orné de broderies anglaises. Une vraie poupée.

« Tu es très jolie, lui ai-je déclaré.

— Merci. Elles ont essayé de me faire mettre leurs trucs brillants, mais je connais mon style.

— Est-ce que quelqu'un a un fer ? a demandé Maggie. Il faut que je repasse la chemise de Garv.

— Donne-la-moi, a proposé Claire. Adam va s'en charger.

— Dis donc, il ressemble plus à un esclave en contrat d'apprentissage qu'à ton homme ! a commenté Helen d'une chambre adjacente. Comment peux-tu le respecter, même s'il est mieux membré que la moyenne ? »

Devant la salle paroissiale, toute une foule dans ses beaux atours était rassemblée et tournait un peu en rond : d'anciens Alcooliques anonymes, d'anciens toxicomanes, des gens plus âgés au visage rougeaud – des Irlandais, oncles et tantes pour la plupart – et nos amis rockers aux cheveux longs – si nombreux qu'on les croyait venus pour un concert. J'ai repéré Angelo, tout de noir vêtu. Je savais qu'il serait là : Rachel et lui étaient devenus très potes depuis ce jour horrible où je m'étais pointée chez lui. Je lui ai adressé un sourire qui n'était pas sans rappeler le salut courtois de ma mère, avant de me noyer dans la masse formée par mes sœurs et mes nièces. Je préférais ne pas lui parler. Que lui aurais-je dit ?

« Je prends les paris sur leur retard », annonçait Helen en passant parmi les gens et en récoltant de l'argent.

« Rachel ne sera pas en retard, a affirmé maman. Elle trouve que c'est irrespectueux et déteste ça. Je parie qu'ils seront pile à l'heure.

— OK, je le note. Dix dollars, s'il te plaît. »

— Dix dollars ! Oh, et voilà les parents de Luke...
Marjorie ! Brian !» Maman a saisi papa par le bras pour aller
les saluer. « Quelle merveilleuse journée ! »

Ils avaient rencontré à plusieurs reprises les Costello par le
passé, mais les connaissaient assez mal. Maman n'avait jamais
vu d'intérêt à approfondir cette relation, jusqu'à ce que leur
fils demande la main de sa fille. Sourire figé, les deux couples
s'observaient, se jaugeaient, comme des chiens se reniflant le
derrière.

D'un coup, quelqu'un a crié : « Ne me dites pas qu'ils
arrivent déjà ! » Tout le monde s'est retourné en même
temps, pour découvrir la voiture de collection couleur champagne qui approchait. « Si, voici les futurs mariés ! Pile à
l'heure !

— Quoi ? Déjà ? » Apparemment, les gens étaient
choqués. « Bon, venez, vite, entrons ! » Une légère bouscu-
lade a suivi, tout le monde jouant des coudes mine de rien
pour prendre place à l'intérieur. La salle était ornée de fleurs
de saison – jonquilles, roses jaunes, tulipes, jacinthes – et
leurs senteurs embaumaient l'air.

Quelques minutes plus tard, Luke se dirigeait vers l'autel,
le cheveu brillant et discipliné, portant beau dans son
costume, même si son pantalon avait l'air plus étroit que
nécessaire.

« Tu crois qu'il les fait faire sur mesure ? a murmuré
maman. Ou est-ce qu'il les achète comme ça ?

— Je sais pas. »
Elle m'a regardée en coin. « Tu te sens bien ?

— Oui. »
C'était le premier mariage auquel j'assistais depuis la mort
d'Aidan. Je n'en avais parlé à personne, mais je redoutais
ce moment. Cela dit, jusqu'à présent les choses se passaient
bien.

À leur tour, papa et Rachel ont fait leur entrée. Rachel, un petit bouquet de fleurs à la main, portait une robe fourreau jaune pâle – et quoique cette description ne soit guère enthousiasmante, sa tenue était aussi sobre qu'élégante. Mille flashes se sont déclenchés.

« La cravate de ton père est de travers, évidemment ! » m'a sifflé maman à l'oreille.

Papa a mené Rachel jusqu'à Luke avant de se glisser dans notre rang, et le service a commencé : lecture d'un poème sur la fidélité, chanson sur le pardon, puis le pasteur free-lance a évoqué sa rencontre avec Rachel et Luke, et dit à quel point ils étaient faits l'un pour l'autre.

« Rachel et Luke ont choisi d'écrire eux-mêmes leurs vœux. »

« Tiens, ça m'aurait étonné qu'on n'ait pas d'autre surprise, aussi ! » a marmonné maman. Mais j'étais en train de me remémorer les miens, ceux que j'avais prononcés. « Dans la richesse comme dans la pauvreté, pour le meilleur et pour le pire ; dans la santé comme dans la maladie… » J'ai commencé à manquer d'air. « … jusqu'à ce que la mort nous sépare. » J'avais l'impression qu'une main serrait de plus en plus fort ma gorge. *Tu me manques, Aidan Maddox. Tu me manques terriblement ! Mais pour rien au monde je n'aurais renoncé à ce chemin parcouru avec toi. La douleur en valait la peine.*

J'ai jeté un œil dans mon sac, à la recherche d'un mouchoir, mais Helen m'en a glissé un dans la main. Mes yeux se sont emplis de larmes et je lui ai murmuré : « Merci.

— De rien », a-t-elle chuchoté, les yeux également prêts à déborder.

Du haut de leur petite estrade, Rachel et Luke ont échangé leurs vœux, main dans la main. « Je suis responsable de mon bonheur, mais je l'abandonne entre tes mains, c'est le don que je te fais.

— Avant de te rencontrer, a répondu Luke, le temps m'a semblé une éternité... »

Le reste était surréaliste : ils ont énoncé, chacun à leur tour, les couplets et le refrain de *Stairway to Heaven*, pour un effet des plus sirupeux.

Papa a froncé les sourcils. « Est-ce que tout ça ne fait pas un peu... comment vous dites, déjà ?

— Papouilleur, a lancé Jacqui, assise un rang derrière.

— Voilà. » Puis, réalisant brusquement qui venait de parler, il a fixé le bout de ses pieds, mortifié. Il ne s'était toujours pas remis du mail sur cette fameuse partie de Scrabble.

« Je n'arrive pas à croire qu'un toxicomane soit propriétaire d'un hôtel, a péroré maman. Même s'il est petit. » Elle observait la décoration de la salle, les rubans et les fleurs. « Tu as vu comme Grincheux dévore Jacqui du regard ? Cela dit, a-t-elle admis à contrecœur, elle est plus que présentable, pour une célibataire enceinte de huit mois. »

Il est vrai qu'assise à la table des « Célibataires et Peigne-Culs », parmi nos cousins bizarres, Jacqui resplendissait. Si la plupart des femmes enceintes que je connaissais avaient de l'eczéma et des varices, elle était plus belle que jamais.

D'un coup, quelque chose a atterri dans l'assiette de maman. Un chapeau jaune. Celui de Maggie.

JJ et le fils de Claire, Luka, jouaient au Frisbee avec.

« C'est encore ce qu'il y a de mieux à faire, a commenté maman. Il est d'un moche, ce chapeau ! Elle ressemble plus à la mère de la mariée que moi, et JE suis la mère de la mariée !

— Où est papa ? me suis-je inquiétée.

— Parti se repoudrer le nez.

— Encore ? Mais qu'est-ce qu'il a ?

— Il est malade. Le ventre. Son discours le rend très nerveux.

— Il a une intoxication alimentaire, a affirmé Helen. Je parie, non ?

— Mais pas du tout !

— Oh, que si.

— Mais non, voyons !

— Je suis sûre du contraire.

— Anna, m'a hélée Claire, il y a un type, là-bas, qui n'arrête pas de jeter des coups d'œil dans ta direction.

— Celui qu'on croirait sorti des Red Hot Chili Peppers ? a dit maman. Oui, moi aussi je l'ai remarqué.

— Mais comment est-ce que tu connais les Red Hot Chili Peppers ? a-t-on demandé en chœur.

— Le type en noir ? a interrogé Helen. Avec les cheveux longs ? Il m'a tout l'air d'un sale type.

— Ah tiens, c'est marrant que tu penses ça, a rétorqué maman, parce qu'il est absolument charmant. »

« Alors, tout va bien par ici ? est venu s'informer Gaz. Pas de migraine ? Ni de problèmes de sinus ?

— Fichez le camp », a ordonné maman.

Rachel avait prévenu Gaz qu'il n'avait le droit de planter ses aiguilles dans personne ce jour-là, et il avait assuré qu'il obéirait, sauf en cas d'urgence.

« Allez, lâchez-nous avec vos aiguilles ! a-t-elle ajouté. Arrêtez d'embêter le monde. Le bal va bientôt commencer, de toute façon.

— Comme vous voudrez, mamie Walsh. »

Francesca s'est soudain pendue à mon cou. « Tante Anna, je vais danser avec toi parce que ton mari est mort et que tu n'as personne avec qui le faire. » Elle m'a pris la main. « Et

Kate va danser avec Jacqui parce qu'elle va avoir un bébé et qu'elle n'a pas de petit ami.

— Heu, merci.

— Attendez, moi aussi je veux guincher un peu ! s'est écriée maman.

— Oh, pour l'amour du Ciel, a soupiré Helen, ne dis pas "guincher" ! T'es pas dans ta cambrousse, là !

— Papa, tu viens danser avec nous ? »

Lentement, il a secoué la tête. Il était pâle comme un linge.

« On devrait peut-être appeler un médecin, ai-je dit tout bas. Une intoxication alimentaire, c'est parfois dangereux.

— Il n'est pas intoxiqué, juste stressé ! a décrété maman. Allez allez, tout le monde en piste ! »

Nous avons rejoint Jacqui et Kate. Puis sont arrivées Helen, Maggie avec sa petite Holly, Claire et Rachel. Nous dansions en rond, nous trémoussant dans nos robes de soirée, souriantes, heureuses, rieuses, belles. Et, devant autant de visages radieux, une certitude a brusquement refait surface dans ma mémoire : Aidan n'était pas la seule personne que j'aimais, j'en aimais d'autres. Mes sœurs, ma mère, mon père. Mes neveux, mes nièces, Jacqui... À cet instant précis, j'aimais tout le monde.

14

« Neris Hemming à l'appareil.

— Bonjour, je suis Anna Walsh. J'appelle pour ma séance avec vous, j'ai un rendez-vous. » À la vérité, j'étais curieuse, mais je n'espérais rien – enfin, peut-être un petit quelque chose, quand même...

À l'autre bout de la ligne, le silence. Allait-elle encore me dire d'aller me faire voir ? À cause de ses travaux ?

Elle a fini par prendre la parole. « Anna, je... je reçois quelqu'un, oui... J'ai un homme ici à mon côté. Un jeune homme. Quelqu'un qui a disparu bien avant d'avoir fait son temps. »

Bravo ! Pour une fois, on ne me parlait pas de mes grands-mères ; d'un autre côté, en effectuant la réservation, j'avais déclaré à une de ses assistantes que mon mari était mort.

« Vous l'aimiez énormément... Non, je me trompe ? »

Pourquoi essaierais-je d'entrer en contact avec lui, dans le cas contraire ?

Malgré tout, mes yeux se sont emplis de larmes.

« Je me trompe ? a-t-elle répété.

— Non, ai-je répondu entre deux hoquets, honteuse de pleurer alors qu'on me manipulait aussi grossièrement.

— Il me dit qu'il vous aimait très fort lui aussi.

— OK.

— C'était votre mari, n'est-ce pas ?

— Oui. » Merde, je n'aurais pas dû le lui révéler.

« Et il est mort... d'une maladie ?

— Dans un accident.

— Oui, un accident, qui l'a fait tomber gravement malade, et sa mort en a découlé.

— Comment savez-vous que c'est lui ?

— Parce qu'il me l'a dit.

— Oui, mais...

— Il se souvient de vacances que vous avez passées au bord de la mer... »

J'ai songé à nos vacances au Mexique. Mais quel couple n'a pas pris de vacances en bord de mer ? Même si ce doit être dans une caravane à Tramore ?

« Je reçois une vision : une mer bleue, très bleue, et un ciel bleu aussi, sans nuages, une plage de sable blanc. Des arbres – probablement des palmiers. Du poisson frais, quelques verres de rhum. » Elle a émis un petit rire. « Ça vous évoque quelque chose ?

— Oui. » C'était absurde. Rhum, tequila... voilà ce qu'on buvait en vacances, en effet.

« Et... Oh ! Il a un message pour vous.

— Allez-y.

— Il vous demande de ne plus porter son deuil. À présent, il est dans un endroit meilleur. Il ne voulait pas vous abandonner, mais il n'a pas eu le choix ; maintenant, là où il est, il est heureux. Et même si vous ne pouvez pas le voir, il reste là, avec vous, toujours près de vous.

— OK.

— Vous avez des questions ? »

·J'ai décidé de la tester. « Oui. Il voulait me dire quelque chose. Qu'est-ce que c'était ?

— De ne plus porter son deuil, parce qu'à présent il est...

456

— Non. Je parle d'un truc qu'il voulait me dire avant de mourir.

— Je vous ai répété ce qu'il désirait que vous sachiez. » Son ton était glacial, genre « Fais pas chier ».

« Comment aurait-il pu vouloir me dire de ne plus porter son deuil avant de mourir ?

— Parce qu'il a eu une vision, c'était une prémonition.

— Foutaises !

— Eh, si vous n'aimez pas…

— Vous n'êtes absolument pas en communication avec lui. Vous déblatérez des platitudes qui pourraient s'appliquer à n'importe qui.

— Il vous préparait votre petit-déjeuner », a-t-elle lâché d'un coup. Comme surprise.

Moi aussi je l'étais – parce que c'était vrai !

« J'ai raison, n'est-ce pas ? Il vous préparait votre petit-déjeuner tous les matins ?

— Oui.

— Il vous aimait profondément, vous savez. »

Oui, je le savais. Une autre chose que j'avais oubliée : il me déclarait soixante fois par jour à quel point il m'aimait, cachait dans mon sac des petits mots pleins de tendresse. Il avait même essayé de me persuader de m'inscrire à un cours de self-défense : « Je ne peux pas être avec toi à chaque minute, et si jamais il t'arrivait quelque chose, je me tirerais une balle. »

« N'est-ce pas ? a insisté Neris.

— Et qu'est-ce qu'il me préparait ? » Si elle répondait juste, je croirais en elle.

— Des œufs, a-t-elle répondu, sûre d'elle.

— Non.

— Des céréales.

— Non.

— Des muffins toastés ?

— Non. Bon, laissez tomber. Je vous en pose une plus facile : comment s'appelait-il ?

— Hem… Je reçois la lettre L.

— Non.

— R ?

— Non.

— M ?

— Non.

— B ?

— Non.

— A ?

— Eh oui !

— Adam ?

— Non, ça c'est le prénom du petit ami de ma sœur.

— Oui, bien sûr ! Adam est là, je le sens, et il me dit que…

— Adam n'est pas mort. » Il vit à Londres – où, sûrement, il est occupé à repasser un truc.

« Oh, OK. Aaron ?

— Non.

— Andrew ?

— Non. Vous ne trouverez jamais.

— Dites-le-moi.

— Non.

— Ça me rend folle !

— Tant mieux. »

Clic. J'ai raccroché.

15

Mitch s'était métamorphosé : il avait l'air plus grand, plus sûr de lui, presque suffisant. Jusqu'à son teint qui paraissait avoir changé de couleur. Dès qu'il m'a aperçue, son visage s'est fendu d'un large sourire. « Anna ! Salut ! Tu es superbe ! » Sa voix était également plus sonore que d'habitude.

« Merci.

— Je t'en prie. Je suis sincère : tu ne ressembles plus trop à un phoque échoué sur la banquise.

— Ah, parce que tu me voyais comme ça ? » Je ne m'en étais pas rendu compte.

Il a ri. « Note, je ne devais pas être terrible non plus. Plutôt le genre zombie... »

Je l'avais appelé après mon coup de fil avec Neris Hemming ; j'avais quelques questions à lui poser. Après s'être déclaré enchanté de mon appel, il avait proposé qu'on se retrouve pour dîner.

« Par ici. » Il a ouvert la porte du restaurant.

J'ai remarqué autre chose. « Tu n'as pas ton sac de sport ! C'est la première fois que je te vois sans lui.

— Vraiment ? » Il semblait à peine se le rappeler. « Ah, oui, bien sûr : je passais ma vie au club de gym, à l'époque. Ça me semble tellement loin, maintenant !

— Et tu as prononcé plus de mots en cinq minutes que lors de toutes nos précédentes rencontres réunies.

— Je ne parlais pas ?

— Non.

— Mais j'adore parler ! »

La serveuse est arrivée pour s'occuper de nous. « Une table pour deux ? Je vous installe dans le coin, sur la banquette ?

— Ah, ce serait formidable, a répondu Mitch. Merci, merci infiniment. »

Elle a rougi. « Mais je vous en prie. »

Ainsi, le véritable Mitch était un charmeur. Qui l'eût cru ? Après avoir passé commande, je lui ai posé ma première question. « Quand tu as parlé à Neris Hemming, tu as vraiment cru qu'elle était en contact avec Trish ?

— Oui. » Il a hésité. Il semblait gêné. « Enfin, tu vois... Je pense que j'étais à côté de mes pompes, à l'époque – limite cinglé. J'avais besoin de croire. » Il a haussé les épaules. « Peut-être qu'elle est entrée en contact avec Trish, peut-être que non. Je sais juste que ça me convenait, à l'époque, et que ça m'a peut-être évité de perdre complètement les pédales.

— Tu te souviens, tu m'avais dit qu'elle avait deviné comment vous vous appeliez entre vous. C'était quoi, vos petits noms ? »

Une nouvelle hésitation, un bref rire gêné. « Mitchie et Trixie. »

Mitchie et Trixie ? « J'aurais pu le deviner, et gratuitement !

— Ouais, je sais... Je te répète : ça m'a fait du bien à un certain moment.

— Et maintenant, qu'est-ce que tu éprouves par rapport à tout ça ?

— Certains jours, je suis au plus mal ; j'ai l'impression que je viens juste de la perdre, et c'est horrible. Et puis, d'autres jours, je me sens bien et je me dis que, loin d'être interrompue, sa vie a été accomplie. Et quand je vois les choses ainsi, je pense également qu'un jour peut-être j'arriverai à refaire ma vie, sans être rongé par la culpabilité.

— Est-ce que tu essaies toujours de... de la contacter ? »

Il a secoué la tête. « Je continue à lui parler, j'ai toujours des photos d'elle dans toute la maison, mais je sais qu'elle est partie alors que moi, pour une raison inconnue, je suis encore là. Et c'est valable pour toi aussi. J'ignore si tu entreras en contact avec Aidan un jour, mais moi, ce que je vois, c'est que tu es en vie. Tu as une vie à vivre.

— Peut-être. En tout cas, j'en ai fini avec les médiums.

— Content de l'entendre. Eh, tu es libre dimanche après-midi ? J'ai plein d'idées de sorties : si on allait au musée de l'Industrie textile ? Ou au Planétarium – ils font des simulations de vol dans l'espace ? Ou encore on pourrait se faire un loto ? »

Bingo, va pour le loto

16

« Regarde ! » Jacqui a relevé sa jupe et baissé sa culotte.

J'ai détourné le regard.

« Non, non, regarde ! Tu vas adorer. Je me suis fait faire un maillot brésilien, et poser un petit truc spécial. Tu vois ? » Elle s'est mise un peu sur le côté pour que je puisse regarder sous son gros ventre ; sur cette zone présentement imberbe, elle avait un faux tatouage – autocollant, en fait – représentant une petite rose avec des brillants. « Comme ça, on aura un truc joli à regarder pendant le travail. » Chaque fois qu'elle prononçait ce mot, j'éprouvais un léger malaise. S'il vous plaît, mon Dieu, faites que j'aie la force de la soutenir ! Elle devait accoucher le 23 avril, donc dans moins de deux semaines, et j'avais pris mes quartiers chez elle, au cas où tout se mettrait en branle au beau milieu de la nuit.

« Ce qui arrivera forcément, soyons objectives, a-t-elle constaté. Le travail ne se déclenche jamais à une heure convenable, ou pratique, genre un samedi matin à onze heures moins le quart. Non, c'est toujours à une heure pas possible en pleine nuit. »

Sa valise à roulettes Louis Vuitton bien-aimée trônait près de la porte avec tout le nécessaire à l'intérieur : une trousse de toilette Lulu Guinness, deux bougies parfumées Jo

Malone, un iPod, plusieurs nuisettes Marimekko, un appareil photo, un masque à la lavande pour les yeux, du vernis à ongles Ipo des fois que sa manicure/pédicure s'écaillerait « pendant que je pousse », un kit de blanchiment des dents pour passer le temps, trois tenues de bébé Versace et sa dernière échographie.

« Jacqui ? Jacqui ?
— Oui, oui, je suis là !
— Où ça ?
— Dans la cuisine. »
En suivant le son de sa voix, je l'ai trouvée à quatre pattes à côté d'une cuvette d'eau savonneuse. « Mais qu'est-ce...
— Je récure le sol de la cuisine.
— Mais Jacqui, voyons ! Tu es enceinte de quarante semaines, tu peux accoucher d'une minute à l'autre ! Qui plus est, tu as une femme de ménage...
— J'en ai ressenti le besoin, voilà tout ; c'était plus fort que moi. »
Ils n'avaient pas mentionné le récurage intempestif de sols de cuisine, au cours prénatal.

« Mis à part le fait que tu sembles avoir perdu la tête, comment tu te sens ?
— Ah, c'est marrant que tu me poses cette question, parce que j'ai des élancements depuis ce matin.
— Des élancements ?
— J'imagine qu'on peut appeler ça des douleurs, a-t-elle concédé, l'air presque penaud. Dans les reins et l'utérus.
— Contractions de Braxton-Hicks, ai-je diagnostiqué.
— Non, je ne crois pas. Les contractions de Braxton-Hicks cessent quand tu fais un effort physique.
— Je parie pour des contractions de Braxton-Hicks, ai-je insisté.

— Et moi je parie que non. C'est quand même moi qui les ressens, alors, je sais de quoi je parle ! »

À cet instant, sa main s'est fermée, et la peau tendue sur ses jointures a blanchi tellement la crispation de son poing était forte. Puis le visage de Jacqui s'est tordu et son corps s'est cassé en deux.

J'ai accouru à son côté. « Des élancements de ce genre ?

— N... non. » Elle a secoué la tête, les joues rouges. « Pas aussi crucifiants. »

J'avais l'impression qu'elle allait mourir. Je m'apprêtais à appeler le 911 lorsque le spasme a semblé refluer.

« Oh, mon Dieu ! Je crois que je viens d'avoir une contraction !

— Comment tu le sais ? Vas-y, décris ce que tu as ressenti.

— Ça fait hypermal ! »

J'ai attrapé une des brochures que l'on nous avait données. « Est-ce que la douleur est partie de ton dos et s'est propagée vers l'avant, comme une vague ?

— Oui !

— Ah, merde, on dirait bien une contraction. » D'un coup, j'ai été terrifiée. « Tu vas avoir un bébé ! »

Quelque chose a attiré mon regard : une flaque d'eau était en train de se répandre sur le sol de la cuisine. Est-ce qu'elle avait renversé la cuvette ?

« Anna, a murmuré Jacqui, est-ce que j'ai perdu les eaux ? »

J'ai cru m'évanouir. L'eau venait de dessous sa jupe. En proie à l'agitation, je l'ai accusée. « Mais qu'est-ce qui t'a pris, aussi, de laver ce fichu sol ? Regarde ce que tu as fait !

— Mais ça devait arriver à un moment ou à un autre. Il faut bien que je perde les eaux. »

Très juste. Oh ! là ! là ! Jacqui avait perdu les eaux, elle allait vraiment avoir un bébé ! Soudain, toute la phase de préparation que nous avions traversée ne servait plus à rien.

Je me suis suffisamment concentrée pour appeler l'hôpital. « Bonjour, j'accompagne Jacqui Staniforth pour son accouchement, et elle vient de perdre les eaux et le travail a commencé.

— De combien de minutes sont espacées les contractions ?

— Je ne sais pas : elle n'en a eu qu'une. Mais d'une violence incroyable ! »

De l'autre bout du fil m'est parvenu un bruit qui ressemblait à s'y méprendre à un ricanement. « Chronométrez les contractions, et lorsqu'elles seront espacées de cinq minutes, présentez-vous à l'hôpital. »

J'ai raccroché. « Bon. Très bien. Où est le chronomètre ? Mais où est ce putain de chronomètre ?

— Avec les autres trucs de travail. »

J'aurais bien voulu qu'on cesse de prononcer ce mot à tout bout de champ. Chronomètre en main, je suis retournée dans la cuisine. « Bien. Je suis prête. Quand tu veux, envoie-moi une contraction. »

On s'est mises à rire.

« Au moins, je n'aurai pas perdu les eaux de façon trop ridicule.

— Comment ça ?

— Tu sais bien, dans les films, une femme enceinte perd toujours les eaux sur un tapis persan hypercher, ou alors sur les chaussures en daim neuves de quelqu'un. Et Hugh Grant est souvent dans les parages... Sinon, tu peux m'expliquer pourquoi on est assises sur le sol mouillé ?

— Euh... non, pas vraiment. »

Nous nous sommes relevées, Jacqui a changé de vêtements et eu deux nouvelles contractions. À dix minutes d'intervalle. J'ai rappelé l'hôpital. « Elles sont espacées de dix minutes.

— Venez lorsqu'elles le seront de cinq.

— Mais qu'est-ce qu'on fait en attendant ? Elle souffre !

— Massez-lui le dos, préparez-lui un bain, marchez un peu avec elle... » Je savais tout ça, bien sûr ; simplement, prise dans un tourbillon de panique, j'avais tout oublié.

Alors j'ai massé le dos de Jacqui, et nous avons regardé *Éclair de lune* en récitant tous les dialogues – j'appuyais sur Pause à chaque contraction, pour que Jacqui n'en perde pas une miette.

« Visualise, lui disais-je chaque fois qu'un spasme la submergeait et qu'elle me broyait les os de la main. La douleur est ton amie – une grosse boule d'énergie dorée. Allez Jacqui, répète après moi : une grosse boule d'énergie.

— Qu'est-ce qui te prend, tu te crois dans *Dora l'exploratrice* ? »

Après *Éclair de lune*, j'ai mis le DVD d'*Autant en emporte le vent*, et lorsque le travail – encore ce fichu mot – de Melanie a commencé, Jacqui a demandé : « Pourquoi est-ce qu'au cinéma les gens font toujours bouillir de l'eau et déchirent des draps quand un bébé va naître ?

— Aucune idée. Pour penser à autre chose, peut-être, se détendre – c'était avant l'invention des DVD. On pourrait essayer, si tu veux ? Non ? OK... Ah, ça revient ? Grosse boule d'énergie dorée, avec moi ! Grosse boule d'énergie dorée ! »

À une heure du matin, les contractions étaient espacées de sept minutes.

« Je prends un bain, a décidé Jacqui, ça soulagera peut-être un peu la douleur. »

Je me suis assise avec elle dans la salle de bains, et j'ai mis un disque de musique relaxante.

« Oh, éteins ce vacarme de baleines. Chante-moi une chanson à la place.

— Quel genre de chanson ?

— Une qui se moque de ce connard de Joey.

— Mais si ça ne rime pas ?

— Pas grave.

— "Joey, Joey a une tête de nœud, il a une tronche de grincheux et ses bottes sont ridicules." Ça te va ?

— Oui. Formidable. Encore !

— "Quand tout le monde est heureux, Joey est grincheux. Il ne reconnaîtrait pas le bonheur s'il lui sautait dessus et lui mordait... le cul." Allez, refrain, tous avec moi : "Joey a une tête de nœud..." »

Jacqui a renchéri. « "Il a une tronche de grincheux et ses bottes sont ridicules." »

— "Joey ne sait pas sourire, s'il croisait le bonheur, il prendrait ses jambes à son cou." Allez, encore une fois, refrain ! "JOEY, JOEY A UNE TÊTE DE NŒUD. IL A UNE TRONCHE DE GRINCHEUX ET SES BOTTES SONT RIDICULES." »

Cette chanson nous a occupées trois bons quarts d'heure : je chantais les couplets et Jacqui m'accompagnait pour le refrain. Puis elle a inventé d'autres couplets. On a beaucoup ri, sauf aux moments de ses contractions – toujours, du reste, espacées de sept minutes. Allait-on jamais atteindre le chiffre magique ?

« Et si tu marchais un peu ? ai-je proposé. Spirale de mon cul a dit qu'il fallait se servir de la gravité... »

Bras dessus, bras dessous, nous avancions dans l'obscurité, la rue était calme. « Raconte-moi des histoires. De belles histoires, m'a demandé Jacqui.

— Comme quoi ?

— Comme quand tu es tombée amoureuse d'Aidan. »

Instantanément, j'ai éprouvé des sentiments si contradictoires que je n'arrivais pas à leur donner un nom. De la tristesse, de l'amertume aussi, mais pas autant qu'avant. S'y mêlait quelque chose de neuf, de plus agréable.

« S'il te plaît..., a insisté Jacqui. Je vais accoucher et je n'ai pas de mec.

— Bon... Au début, je disais tout haut : "J'aime Aidan Maddox et Aidan Maddox m'aime." J'avais besoin de l'entendre parce que je n'arrivais pas à y croire, tellement c'était incroyable...

— Combien de fois par jour il te déclarait qu'il t'aimait ?

— Soixante.

— Non, sérieusement.

— Mais je suis sérieuse. Soixante fois.

— Comment tu le savais ? Tu comptais ?

— Non ; mais lui, si. Il prétendait qu'il ne pouvait pas dormir s'il ne me l'avait pas répété soixante fois.

— Et pourquoi soixante ?

— Avec une de plus, j'aurais chopé la grosse tête, d'après lui.

— Ouille. Aïe, attends une seconde. » Elle s'est cramponnée à mon bras en gémissant, le temps que la contraction passe. Puis elle s'est redressée. « Dis-moi cinq choses qui te plaisaient chez lui. » Sa requête m'a décontenancée. « Allez ! Je te rappelle que je vais accoucher et que je n'ai pas de mec.

— Il donnait toujours un dollar aux mendiants.

— Bien. Une plus intéressante, maintenant.

— Je n'arrive pas à me souvenir.

— Mais si, tu peux. »

Oui, je le pouvais, mais ouvrir mon cœur n'était pas si évident. Je me suis lancée, la gorge nouée : « Tu sais qu'il m'arrive d'avoir des dartres sur le menton, la peau toute sèche ? Une nuit, on était sur le point de s'endormir lumière éteinte, quand le menton m'a démangée. Si je ne mettais pas aussitôt dessus ma pommade spéciale, je ressemblerais à une lépreuse le lendemain matin, et j'avais un déjeuner avec les nanas de *Marie Claire*. Mais je ne m'étais pas fait délivrer ma prescription. Alors il s'est levé, habillé, et est parti en quête d'une pharmacie ouverte vingt-quatre heures sur vingt-quatre. On était en décembre, il neigeait et ça caillait… mais il était tellement adorable qu'il n'a pas voulu que je vienne avec lui, de peur que j'aie froid ! » D'un coup, les larmes ont jailli, convulsivement, et, pliée en deux, je me suis à mon tour cramponnée à Jacqui. J'ai pleuré, pleuré, pleuré toutes les larmes de mon corps en songeant à Aidan sorti pour moi dans la neige. Je pleurais tellement que je me suis mise à hoqueter, comme si j'allais étouffer.

Jacqui m'a frotté le dos, et quand ma crise a cessé, elle m'a tapoté la main en disant : « Bien, bien… Allez, encore trois. » Merde. J'avais cru que mes larmes l'amadoueraient…

« Il m'accompagnait quand j'allais faire du shopping, alors qu'il détestait les magasins de fringues pour filles.

— Oui. Je me rappelle.

— Il imitait Humphrey Bogart à la perfection.

— Oui, oui ! Et pas que la voix, il faisait aussi un truc avec sa bouche : il lui ressemblait trop !

— Comme si sa lèvre supérieure était collée à ses dents. C'était drôle !

— OK, moi j'en ai une, a déclaré Jacqui. Tu te rappelles, quand tu as emménagé avec lui, et que pour me consoler de ton départ, il m'a aidée à déménager ? Il a loué une camionnette, l'a conduite, et il a chargé et déchargé tous mes cartons. Il m'a même aidée à nettoyer mon nouvel appart, et tu m'as attrapée à la gorge en disant : "Si tu le juges papouilleur à cause de ça, je t'en voudrai à mort." Et j'ai été un peu perdue, parce que oui, c'était un comportement de papouilleur ; mais, chez lui, ça renforçait son côté macho, sexy, et je t'ai dit qu'il ne l'était pas du tout et qu'il devait vraiment t'aimer.

— Je m'en souviens. »

Elle a soupiré. « Tu as eu beaucoup de chance.

— Tu as raison. » J'ai pu le reconnaître sans éprouver d'amertume, sans avoir envie de pleurer. J'avais effectivement eu beaucoup de chance de le rencontrer.

« Ah ! Contraction ! » Jacqui s'est accroupie sur le trottoir.

« Aïe ! Aïe ! Mon Dieu...

— Respire. Visualise. Hé, reviens ! » Elle venait de rouler sur le côté en gémissant de douleur. Je me suis penchée au-dessus d'elle tandis qu'elle s'agrippait de toutes ses forces à ma cheville.

Juste à ce moment, une voiture de police qui passait s'est arrêtée, évidemment. Deux flics en sont sortis et, talkie-walkie à la main, se sont dirigés vers nous. L'un d'eux donnait l'impression d'avoir suivi un régime à base de doughnuts toute sa vie mais l'autre était grand et séduisant.

« Qu'est-ce qui se passe ? a demandé Doughnutman.

— Elle va accoucher. »

Les deux types ont observé Jacqui, tordue de douleur sur le trottoir.

« Et... elle ne devrait pas plutôt être à l'hôpital ? a demandé le beau gosse.

— Pas avant que ses contractions soient espacées de cinq minutes. Vous y croyez, vous ? Quelle bande de barbares !

— Et... Ça fait mal ? s'est informé Doughnutman, inquiet.

— Le travail a commencé, on te dit ! s'est énervé le beau gosse. Évidemment que ça fait mal !

— Et qu'est-ce que vous en savez, hein ? est intervenue Jacqui. Espèce de... de... d'homme !

— Jacqui ? a dit le beau gosse. C'est toi ?

— Karl ? » Elle a roulé sur le dos et lui a souri. « Ah, je suis contente de te revoir. Tu vas bien ?

— Oui. Très bien. Et toi ?

— Cinq minutes ! je me suis exclamée d'un coup, les yeux rivés au chronomètre. Cinq minutes ! Youpi, on y va ! »

17

Jacqui s'est changée pour enfiler une robe portefeuille très chic. Avec sa valise Louis Vuitton, elle avait l'air en partance pour des vacances à St. Bart.

« Donne-moi ça. » J'ai attrapé la valise. « Allez, on se bouge ! »

Une fois dans la rue, j'ai arrêté un taxi. « Ne paniquez pas, mais elle est enceinte. Conduisez prudemment. »

Je me suis tournée vers Jacqui. « D'où tu connaissais le policier ? Ce Karl ?

— On a travaillé ensemble lors d'une visite de Bill Clinton. » Halètements pour faire passer la contraction. « Il était chargé de la sécurité.

— Beau gosse, non ?

— Papouilleur.

— Quel genre ?

— Trop gentil. »

Le temps d'arriver dans la salle d'accouchement, les contractions étaient espacées de quatre minutes. J'ai aidé Jacqui à enlever sa belle robe puis à enfiler une blouse monstrueuse. Une infirmière est apparue.

« Ah, Dieu merci ! Vite, la péridurale, vite ! »

L'infirmière a examiné Jacqui et secoué la tête. « C'est trop tôt. Vous n'êtes pas assez dilatée. »

— Vous plaisantez ? Ça fait des heures que le travail a commencé ! Je souffre le martyre, moi ! »

Avec un sourire condescendant qui disait : Des millions de femmes passent par là jour après jour, l'infirmière a quitté la salle, tandis que je criais à son dos :

« Si c'était un homme, je parie que vous lui donneriez ! »

« Attention, ça recommence…, a gémi Jacqui. Aïïïïïïïie ! Pfff. Je VEUX ma PÉRIDURALE. C'est MON DROIT le plus STRICT ! »

L'infirmière est revenue au pas de charge. « Vous stressez les femmes qui accouchent en piscine. Il est trop tôt pour la péridurale : ça ralentirait le travail.

— Alors, vous me la ferez quand ? Hein, quand ?

— Bientôt. La sage-femme va arriver. » Et elle est repartie.

« Lève-toi, fais quelques pas », ai-je proposé à Jacqui. On nous avait dit au cours prénatal que ça accélérait la dilatation. « La gravité est ton amie. Utilise-la.

— Merci, ô Spirale de mon cul. »

Le temps passait avec une lenteur incroyable, un vrai cauchemar. Les contractions étaient espacées de deux minutes. « Je trouvais la douleur insupportable tout à l'heure, a constaté Jacqui, mais elle est bien pire maintenant. Va me chercher cette salope d'infirmière, tu veux, Anna ? »

Presque en larmes mais soulagée de me rendre utile, j'ai dévalé le couloir en courant pour mettre la main sur notre infirmière, qui est venue réexaminer le col de l'utérus. Pour un verdict inchangé : toujours pas assez dilaté.

« Mon cul ! a hurlé Jacqui. Je SUIS assez DILATÉE. C'est juste que vous ne voulez pas réveiller l'anesthésiste. Il vous plaît, hein ? Avouez que vous fantasmez sur lui ? »

L'infirmière a rougi. « Ah ! Je vous tiens, là, hein ! » a continué Jacqui. Mais cela n'a rien changé à la situation : toujours pas de péridurale. À un moment, je me suis rendu compte qu'il était dix heures du matin, alors j'ai appelé le bureau et expliqué à Teenie ce qui se passait.

Enfin, la sage-femme est arrivée et a longuement examiné Jacqui. « Vraiment, une femme enceinte perd toute dignité, a grogné Jacqui.

— Vous devriez être prête à pousser, a remarqué la sage-femme.

— Je ne pousse rien du tout tant que je n'ai pas eu ma péridurale, vous m'entendez ? » Jacqui a hurlé de douleur. « Aïïïïïeuuuuuu, mais ça ne s'arrête plus ou quoi ? Cette contraction est sans fiiiiin…

— Poussez ! » lui a intimé la sage-femme.

Jacqui a obéi, haletant, soufflant ; puis soudain les rideaux se sont ouverts et, coup de théâtre, qui était là ? Nul autre que Grincheux.

« Qu'est-ce qu'il fout là, lui ? a crié Jacqui.

— Je t'aime.

— Ferme ces rideaux, pauvre con !

— Ah, oui, désolé. » Il a fermé les rideaux derrière lui. « Je t'aime, Jacqui. Je suis désolé. Je m'en veux comme jamais !

— Je m'en tape ! Sors d'ici… Sors, je te dis ! Je souffre le martyre et tout est ta faute !

— Jacqui, pousse !

— Jacqui, je t'aime !

— Ta gueule, Joey, j'essaie de pousser. Et que tu m'aimes ou non ne fait aucune différence, parce que je jure de ne plus jamais m'envoyer en l'air ! »

Joey s'est approché du lit. « Je t'aime.

— Ne me touche pas ! Casse-toi ! »

L'infirmière est reparue. « Allons bon, qu'est-ce qui se passe encore ?

— S'il vous plaît, gentille infirmière, je vous en prie, est-ce que je peux avoir ma péridurale maintenant ? » l'a suppliée Jacqui.

L'infirmière a secoué la tête. « C'est trop tard.

— *Quoi ?* Mais... tout à l'heure, il était trop tôt... et là, trop tard ? Vous n'avez jamais eu l'intention de me la donner, c'est ça, hein ?

— Faites-lui cette putain de péridurale, a lancé Joey.

— Toi, ta gueule ! lui a ordonné Jacqui.

— Continuez à pousser, a recommandé l'infirmière.

— Oui, pousse, Jacqui, a répété Joey. Pousse, pousse !

— Est-ce que quelqu'un veut bien lui dire de la fermer ?

— Jacqui ! Il se passe un truc bizarre ! ai-je lâché, très inquiète, les yeux rivés à son entrejambe.

— Quoi ?

— C'est la tête », a annoncé la sage-femme.

Ah oui, la tête, étais-je bête ! L'espace d'un instant, j'avais cru que ses entrailles sortaient de son corps.

La tête continuait d'apparaître. Oh, mon Dieu ! Un être humain, bien réel, tout neuf ! Même si cela arrive tous les jours, à des millions de femmes, de voir une naissance en vrai, on réalise à quel point elle tient du miracle.

« Un bébé ! me suis-je écriée. C'est un bébé !

— Et tu t'attendais à quoi ? a soufflé Jacqui. Un sac Miu Miu ?

— Félicitations ! Jacqui, vous êtes maman d'une adorable petite fille. »

Grincheux inondait la salle de ses larmes. Hilarant à voir ! Après avoir enveloppé le bébé dans une couverture, la sage-femme l'a tendu à Jacqui, qui a roucoulé : « Bienvenue au monde, Mellass Pompon Vuitton Staniforth. »

Un grand moment.

« Je peux la voir ? a demandé Joey.

— Pas tout de suite. D'abord Anna. »

On m'a mis dans les bras un petit paquet au visage grimaçant. Les doigts de crevette se sont étirés, m'ont effleurée, et la dernière épine de rancœur contre Aidan a disparu. J'ai alors reconnu le sentiment que je n'étais pas parvenue à nommer plus tôt : l'amour.

« Je vous laisse faire connaissance à trois, ai-je dit à Joey en lui donnant Mellass.

— Mais pourquoi ? Où est-ce que tu vas ?

— À Boston. »

18

Après l'atterrissage à l'aéroport de Logan, j'ai été la première à descendre de l'avion. La bouche sèche, en sueur, je marchais aussi vite que je pouvais, mais le trajet vers la sortie m'a semblé prendre des heures. Le seul élément contrastant avec mon image sophistiquée était Dogly : sa tête dépassait de mon sac à main, qui rebondissait contre moi à chaque pas. Ses oreilles battaient l'air avec enthousiasme, comme s'il approuvait ce qu'il voyait. Dogly était de retour à Boston ; il me manquerait, mais j'étais convaincue que c'était une bonne chose.

En franchissant les portes automatiques en verre, j'ai cherché du regard un blondinet de deux ans. Il était là. Un petit garçon à l'air robuste portant un pull gris, un jean et une casquette des Red Sox, et tenant la main à une femme brune qui m'a souri.

Puis Jack a levé la tête, et bien qu'il n'ait eu aucun moyen de savoir qui j'étais, il m'a souri aussi, dévoilant ses jolies dents de lait.

Je l'avais reconnu instantanément. Comment aurais-je pu le rater ? Son père et lui se ressemblaient comme deux gouttes d'eau.

Épilogue

Mackenzie a épousé un millionnaire à la vie de débauché, héritier d'un empire de boîtes de conserves. Il possède soixante-quinze voitures de collection, a été condamné à plusieurs reprises pour conduite en état d'ivresse, et est régulièrement soumis à des tests de paternité. Le mariage a coûté un demi-million de dollars et occupé toutes les pages mondaines des magazines. Sur les photos, si elle paraît aider le marié à tenir debout, Mackenzie a l'air très heureuse.

Jacqui, Joey et Mellass forment une unité familiale des temps modernes – Joey garde sa fille pendant que Jacqui sort avec Karl le beau gosse. Elle est en train de reconsidérer ses vues sur les papouilleurs, surtout que Karl est vraiment très séduisant, et qu'il est toqué de Mellass autant que de Jacqui. Cependant, il existe indéniablement encore un frisson entre elle et Grincheux, alors, qui sait…

Rachel et Luke sont fidèles à eux-mêmes : un couple d'heureux papouilleurs.

Au bureau, tout se passe bien, sauf que les nanas alcoolos d'EarthSource demeurent sur mon dos. Je suis allée à un gala de charité avec Angelo – en tout bien tout honneur – pour aider à la construction d'un centre de désintoxication, et je suis tombée sur deux d'entre elles au bar à eaux.

« Anna, quelle surprise ! Qu'est-ce que tu fais ici ?

— J'accompagne Angelo.

— Angelo, tiens donc ! Et comment tu le connais ?

— Oh, comme ça, on a été présentés... »

Mais bien sûr, prends-nous pour des cruches, disait leur regard. Tu es comme nous, pourquoi ne pas te l'avouer ? Après l'acupuncture, Gaz s'est mis au reiki, une méthode de soins par l'imposition des mains. J'en frissonne rien que d'y penser.

Shake a quitté Brooke Edison. Le bruit court que M. Edison l'aurait payé, mais Shake nie en bloc. Il met la rupture sur le compte de la « pression de l'entraînement ». Il se préparait au championnat d'air guitar, et entre les heures de répétition et l'entretien de ses cheveux, il n'avait pas assez de temps à consacrer à Brooke.

Ornesto est sorti avec un type adorable, un Australien du nom de Pat. Apparemment tout se passait très bien, jusqu'au jour où Ornesto a reçu sa facture de téléphone, qui se montait à plus de mille dollars : Pat avait appelé tous les jours son ex-petit ami resté à... Coober Pedy. Ornesto, anéanti, a trouvé consolation dans la chanson : il a désormais un numéro régulier au Duplex, où il chante *Killing Me Softly* habillé en femme.

Eugene, mon voisin du dessus, a rencontré une « bonne amie ». Elle s'appelle Irene, est aimable, généreuse, et parfois, ensemble, ils vont voir Ornesto faire son show.

Helen travaille sur une nouvelle affaire. On n'a plus entendu parler de Colin et Detta depuis leur départ pour Marbella. Mister Big et Racey O'Grady continuent de régner sur leurs empires respectifs : chacun sa mafia, et tout va pour le mieux dans le monde du crime organisé dublinois.

Quasiment chaque dimanche, je vais au loto avec Mitch. On s'amuse beaucoup, surtout depuis la découverte que le nouveau Mitch – ou est-ce l'ancien ? – adore la compétition.

Il danse quand il gagne et boude quand il perd, ce qui me fait bien rire – surtout quand il perd.

Leon et Dana vont avoir un bébé. Dana se plaint que les symptômes de la grossesse sont « mooonstrueux », et Leon est aux anges, car jamais il n'a eu autant de soucis à se faire.

L'offre a enfin rattrapé la demande sur le marché des labraniches, mais les branchés sont passés à autre chose. Le chien du moment est le cocker d'Alsace, un croisement entre le cocker tout court et le berger d'Alsace, mais ils sont actuellement en rupture de stock.

L'autre jour, en lisant le journal, je suis tombée sur un article consacré à... Barb ! Elle avait mis le tableau de Wolfgang, son mari (enfin, l'un d'eux), en vente, ce qui a provoqué une véritable secousse dans le monde de l'art. Apparemment, le tableau appartenait à un mouvement artistique des années 60 de courte durée mais assez influent, appelé « l'École des enculés ». La raison pour laquelle ce mouvement a été de courte durée ? Les artistes se suicidaient, ou chutaient d'un balcon, ou se tiraient dessus mutuellement, avinés, après s'être disputé leur muse, Barb. Principal motif de ces suicides et fusillades, Barb a cependant déclaré « n'avoir rien à voir avec des gens qui auraient chuté d'un balcon ». Encensée par les médias, arrosée de billets, elle est également très sollicitée par les journalistes, désireux de savoir avec qui elle couchait, à quelle époque, etc., mais tout ce dont Barb veut bien parler est cette satanée interdiction de fumer, partout.

Papa et maman vont bien. L'histoire du chien semble définitivement réglée. Papa attendait de pied ferme le début de la série *Desperate Housewives*, mais il a été très déçu. D'après lui, Teri Hatcher n'arrive pas à la cheville de Kim Cattrall.

Je vois régulièrement Nicholas. Je l'ai invité à la fête donnée pour la naissance de Mellass, et il s'est senti très à l'aise, parlant aussi bien des films de Fassbinder que d'une rumeur selon laquelle des messages codés seraient envoyés à Al-Qaida par le biais de la chaîne du téléachat. Tout le monde l'a trouvé « adorable », et les Real Men semblent l'avoir adopté en tant que mascotte.

En rentrant d'un cours de Pilates, un après-midi très chaud, je me suis roulée en boule sur un coin de canapé, dans une flaque de soleil, et le sommeil n'a pas tardé à se manifester, me faisant dériver. La frontière entre l'éveil et le sommeil est devenue si mince que, quand j'ai basculé d'un état dans l'autre, j'ai rêvé que j'étais éveillée.

J'étais dans mon salon, sur le canapé. Et je n'étais pas surprise qu'Aidan soit à mon côté : le voir et sentir sa présence était un grand réconfort.

Il m'a pris les mains, et j'ai observé son visage, ce visage si familier, si chéri.

« Comment vas-tu ?

— Bien, mieux. J'ai rencontré le petit Jack.

— Tu l'as trouvé comment ?

— Très mignon, un vrai petit ange. C'est son existence que tu allais m'annoncer, hein, le jour où tu es mort ?

— Oui. Janie me l'avait apprise quelques jours auparavant. Je m'inquiétais tellement pour toi, je ne savais pas comment tu allais réagir !

— Eh bien, disons que maintenant ça va… J'aime beaucoup Janie et Howie, et je vois souvent Kevin et tes parents. De temps en temps, je me rends à Boston, ou ils viennent me rendre visite.

— Bizarre, la tournure que peut prendre la vie, hein ?

— Oui. »

Après être restés quelques instants silencieux, je n'ai rien trouvé de plus important à dire que « Je t'aime.

— Je t'aime aussi, Anna. Je t'aimerai toujours.

— Moi aussi, mon amour.

— Je sais. Mais tu as le droit d'aimer d'autres gens. Et quand ce sera le cas, je serai heureux pour toi.

— Tu ne seras pas jaloux ?

— Non. Et tu ne m'auras pas perdu pour autant : je serai toujours avec toi.

— Tu reviendras me rendre visite ?

— Pas de cette façon. Mais, sois attentive, je t'enverrai des signes.

— Quel genre de signes ?

— Tu les verras si tu les cherches.

— Je ne peux pas imaginer aimer quelqu'un d'autre que toi.

— Ça arrivera pourtant.

— Comment tu le sais ?

— J'ai accès à ce genre d'informations.

— Oh ! Alors... tu sais qui ce sera ? »

Il a hésité. « Je ne devrais vraiment pas...

— Oh, allez..., ai-je insisté gentiment. À quoi sert que tu viennes me voir de chez les morts si tu ne me files pas un tuyau ?

— Je ne peux pas te donner son nom... juste te dire que tu le connais déjà. »

Il m'a embrassée sur la bouche, a posé sa main sur ma tête, comme pour une bénédiction, puis il a disparu. Je me suis réveillée sereine, heureuse ; je sentais encore la chaleur de sa paume sur ma tête.

Il était vraiment venu. J'en étais convaincue.

Immobile, j'ai pris pleinement conscience de l'air qui circulait dans mes poumons, du sang qui coulait dans mes veines, et de ce miracle : j'étais vivante.

C'est là que j'ai aperçu le papillon.

Comme dans les livres sur le deuil que j'avais lus.

« Cherche les signes », m'avait conseillé Aidan.

Ce papillon était magnifique : bleu, jaune et blanc, les ailes ornées de fins entrelacs. Il a voleté dans la pièce, s'est posé tour à tour sur notre photo de mariage (j'avais remis les photos d'Aidan à leur place), sur la banderole des Red Sox – tout ce qui avait du sens pour Aidan et moi –, et je l'ai suivi des yeux, fascinée.

Il a fini par s'arrêter un peu plus longtemps sur la télé-commande, en agitant ses ailes comme s'il pouffait de rire. Ensuite, il a repris son envol, et, avec une délicatesse infinie, est venu se poser sur mon visage – sur mes sourcils, mes joues, près de ma bouche. Il m'embrassait. Puis il a gagné la fenêtre. C'était l'heure de me dire au revoir – mais pas adieu.

J'ai ouvert la fenêtre, le bruit de la ville a inondé le salon ; le monde était immense, au-dehors.

Le papillon a voleté quelques secondes au-dessus du rebord de fenêtre. Après, il s'est envolé pour de bon – petit mais courageux, poursuivant sa vie.

Remerciements

Ce livre n'aurait jamais vu le jour sans l'aide d'innombrables personnes, aussi généreuses qu'efficaces. Mes remerciements les plus sincères à...

La merveilleuse Louise Moore, pour son soutien inconditionnel, ses conseils inestimables et son regard éclairé sur cet ouvrage – comme sur tous ceux que j'ai écrits. Tout auteur devrait avoir autant de chance que moi.

Jonathan Lloyd, prince parmi les agents.

Caitríona Keyes et Anne Marie Scanlon, pour leur aide indispensable, les renseignements sur New York, et, surtout, pour leur trouvaille : Papouilleur™.

Nicki Finkel, Kirsty Lewis, Nicole McElroy, Jamie Nedwick, Kim Pappas, Aimee Tusa, et particulièrement Shoshana Gillis, pour leurs tuyaux sur le monde incroyable des relations presse dans le domaine cosmétique.

Gwen Hollingsworth, Danielle Koza et Mags Ledwith.

Patrick Kilkelly et Alison Callahan, pour les infos sur les Red Sox.

Conor Ferguson et Keelin Shanley, pour leur histoire de plongée ; Malcolm Douglas et Kate Thompson, pour les données techniques sur la plongée. Toute erreur est à mettre sur mon compte.

Nadine Morrison, pour ses renseignements sur les labraniches (eh oui, ils existent pour de vrai).

Jenny Boland, Ailish Connelly, Susan Dillon, Caron Freeborn, Gai Griffin, Ljiljana Keyes, Mamie Keyes, Rita-Anne Keyes, Suzanne Power et Louise Voss, pour avoir lu le manuscrit à différentes étapes, m'avoir donné leurs précieuses impressions et leurs encouragements.

Eibhín Butler, Siobhán Coogan, Patricia Keating, Stephanie Ponder et Suzanne Benson, pour leurs anecdotes bien pratiques sur une foule de sujets, des *blind dates* aux douleurs de l'enfantement.

Kate Osborne, qui a payé pour que «Jacqui Staniforth» soit un personnage de ce livre, lors d'une vente aux enchères en faveur de la Medical Foundation for the Care of Victims of Torture (fondation médicale pour les victimes de la torture).

Un merci tout particulier à Eileen Prendergast, pour d'innombrables raisons, y compris pour m'avoir accompagnée aux concours d'air guitar.

Si j'ai oublié quelqu'un, sachez que je suis *a)* mortifiée et *b)* sincèrement désolée.

Et, comme toujours, merci à mon bien-aimé Tony, pour tout. Ma gratitude infinie.

Cyber coup de foudre de Dan Allan
Sur un site de chat érotique, Tag fait la connaissance de Lisa :
un vrai cyber coup de foudre ! Hélas ! l'univers d'Internet est
impitoyable et nos deux tourtereaux virtuels vont l'apprendre à
leurs dépens...
*Dan Allan vit à Wellesley, près de Boston, dans le Massachu-
setts.* Cyber coup de foudre *est son premier roman.*

———•———

Sexe, amour et amitié de Paul Burston
Quand Armistead Maupin rencontre Bridget Jones... Les
mésaventures tragi-comiques d'un trio prêt à tout au cœur du
gay London.
*Journaliste et présentateur sur Channel 4, Paul Burston a
trente-neuf ans et vit à Londres.*

———•———

Beaucoup de bruit pour un cadavre de Victoria Clayton
Être ou ne pas être au bord de la crise de nerfs... telle est la
cruelle question que se pose Harriet Byng. Il faut dire qu'entre
son père, Waldo, acteur shakespearien sur le déclin, sa mère,
professionnelle du lifting, et ses quatre frères et sœurs, il y a
de quoi faire !
Après L'Amie de Daisy *(1998),* Un mariage trop parfait *(2000),*
Accordez-moi cette danse *(2002) et* La Chaleur des moissons
(2003), Beaucoup de bruit pour un cadavre *est le cinquième
roman de Victoria Clayton paru chez Belfond.*

———•———

Un tout petit mensonge de Francesca Clementis
Lauren a beau être une brillante femme d'affaires, en société, elle se transforme en reine des gaffes. Pas facile, dans ces conditions, de lier connaissance...
Après Lorna et ses filles *(2004),* Un tout petit mensonge *est le deuxième roman de Francesca Clementis à paraître chez Belfond.*

———•———

Devine qui vient mourir ce soir ? de Ben Elton
Un *Loft Story* à l'anglaise : un appartement, dix participants, trente caméras, quarante micros, un meurtre... et pas de preuves.
Ben Elton est né en 1959 à Londres. Parallèlement à ses romans, il écrit pour la télévision, le théâtre et le cinéma.

———•———

Bonheur, marque déposée de Will Ferguson
Un éditeur aux abois découvre un livre qui promet la recette du bonheur. Seul problème : ça marche.
Will Ferguson est né au Canada en 1964. Après un ouvrage polémique, Why I Hate Canadians, *et d'autres essais,* Bonheur, marque déposée *est son premier roman.*

———•———

Cerises givrées d'Emma Forrest
Une jeune femme rencontre l'homme de ses rêves. Problème, l'homme en question a déjà une femme dans sa vie : sa fille de huit ans. Une nouvelle perle de l'humour anglais pour une comédie sur l'amour, la jalousie et le maquillage.
D'origine anglaise, Emma Forrest vit à Los Angeles. Cerises givrées, *son premier roman à paraître en France, va faire l'objet d'une adaptation télévisée.*

———•———

Une exquise vengeance de Brian Gallagher
Revenue de vacances plus tôt que prévu, Julie découvre son mari dans les bras d'une blonde pulpeuse. Que faire ? Leur mitonner une revanche des plus originales…

———•◆•———

Neuf mois de sursis de Brian Gallagher
Comment persuader son époux qu'il est temps de faire un bébé, a fortiori quand l'époux en question est lui-même un grand enfant ?
De nationalité irlandaise, Brian Gallagher est né en 1964 à Stockholm. Après Une exquise vengeance *(2002),* Neuf mois de sursis *est son deuxième roman paru chez Belfond.*

———•◆•———

Chez les anges de Marian Keyes
Les pérégrinations d'une jeune Irlandaise dans le monde merveilleux de la Cité des Anges. Un endroit magique où la manucure est un art majeur, où toute marque de bronzage est formellement proscrite et où même les palmiers sont sveltissimes…
Née en Irlande en 1963, Marian Keyes vit à Dublin. Le Club de la dernière chance, *son premier roman paru en France, a été adapté au cinéma par Marie-Anne Chazel sous le titre* Au secours j'ai 30 ans !, *avec Franck Dubosc et Pierre Palmade dans les rôles principaux.*

———•◆•———

Confessions d'une accro du shopping de Sophie Kinsella
Votre job vous ennuie à mourir ? Vos amours laissent à désirer ? Rien de tel que le shopping pour remonter le moral… Telle est la devise de Becky Bloomwood. Et ce n'est pas son découvert abyssal qui l'en fera démordre.

———•◆•———

Becky à Manhattan de Sophie Kinsella
Après une légère rémission, l'accro du shopping est à nouveau soumise à la fièvre acheteuse. Destination : New York, sa 5ᵉ Avenue, ses boutiques...

———•———

L'accro du shopping dit oui de Sophie Kinsella
Luke Brandon vient de demander Becky en mariage. Pour une accro du shopping, c'est la consécration... ou le début du cauchemar !

———•———

L'accro du shopping a une sœur de Sophie Kinsella
De retour d'un très long voyage de noces, Becky Bloomwood-Brandon découvre qu'elle a une demi-sœur. Et quelle sœur !

———•———

Les Petits Secrets d'Emma de Sophie Kinsella
Ce n'est pas qu'Emma soit menteuse, c'est plutôt qu'elle a ses petits secrets. Rien de bien méchant, mais plutôt mourir que de l'avouer...
Quiproquos, coups de théâtre et douce mythomanie, une nouvelle héroïne, par l'auteur de *L'Accro du shopping*.

———•———

Samantha, bonne à rien faire de Sophie Kinsella
Le nouveau Kinsella est arrivé ! Une comédie follement rafraîchissante qui démontre qu'on peut être une star du droit financier et ne pas savoir faire cuire un œuf...

———•———

Un week-end entre amis de Sophie Kinsella *alias* Madeleine Wickham
La redécouverte du premier roman d'une jeune romancière plus connue aujourd'hui sous le nom de Sophie Kinsella. Un régal de comédie à l'anglaise, caustique et hilarante, pour une vision décapante des relations au sein de la jeune bourgeoisie britannique.

———•———

Une maison de rêve de Madeleine Wickham *alias* Sophie Kinsella

Entre désordres professionnels et démêlés conjugaux, une comédie aussi féroce que réjouissante sur trois couples au bord de l'explosion.

Sophie Kinsella alias Madeleine Wickham est une romancière anglaise à succès qui a exercé la profession de journaliste financière.

———•———

Cruautés conjugales de Damien Owens

Peter et Mary s'apprêtent à fêter le premier anniversaire de ce jour béni où ils se sont dit oui, pour le meilleur et pour le pire. Depuis quelque temps, c'est surtout pour le pire, car Mary a un problème : Peter l'agace prodigieusement...

Damien Owens est un Irlandais de trente-deux ans. Après Les Trottoirs de Dublin *(Belfond, 2002),* Cruautés conjugales *est son deuxième roman.*

———•———

Cul et chemise de Robyn Sisman

Comme cul et chemise, Jack et Freya le sont depuis bien longtemps : c'est simple, ils se connaissent par cœur. Du moins le pensent-ils...

Née aux États-Unis, Robyn Sisman vit en Angleterre. Après le succès de Nuits blanches à Manhattan, Cul et chemise *est son deuxième roman publié chez Belfond.*

———•———

Le Prochain Truc sur ma liste de Jill Smolinski

Une comédie chaleureuse et pleine de charme sur une jeune femme qui donne irrésistiblement envie de profiter des petits bonheurs de tous les jours.

Jill Smolinski a été journaliste pour de nombreux magazines féminins, avant de se consacrer à l'écriture. Le Prochain Truc sur ma liste *est son premier romain traduit en français.*

———•———

Alors, heureuse ? de Jennifer Weiner
Comment vivre heureuse quand on a trop de rondeurs et qu'on découvre sa vie sexuelle relatée par le menu dans un grand mensuel féminin ?

———•—••———

Chaussure à son pied de Jennifer Weiner
Rose et Maggie ont beau être sœurs, elles n'ont rien en commun. Rien, à part l'ADN, leur pointure, un drame familial et une revanche à prendre sur la vie...

———•—••———

Envies de fraises de Jennifer Weiner
Fous rires, petites contrariétés et envies de fraises... Une tendre comédie, sincère et émouvante, sur trois jeunes femmes lancées dans l'aventure de la maternité.

———•—••———

Crime et couches-culottes de Jennifer Weiner
Quand une mère de famille mène l'enquête sur la mort mystérieuse de sa voisine... Entre couches et biberons, lessives et goûters, difficile de s'improviser détective !
Jennifer Weiner est née en 1970 en Louisiane. Après Alors, heureuse ? *(2002, Pocket, 2004),* Chaussure à son pied *(2004) – adapté au cinéma en 2005 –, et* Envies de fraises *(2005),* Crime et couches-culottes *est son quatrième roman publié chez Belfond.*

Achevé d'imprimer sur les presses de

BUSSIÈRE
GROUPE CPI
*à Saint-Amand-Montrond (Cher)
en décembre 2007*

Composition et mise en pages : FACOMPO, LISIEUX

N° d'édition : 4290. — N° d'impression : 073729/1.
Dépôt légal : janvier 2008.

Imprimé en France

KEY